AMOR,
SEXUALIDADE,
FEMINILIDADE

OBRAS INCOMPLETAS DE **SIGMUND FREUD**

Freud

AMOR, SEXUALIDADE, **FEMINILIDADE**

6ª reimpressão

POSFÁCIO
Maria Rita Kehl

TRADUÇÃO
Maria Rita Salzano Moraes

autêntica

SOBRE AMOR, SEXUALIDADE, FEMINILIDADE

Gilson Iannini
Pedro Heliodoro Tavares

Torna-te o que tu és
Píndaro

Wo Es war, soll Ich werden
Freud

O presente volume reúne ensaios e artigos de Freud que abordam alguns dos temas mais candentes da psicanálise: o amor, a sexualidade e a feminilidade. Algumas das perspectivas mais polêmicas e alguns dos conceitos mais controversos, tais como a hipótese da bissexualidade originária, os complexos de Édipo e de castração, a sexualidade infantil, o primado do falo, a inveja do pênis, entre outros, são forjados ou examinados nestas páginas. Contudo, nem o amor, nem a sexualidade, nem a feminilidade são apreendidos como entidades isoladas ou sem conexão com os demais. Ao contrário, são temas que se cruzam nas mais diversas proporções e nas mais complexas articulações. Ou podemos nos esquecer de que Freud reuniu, em 1920, as pulsões sexuais e as de autoconservação sob o sugestivo nome de Eros, o deus do Amor? Com efeito, Freud trata das condições inconscientes e das correntes libidinais da vida amorosa, dos determinantes infantis da sexualidade adulta, da sexualidade infantil e suas repercussões na vida amorosa, da complexidade da sexualidade feminina, do papel da disposição bissexual na subjetivação da sexualidade, e assim por diante.

A presente seleção de textos compreende uma curva que nos leva de 1898 até 1935, recobrindo, portanto, as principais etapas do pensamento freudiano: desde a constituição da própria psicanálise, na época da correspondência com Wilhelm Fließ, nos últimos anos do século XIX, até depois da grande reformulação dos anos 1920, atravessando todos os níveis intermediários. Além de ensaios e artigos, este volume agrupa um número decisivo de cartas, de outro modo dispersas entre si. Não por acaso, um conjunto de cartas abre o volume, uma carta isolada o fecha.

Freud era um missivista contumaz. Sua correspondência completa é estimada em cerca de 20 mil cartas, volume que ultrapassa o de sua obra destinada à publicação. Aproximadamente metade dessa produção foi preservada. Nessa abundante correspondência, a troca epistolar com Fließ ocupa um lugar de destaque, por seu papel seminal na invenção da psicanálise. O presente volume apresenta uma seleção temática da correspondência Freud-Fließ, contendo a íntegra das cartas que referem nominalmente o tema da bissexualidade inerente ao ser humano. A hipótese da bissexualidade percorre um caminho sinuoso ao longo da obra de Freud, com movimentos de fluxo e de contrafluxo, cujos ecos se estendem pelo menos desde a primeira edição dos *Três ensaios sobre a teoria sexual*, publicado em 1905, até os textos sobre a feminilidade, da década de 1930. Com ela, a subjetivação do sexo torna-se um processo complexo e tortuoso, embaralhando vertiginosamente termos aparentemente estáveis e bem-definidos, como masculinidade, feminilidade, homossexualidade, etc. Para encerrar o volume, publicamos outra importante carta, dessa vez endereçada a uma anônima mãe norte-americana, preocupada com seu filho homossexual. Freud costumava dedicar grande parte de seu tempo à sua correspondência, inclusive com pessoas desconhecidas. Na carta que fecha o volume,

Freud afirma a essa mulher desolada que "a homossexualidade certamente não é uma vantagem, tampouco é algo de que se envergonhar, não é nenhum vício, nenhuma degradação, não pode ser classificada como doença; nós a consideramos uma variação da função sexual produzida por uma detenção no desenvolvimento sexual" (neste volume, p. 349). A carta é de 1935, mas sua atitude aberta, encorajadora e realista torna incontestе sua atualidade, especialmente em contextos nos quais se ensaia uma espécie de repatologização das sexualidades.

***

Os temas tratados no presente volume são particularmente permeáveis a fatores de diversas ordens: às contingências da história de vida de seu autor, incluindo suas crenças tácitas, suas inclinações pessoais, suas leituras e experiências, suas inconstâncias e suas angústias confessas ou inconfessas; a aspectos históricos, culturais e sociais de sua época, cuja complexidade é muito maior do que se costuma imaginar sob rótulos totalizantes tais como "cultura burguesa", "época vitoriana" ou mesmo "Viena, *fin-de-siècle*";[1] aos perfis, às experiências e às queixas de seus pacientes e de outros modelos que emprestam inteligibilidade aos seus exemplos clínicos, aos sintomas que examina, às falas íntimas e às vozes secretas que autentica, elevando-as ao

---

[1] O excelente trabalho de Le Rider (1992) continua sendo uma referência incontornável. Na página 183, ele afirma, por exemplo, que "a época de 1900 é vivenciada por seus contemporâneos como o desmoronamento das certezas e dos valores tradicionalmente 'viris'". Ver ainda os cuidadosos trabalhos historiográficos de Peter Gay (1989a, 1990), cuja leitura contrasta frontalmente com a visão resumida, por exemplo, por Shulamith Firestone de que a era vitoriana seria "caracterizada pela centralidade da família e, por consequência, pela opressão e repressão sexual exageradas" (FIRESTONE. *The Dialectic of Sex: The Case for Feminist Revolution apud* APPIGNANESI; FORRESTER, 2011, p. 658).

estatuto de discurso sexual público, sem submetê-las ao crivo do juízo moral; à dinâmica própria da comunidade psicanalítica internacional, em sua crescente institucionalização, mas também em sua pouco lembrada heterogeneidade, inclusive em termos das crenças e práticas políticas de seus membros, homens e mulheres. Em suma: amor, sexualidade e feminilidade são temas fortemente sobredeterminados. Nesse sentido, o texto de Freud não é apenas a expressão de uma cultura, de seus valores explícitos e inexplícitos. Não é apenas reflexo *de*, mas também se reflete *na* e reconfigura *essa* própria cultura.

Mas seria um erro pensar que Freud estivesse desavisado quanto a impasses dessa natureza. Ao contrário, no presente conjunto de textos ele fornece diversas provas da aguda consciência acerca do caráter sobredeterminado dos fenômenos que submete a exame e das dificuldades a eles inerentes. Diferentemente, aliás, do que muitos de seus críticos asseveram e, talvez, diversamente até mesmo do que alguns psicanalistas reconhecem. Na Conferência de 1933 intitulada "A feminilidade", por exemplo, ele afirma: "Poderíamos pensar em caracterizar psicologicamente a feminilidade através da preferência por metas passivas. Naturalmente, isso não é a mesma coisa que passividade; é preciso uma grande porção de atividade para que uma meta passiva se estabeleça. Talvez isso ocorra de tal maneira que no caso da mulher, por sua participação na função sexual, ela estenda para outras esferas de sua vida uma preferência, mais ou menos ampla, pela conduta passiva e por anseios de meta passiva, conforme o modelo de vida sexual se limite ou se amplie" (neste volume, p. 317). Parece que não se tem dado a devida importância à última parte da frase, em que claramente Freud alude a possibilidades que variam conforme modelos de vida sexual mais amplos ou mais limitados, deixando ao leitor a tarefa de interpretar o sentido e a elasticidade dessas expressões. Mas o que talvez seja mais importe aqui é como o raciocínio se completa: "Devemos, contudo, atentar para que a influência das normas sociais não seja subestimada, normas que, de forma semelhante, forçam a mulher para situações passivas. Tudo isso ainda está muito obscuro" (neste volume, p. 317-318). Logo, ele insta seus leitores a não subestimarem o papel que a normatividade social tem na subjetivação da sexualidade, desabonando de saída qualquer interpretação que tome as descobertas da psicanálise como se fossem impermeáveis a injunções sociais, culturais ou históricas. Quando confessa a obscuridade remanescente, Freud desenha uma zona cinzenta na qual a psicologia individual e a psicologia social se interpenetram.

É de amplo conhecimento, aliás, o episódio célebre no qual, depois de confessar a Marie Bonaparte que havia pesquisado a sexualidade feminina por três décadas, sem chegar a resultados satisfatórios, Freud pergunta: "Afinal, o que quer a mulher?". Essa pergunta fez correr muita tinta. Questão que, aliás, ganha matizes ainda mais ricos na língua de expressão de Freud, o alemão. Aliás, nas traduções deste volume, cuidou-se para que o leitor identifique quando Freud se refere a "mulher" como *das Weib*, termo do gênero gramatical neutro, mas que destaca o diferencial sexual do feminino diante do masculino, ou como *die Frau*, palavra do gênero gramatical feminino reservada para a referência às mulheres individualmente identificadas. A frase em alemão "*Was will das Weib*?", mesmo correndo o risco de certa redundância, poderia ser desdobrada, recriada e entendida assim: "o que quer o feminino na mulher?". A mulher como "*dark continent*" ou a mulher como "enigma" seria, na sagaz leitura de Peter Gay, um "clichê sob disfarce moderno" (Gay, 1989b, p. 454). De certa forma, porém, os textos aqui reunidos também buscam responder a pelo menos outras duas perguntas afins, e cujas respostas tampouco podem ser vistas como definitivas. Em pelo menos dois dos ensaios sobre a *Contribuições para a psicologia da vida amorosa*, parece insinuar-se a pergunta "o que querem os homens?". Afinal, a psicologia masculina, em sua aparente simplicidade, esconde segredos complexos. Do mesmo modo, nos textos sobre a sexualidade aqui reunidos, a pergunta subjacente talvez pudesse ser formulada assim: "o que querem as crianças?", ou ainda: "o que querem os corpos?". Crianças, homens, mulheres, corpos... mas também o bissexual que há em todos e em cada um de nós, o homossexual que preocupava a mãe norte-americana em 1935: tudo isso merece a atenção e o ímpeto investigativo de Freud.

Não por acaso, alguns desses textos causaram escândalo, e nunca deixaram de fazê-lo. Por um lado, a moral sexual civilizada, o *establishment* científico e certos valores da família burguesa ficaram fortemente incomodados e até mesmo ofendidos pelas ideias psicanalíticas acerca da sexualidade infantil e da disposição bissexual inerente ao ser humano e pela clivagem entre posição anatômica e posição sexual; por outro lado, certas vertentes de movimentos políticos, principalmente algumas vagas do movimento feminista, viram justamente o contrário: a continuação de uma lógica binária da sexualidade, o prolongamento do patriarcado ou a hipóstase do falologocentrismo.[2] Essa polarização da *recepção* mostra, por si só, a complexidade das posições freudianas, que exige uma leitura cuidadosa e sutil, justamente porque não se deixa apreender em lugares pré-determinados por discursos e saberes prévios. Um

---

[2] Ver, por exemplo, o influente trabalho de Jacques Derrida (2007) ou, mais recentemente, o segundo capítulo do importante estudo de Judith Butler (2003). Nas décadas de 1960 e 1970 o debate foi acalorado. A vasta bibliografia produzida então reflete isso, incluindo desde as mais ferrenhas oposições a Freud, como as de Kate Millett ou Betty Friedan, até posições mais nuançadas, como em Juliet Mitchell, Nancy Chodorow, Jacqueline Rose, Julia Kristeva, entre tantos nomes importantes entre psicanalistas feministas. Ver, a esse respeito, notas editoriais aos textos sobre a diferença sexual no presente volume.

claro exemplo de dificuldades desse tipo remonta ao célebre debate acerca da sexualidade feminina da década de 1920. Enquanto a escola inglesa, com destaque para Karen Horney, Melanie Klein e Ernest Jones, criticava o "falocentrismo" de Freud, paradoxalmente estava disposta a admitir uma espécie de harmonia natural entre os sexos, ao passo que o "patriarcal" Freud representava o interesse mútuo entre homens e mulheres como o resultado complexo de acontecimentos contingentes, de arranjos precários e de transições difíceis (cf. Appignanesi; Forrester, 2011, p. 633; 640). Aliás, bastante recentemente, Alenka Zupančič sintetizou o que há de perturbador na noção freudiana de sexualidade, mesmo aos olhos de uma sociedade "permissiva" e "tolerante" como a nossa: "aos vitorianos que gritavam 'sexo é sujo' Freud não respondia dizendo algo como 'Não, sexo não é sujo, é apenas natural', mas muito mais algo como: 'o que é esse 'sexo' do qual vocês estão falando?'" (Zupančič, 2017, p. 7). O que continua sendo inquietante – e que tem implicações clínicas e ontológicas maiores – é a noção de que o sexo é algo intrinsecamente errático e opaco, algo "problemático e disruptivo" (Zupančič, 2017, p. 7) para nossas identidades, mais do que uma matéria lisa e macia, pronta para ser modelada ou esculpida, sem resistência, conforme nossa imaginação e nosso arbítrio.

De fato, a polarização da recepção da psicanálise freudiana coloca-nos diante de uma exigência. Uma exigência de leitura atenta não apenas à letra do texto e à clínica que ela funda, mas também a aspectos biográficos, a contextos históricos e sociais, ao contexto institucional do debate interno à comunidade psicanalítica e, claro, à própria história da recepção da psicanálise. Afinal, Freud escrevia partindo do princípio "quando em Roma, fale como os romanos": basta lembrar do exemplo da linguagem aparentemente médico-biológica dos *Três ensaios*, que acaba desconstruindo desde dentro os discursos vigentes sobre o sexual. Falando para homens e mulheres de seu tempo, Freud não deve ser compreendido ou julgado somente pelos pressupostos aparentes em suas formulações, mas sim por aquilo que seu discurso é capaz de desativar nos dispositivos que herda. "Pertence verdadeiramente ao seu tempo", escreve Agamben na esteira de Nietzsche, "aquele que não coincide perfeitamente com ele nem se adequa às suas exigências e é, por isso, nesse sentido, inatual; mas, precisamente por isso, exatamente através dessa separação e desse anacronismo, ele é capaz, mais do que outros, de perceber e de apreender o seu tempo" (Agamben, 2014, p. 22). Essa observação descreve perfeitamente o desafio de ler a relação de Freud com seu tempo e com suas heranças.

Evidentemente, não é tarefa dos editores orientar a interpretação dos textos, que falam por si sós. Contudo, algumas pistas bastante genéricas acerca dos contextos, antecedentes e problemáticas de natureza histórica, social e subjetiva em que estes textos foram gestados - e dos quais eles se separam - podem ser úteis ao leitor de hoje. Afinal, os textos de Freud não foram escritos no vácuo. No que se segue, apontamos algumas dessas pistas, com breves pinceladas, por assim dizer, homeopáticas. Cabe ao leitor seguir seus rastros (consultando a vastíssima bibliografia especializada) ou, se assim preferir, apagá-los.

HERANÇAS OITOCENTISTAS?

Seja sob a forma de tratados médicos dirigidos a especialistas, seja sob a forma de textos didáticos dirigidos aos pais e aos jovens, a "literatura de esclarecimento sexual floresceu em fins do século XIX como jamais havia acontecido antes" (Gay, 1989a, p. 231). Pedagogos, clérigos, médicos e reformadores sociais se digladiavam em torno do tema, disputando o terreno do disciplinamento dos corpos e da validação de práticas sociais e subjetivas. Temas como a educação sexual de crianças, a masturbação, a impotência, a frigidez, as perversões, a contracepção, o controle da natalidade, o prazer sexual ou a sexualidade feminina, entre outros, passaram à ordem do dia e ao regime do saber, principalmente na segunda metade do século. E não por acaso. O século XIX foi o século em que a sexualidade se transformou em objeto de discurso, o século em que a obrigação de falar sobre o sexo se impôs.[3] Mas o resultado seria frustrante: o que a galopante cultura capitalista produziu de saber sobre o sexo não passaria, no melhor dos casos, daquilo que Peter Gay chamou de "ignorância erudita" ou ainda de "fuga para o conhecimento" (Gay, 1989a, p. 226; 231), ou ainda, nos termos de Foucault, de "tecnologia de poder" sobre corpos dóceis. Apesar de repudiar as evasivas e o falso pudor, apesar de condenar a política do silêncio e da ignorância, o século XIX não soube disfarçar o constrangimento nem dispensar o eufemismo: ele "fala prolixamente de seu próprio silêncio, obstina-se em detalhar o que não diz" (Foucault, 1999, p. 14). O sexo era objeto de discurso, mas apenas para, da maneira mais tênue e insidiosa, dominá-lo e circunscrevê-lo, numa palavra, para discipliná-lo. A *Psychopathia sexualis* de Krafft-Ebing, publicada em 1866, foi reeditada diversas vezes, sem causar, exatamente, escândalo (cf. Major; Talagrand, 2017, p. 111): a categoria de *perversão* delimitava comportamentos "desviantes" e fenômenos "excepcionais",

---

[3] Conforme nos ensinou Michel Foucault, a obrigação de falar do sexo está relacionada aos mecanismos de poder que penetram na intimidade do desejo e do prazer. Foucault chega a falar de uma "explosão discursiva", concomitante a uma "polícia dos enunciados" e a uma "retórica da alusão" e "da metáfora". (Cf. FOUCAULT, 1999, p. 16ss; p. 21). Contudo, ele remonta esse processo a ainda mais longe, ao limiar da idade clássica. Apesar das marcantes divergências entre as abordagens de Gay e de Foucault, tomamos aqui as linhas de força que caracterizam os saberes no século XIX, privilegiando os pontos de convergência.

afastando-os da normalidade e nos mantendo a todos, inclusive nossas crianças, numa distância segura em relação à sexualidade. Toda a sexologia anterior a Freud repetia esse gesto. Não devemos nos espantar se os afetos que circundavam o discurso da sexologia e da pedagogia sexual não raro fossem a vergonha, o medo e o temor: da gravidez, da sífilis, do pecado, da degradação. Apenas enquanto a pureza moral ou a prevenção de enfermidades psíquicas e de doenças sociais pudessem ser preservadas é que o discurso sobre o sexo podia se justificar e se disseminar. A *scientia sexualis* era servil à opinião e submissa à ordem (Foucault, 1999, p. 54). O surgimento das "tecnologias médicas do sexo" seria a grande ruptura que inaugura o século XIX (p. 113). Nesse sentido, os ouvidos dos "defensores da sociedade" se voltavam sobretudo para a ciência médica, à qual cabia excluir o patológico e o anormal diante da almejada saúde sexual, e para os agentes da lei, que separavam o criminoso ou o moralmente inaceitável dos supostos normais. O que singulariza o fim do século XIX seria, sobretudo, a aliança até então inédita entre esses discursos. Em grande medida, conhecer e investigar a sexualidade estava a serviço do conhecimento e do controle de um potencial inimigo da vida civilizada. Tudo isso teria repercussões maiores para o conceito moderno de "identidade subjetiva",[4] nos mais diversos níveis.

---

[4] A identidade subjetiva passa a ser cada vez mais distanciada do reconhecimento intersubjetivo e cada vez mais apoiada em aspectos biológicos da vida nua: na antropometria, na fotografia documental, nas impressões digitais e, mais recentemente, em sequenciamento do DNA e em biometria. Procedimentos inventados para identificar criminosos passaram a ser estendidos ao cidadão comum, processo que se difundiu exponencialmente desde o século XIX. Com o desenvolvimento de técnicas policiais de reconhecimento aliadas ao saber médico, "pela primeira vez na história da humanidade, a identidade não era mais função da 'persona' social e do seu reconhecimento, mas de dados biológicos que não podiam ter com ela nenhuma relação" (AGAMBEN, 2014, p. 82).

Algo semelhante se passa com a experiência amorosa. O mesmo século XIX viu o amor se transformar e transformar os indivíduos, as constelações familiares e as convenções sociais. Não muito tempo antes se consolidaria o que se convencionou chamar de "ideal do amor romântico": uma invenção recente, correlativa à emergência da experiência subjetiva interiorizada,[5] o amor é, agora, um sentimento espontâneo que brota de dentro para fora, no qual depositamos, de maneira quase exclusiva, nossas expectativas de realização subjetiva e projetamos nosso horizonte de felicidade terrena, muito diferentemente, aliás, do que teria sido a experiência amorosa antiga.[6] A ascendente burguesia, apesar de seu apego a regras morais e a convenções sociais, não seria mais regida pelos mesmos códigos do casamento aristocrático. Tampouco dispunha da mesma licenciosidade que presumia nas classes "superiores" – e também nas "inferiores". No máximo, podia sonhar com uma – e repudiar a outra. Cada vez mais o amor impõe-se como fundamento do casamento, e este como espaço íntimo da sexualidade legítima, embora essa redefinição do espaço doméstico em torno do amor-paixão, e os impasses a ela inerentes, desenhasse e prescrevesse, ao mesmo tempo, o espaço externo das aventuras fora do casamento, tema recorrente na literatura e nos diários íntimos cifrados, e colocasse em cena o problema jurídico do divórcio. A abundante literatura sobre o amor, constituída de poesias, romances, tratados teóricos e filosóficos, testemunhava

[5] Ver, sobretudo, o célebre estudo coordenado por Philippe Ariès e publicado postumamente (CHARTIER, 2009, cap. 2).

[6] No amor antigo, "o poder amoroso vem de fora do indivíduo, emana de locais celestes ou funestos e abala o equilíbrio dos líquidos corporais" (CHARTIER, 2009, p. 242). Ver ainda, a esse respeito, Jurandir Freire Costa (1998). Finalmente, para ir ainda mais longe, ver o recém-lançado quarto volume da *História da sexualidade*, de Michel Foucault, *Les aveux de la chair* (2018).

as contradições e os conflitos entre as vanguardas estéticas e políticas, a burguesia e as classes subalternas. Além disso, nesse processo de redefinição dos espaços privado e público, "a moral pública também mergulha cada vez mais fundo no segredo das existências, e o século XIX dará nova amplitude a essa mutação" (Chartier, 2009, p. 555).

Stendhal publicaria seu ensaio *De l'amour* (Do amor) em 1820. Poucos anos depois, Balzac traria a lume sua *Physiologie du mariage* (Fisiologia do casamento). Ambos reclamavam para si – e colocavam-se sob – a perspectiva de uma espécie de "fisiologia", no melhor estilo das psicologias materialistas de então (cf. Gay, 1990, p. 64). Em algum lugar entre a extasiante arte da conquista e o aforismo malicioso ou cínico, uma aguda crítica social se imiscuía. Na França e alhures, "o âmbito em que se faz mais evidente a invasão da autoridade pública é o da própria vida familiar. O casamento foi secularizado" (Perrot, 2009, p. 30). Na Áustria de Freud, os contos eróticos de Arthur Schnitzler, povoados de mocinhas (in)dóceis de classes subalternas arruinadas por homens burgueses em busca do prazer sexual que não obtinham com suas noivas e esposas, funcionavam como uma "crítica mordaz" da hipocrisia vienense (Gay, 1989b, p. 463). Schnitzler, autor da lapidar frase "a certeza/segurança não está em lugar algum" (*Sicherheit ist nirgends*), foi, aliás, aquele a quem Freud confessa em carta ter considerado o seu duplo na vertente artística. Esse autor, que também se dedicou à histeria e foi aluno de Meynert antes de trocar a medicina pela literatura, sofreu condenações em processos por conta de duas obras suas que denunciavam as obstinadamente negadas práticas sexuais de seus contemporâneos. Mais do que investigação, em sua literatura a sexualidade tinha sentido de escrutínio. Stefan Zweig, escritor próximo de Freud e autor tanto de um ensaio biográfico sobre o psicanalista quanto de seu discurso fúnebre, por sua vez, em obras como "Vinte e quatro horas na vida de uma mulher", denunciava as condições às quais as mulheres estavam submetidas na sociedade, tendo sua educação modelada para papéis sociais restritos ao âmbito familiar. Nas artes plásticas, em certa consonância com tais escritores, Gustav Klimt e sobretudo Egon Schiele desnudavam os aparentemente dóceis corpos femininos, revelando ali uma sensualidade irrefreável. Ao fim e ao cabo, a proliferação de discursos sobre o amor prolongava problemáticas e modelos narrativos emprestados de um passado remoto. Contudo, um fio vermelho alinhava discursos de natureza heterogênea, consolidando uma herança e uma história que remontavam à Antiguidade, formando o "sólido consenso" (Gay, 1990, p. 47) de que o amor é a união do afeto e da sensualidade, da ternura e da paixão. Ecos desse esquema narrativo ressoam, ainda que refratados, na abordagem freudiana da vida amorosa.

Ao mesmo tempo, o século XIX foi o século das lutas pela emancipação feminina e do início das disputas acerca da sexualidade feminina. Nesse sentido, tudo se passa como se o século tivesse começado, na verdade, uma década antes. Isso porque, na França de 1791, Olympe de Gouges escreveria a célebre *Declaração dos direitos da mulher e da cidadã*, e, no ano seguinte, a inglesa Mary Wollstonecraft afirmaria, em *Uma reivindicação dos direitos das mulheres*, que "não existe sexo nas almas". Diga-se de passagem, a obra pioneira de Wollstonecraft seria traduzida para o alemão[7] – com um século de atraso – por ninguém menos que Bertha Pappenheim (a célebre Anna O., paciente seminal da psicanálise). A reação masculina à

[7] No Brasil, esse texto seria traduzido no século XIX pela feminista Nísia Floresta e, teria impulsionado sua luta pela educação das mulheres como instrumento de emancipação. A inspiração europeia seguiu influenciando os movimentos feministas no Brasil, nas campanhas das sufragistas do início do século XX e na recepção das teorias feministas da segunda onda feminista, a partir dos anos 1960.

disseminação internacional de publicações (proto)feministas não tardaria. Quando da declaração dos direitos das mulheres na simbólica Assembleia de Seneca Falls, na Nova York de 1848, seguiu-se "uma avalanche de cartuns, editoriais, sermões e panfletos" contra aquelas feministas "desregradas" e "pervertidas", decididas a "subverter a família e as relações 'naturais' entre os sexos" (Gay, 1989b, p. 462). Diante do avanço internacional do movimento feminista, a Áustria promulgaria em 1867 uma lei que proibia qualquer atividade política a crianças, estrangeiros e mulheres, o que não impediu o surgimento de organizações e de publicações.

Entretanto, muitos homens, já naquela época, ergueram-se contra a condição subalterna das mulheres, seguindo a trilha de Condorcet um século antes.[8] Na Inglaterra, John Stuart Mill, membro do Parlamento desde 1865, submeteu uma petição em favor do direito das mulheres ao voto. Seu pleito foi derrubado por 194 votos contra 73. Pouco depois, publicou *A sujeição das mulheres*, uma defesa contundente da emancipação feminina que, entre outras coisas, desmentia a ideia largamente aceita de que a sujeição das mulheres aos homens fosse natural.[9] O que nem todo mundo lembra é que o jovem Sigmund Freud, a pedido de Theodor Gomperz, traduziria o livro de Mill para o alemão sob o título de *Sobre a emancipação das mulheres* ainda

---

[8] Com sua fina ironia e no melhor espírito emancipador da Revolução, o filósofo francês escreveria em 1790: "por que razões seres expostos à gravidez e a indisposições passageiras não poderiam exercer direitos dos quais nunca ninguém pensou em privar as pessoas que sofrem de gota todos os invernos ou as que facilmente se constipam?" (CONDORCET *apud* KEHL, 2016, p. 47).

[9] Ponto defendido, de maneiras diferentes, por autores como Rousseau, Burke, Kant e Hegel. A esse respeito, Maria Rita Kehl (2016, p. 49) anota com precisão que "a enorme produção teórica entre os séculos XVIII e XIX destinada a fixar a mulher no lugar ao qual sua verdadeira natureza a destinou nos faz desconfiar da 'naturalidade' desse lugar".

em 1880, antes mesmo de se diplomar em medicina. Pouco tempo depois, nas cartas a Martha, durante seu noivado, há ecos da profunda divisão subjetiva que aquela leitura provocaria no agora jovem médico, apaixonado e de espírito liberal, que, contudo, aspirava a um casamento tradicional.[10]

As investigações de Sigmund Freud nesses domínios – amor, sexualidade e feminilidade – destacam-se desse fundo confuso e heterogêneo da cultura oitocentista. O quadro composto por elementos tão heterogêneos quanto concatenados como o ideal do amor romântico, a hipocrisia sexual e a sujeição feminina não apenas emoldurava externamente o contexto de emergência da psicanálise freudiana, como também seria dissolvido por ela, no gesto mesmo de mostrar suas fissuras. Em certo sentido, Freud herda os mapeamentos e as problemáticas do século XIX. Mas, ao mesmo tempo, provoca uma fissura nos saberes preexistentes e redesenha o mapa que

---

[10] Ver, especialmente, a carta de 15 de novembro de 1883, em que Freud censura no autor inglês não apenas o caráter "puritano ou tão extraterreno" de sua autobiografia, mas ainda seu escasso "senso do absurdo" no que concerne à emancipação das mulheres. Felizmente, a história, nesse quesito, parece ter dado razão a Mill. Na mesma carta, contudo, Freud ressalta pontos importantes: Mill teria não apenas desconsiderado a diferença entre os sexos, como também omitido a própria sexualidade enquanto tal. Além disso, o futuro psicanalista manifesta seu ceticismo em relação ao alcance que reformas na legislação e na educação poderiam ter na regulação da diferença sexual, concebendo a relação entre sexualidade e a civilização como estando estruturalmente em desacordo. A mulher é algo distinto [*etwas anderes*] em relação ao homem. A frase completa, embora um pouco truncada, é esta: "Em toda a sua figuração [de J. S. Mill] não se aventa que a mulher seja algo distinto – o que não quer dizer que seja algo mais limitado, antes o contrário – em relação ao homem". Não é necessário lembrar que estamos em 1883, muito antes de Freud tornar-se Freud. Muitos anos mais tarde, em carta a Romain Rolland em 4 de março de 1923, resume sua vida como um longo trabalho de "desconstrução de minhas próprias ilusões e as da humanidade".

havia herdado.[11] O próprio Foucault reconhece a ruptura em jogo na posição singular da psicanálise em relação ao "sistema da degenerescência" e sua "oposição teórica e prática ao fascismo" (Foucault, 1999, p. 112; 141). Nesse novo mapa, o falso pudor e o discurso moral cedem lugar a uma conversa franca e direta, no espaço de suspensão temporária de convenções e normas sociais em que consiste o dispositivo analítico, onde a única regra a ser seguida de forma estrita é a da associação livre; o elogio poético cede lugar a um raciocínio com pretensões científicas; a generalidade é substituída pela atenção ao detalhe ínfimo e ao indício; a forma passa a ser depreendida não por si mesma, mas por sua deformação, no melhor estilo do raciocínio clínico; a catalogação das orientações sexuais e de gênero é contraposta à singularidade do inevitável desencontro traumático com o sexual.

A psicanálise está, nesse sentido, enraizada na história. Não apenas como testemunha: também como agente transformador dessa mesma história. Mas o que isso quer dizer, senão que, assim como nossas retinas ativam certas células periféricas na ausência da luz, produzindo assim uma visão muito particular *na* e *da* escuridão, do mesmo modo, manter o olhar fixo em seu próprio tempo não serve principalmente para perceber aquilo que se mostra na claridade do dia, mas justamente aquilo que se esconde na escuridão, e que só é visível na penumbra.[12] Nesse sentido, Freud é perfeitamente contemporâneo

[11] "O paradigma histérico do sofrimento traz consigo um conjunto de novidades que rompem com o sofrimento romântico, hegemônico na primeira metade do século XIX, pois ele é a expressão de uma forma de vida feminina (por isso os surrealistas diziam que a histeria era o maior acontecimento político do século XIX) que denuncia uma inadaptação do indivíduo à sua própria experiência corporal e que espontaneamente opõe-se ao modelo de autocontrole e autodeterminação, hegemônico nas figuras de alienação ligadas ao universo liberal e disciplinar" (DUNKER, 2017, p. 195-196).

[12] Jacques Lacan (2003, p. 17) escreve: "quando invoco então as Luzes, é por demonstrar onde ela faz furo".

não apenas de seu próprio tempo, mas também do nosso. Afinal, "contemporâneo é, exatamente, aquele que sabe ver essa obscuridade, que é capaz de escrever mergulhando a pena nas trevas do presente" (Agamben, 2014, p. 25). Justamente porque neutraliza as luzes de seu próprio tempo, Freud está profundamente enraizado naquilo que em seu tempo histórico é, na verdade, inatual. Não foi a psicanálise que desativou o dispositivo médico que silenciava o sofrimento histérico e, ao fazê-lo, deu-lhe voz, uma voz que, justamente, denunciava o liame invisível entre um certo saber psicopatológico e a hipocrisia sexual? Não foi Freud quem retirou os sonhos e as fantasias sexuais infantis das brumas do absurdo e da inexistência, e lhes emprestou uma linguagem e uma forma? Não foi o divã – e a associação livre – que liberou a palavra das regras tácitas da conversação ordinária e ofereceu a ela um espaço em que aquilo que não se pode dizer finalmente ganhava corpo e surpreendia inclusive aquele que fala?

Não por acaso, também, Freud é um autor no qual se cruzam conflitos e contradições. Nos temas reunidos neste volume, isso se mostra com especial clareza. Não obstante o aparente conservadorismo da vida doméstica da Bergasse, "nas campanhas da época relativas a temas sexuais, tais como a reforma da lei do divórcio, a legalização da homossexualidade e do aborto, Freud era um liberal sem qualquer ambiguidade" (Appignanesi; Forrester, 2011, p. 603). Freud, que em sua vida familiar não deixava de observar um certo "estilo vitoriano", ainda que indiretamente e quase sem querer, teria um papel inestimável na consolidação de algumas bandeiras das lutas das mulheres: "ciente de que sua doutrina, não obstante afastada das lutas feministas, participava amplamente da emancipação das mulheres, [Freud] via-se como um homem do passado, não tendo ele mesmo desfrutado da revolução sexual que impusera à sociedade ocidental. De certa forma, o século XX era mais freudiano do que Freud" (Roudinesco, 2016, p. 347). Ou, como sintetizam perfeitamente Lisa Appignanesi e John Forrester: "a dificuldade do caso é ainda maior: se os pontos de vista do homem Freud muitas vezes foram conservadores, a prática do psicanalista Freud com certeza foi revolucionária" (Appignanesi; Forrester, 2011, p. 38). Mas mesmo dizer isso ainda é pouco. Se Freud é contemporâneo, isso não provém de seu arbítrio, mas de uma exigência subjetiva. Isso porque "o contemporâneo é aquele que percebe a escuridão de seu tempo como algo que lhe diz respeito e não cessa de interpelá-lo, alguma coisa que, mais que qualquer luz, dirige-se direta e singularmente a ele" (Agamben, 2014, p. 26).

FEMININOS

Em uma carta a Stefan Zweig, datada de 2 de junho de 1932, Freud reconstrói o longínquo caso de Anna O., tratada por Josef Breuer no início dos anos 1880. Breuer teria deixado escorrer por entre os dedos a chave da interpretação da transferência, ao recuar diante do amor da paciente, cujo ápice é o episódio de sua gravidez histérica. Apesar de sua inteligência inquestionável, Breuer não tinha nada de "faustiano". Para não recuar diante da histeria, seria preciso um outro espírito, aquele que, "indômito, impele sempre adiante" (Goethe, *Fausto I*, verso 1857; também citado por Freud em *Além do princípio do prazer*). Goethe, o autor do livro mais citado por Freud em toda sua obra, *Fausto*, seria o poeta que representou a diversidade de manifestações do amor e sua insólita unidade (cf. Mango, 2013, p. 48), e que fez Fausto sentir uma atração irresistível pelo "eterno feminino": "Ao lado de mulheres como Lida, pseudônimo poético de Charlotte von Stein, Ifigênia, a princesa de *Tasso*, Stella e muitas outras, que representam o amor ideal, elevado, movido pelo impulso rumo à redenção e à ética do respeito, Goethe criou figuras do amor sensual, irresistíveis, exaltadas pela força do prazer e da volúpia, talvez as mais belas: a Margarida do *Fausto*; a Clarita de *Egmont*; a amante das *Elegias romanas*; a prostituta de "Deus e a dançarina indian"; a Zuleika de *O divã ocidental-oriental* (MANGO, 2013, p. 49). Mas a figura central nessa trama é a sensual Helena, que no *Fausto II* consagra a concepção pagã de Eros culminando com a geração de Euphorion (filho de Fausto com Helena), fruto de fugaz existência. Para alcançar Helena, Fausto deve atravessar o reino das Mães. "O ato heroico e mágico de Fausto – ele necessita da intervenção mefistofélica para realizá-lo – é fazer Helena aparecer depois de ter atravessado o 'inquietante' reino das Mães" (MANGO, 2013, p. 51).

Com efeito, a prática de Freud e sua vida familiar e profissional foram atravessadas de ponta a ponta pela influência e presença de mulheres. Quando, em 1910, a Sociedade Psicanalítica de Viena revia seus estatutos internos, houve oposição de alguns membros à admissão de mulheres. Diga-se de passagem, naquela altura, o acesso de mulheres a carreiras profissionais era, para dizer o mínimo, incipiente, sendo bastante raras mulheres com formação médica. Freud posicionou-se firmemente a favor da admissão de mulheres. Com efeito, Margarete Hilferding foi a primeira representante feminina a fazer parte do círculo, tendo sido eleita em abril de 1910, apesar de alguns votos desfavoráveis.[13] Visto com lentes de hoje, talvez pareça um gesto insignificante. Mas se lembrarmos que, apenas 10 anos antes, a Universidade de Viena ainda não admitia mulheres, a perspectiva se inverte. Aliás, pouco antes da virada do século, eminentes professores da Faculdade de Medicina se opunham

---

[13] No ano seguinte, Hilferding apresentou um trabalho em que desmistificava a pureza e a naturalidade do amor materno (cf. KEHL, 2016, p. 64).

até mesmo à melhoria do ensino médio para mulheres, temendo que pudessem em seguida reivindicar o acesso à universidade. Foi naquela altura que começaram a circular petições reivindicando o direito ao ingresso de mulheres nas escolas de medicina.[14] Foi o que, de fato, aconteceu, no mesmo ano em que seria publicada a *Interpretação dos sonhos*. Aliás, o longevo Código Civil austríaco, em vigor desde 1811, assegurava ao homem o posto de chefe de família e de representante legal da esposa e dos filhos, reservando à mulher o âmbito doméstico e concedendo-lhe não mais do que o direito à subsistência. Não custa lembrar que, naquela altura, um livro como *Sobre a debilidade mental fisiológica das mulheres*, um *best-seller* da misoginia, escrito pelo renomado neurologista Paul Julius Möbius, não

[14] Com efeito, Marianne Hainisch (1839-1936), pioneira do feminismo austríaco, foi uma das que levantou justamente essas bandeiras. Antes da virada do século, o movimento feminista já tinha obtido vitórias significativas, como a criação, em 1892, da Escola Ginasial para Garotas de Viena e, cinco anos mais tarde, a admissão irrestrita de mulheres na Universidade de Viena, direito que se estendeu, em 1900, inclusive à Faculdade de Medicina. Na complexa e contraditória Viena *fin-de-siècle*, parte do movimento feminista atuaria principalmente em sua vertente utópica, apostando mais na emancipação individual e moral das mulheres do que em transformações sociais mais profundas. Outras pioneiras, como Auguste Fickert (1855-1910), queriam ir mais longe. Líder do movimento visto como o mais "radical" da Viena daquela época, a Associação Geral de Mulheres, defendeu não apenas o sufrágio universal, mas também a proteção legal das mulheres da classe trabalhadora. A associação, fundada em 1893, foi ativa até 1919. Durante algum tempo, junto com outras pioneiras como Marie Lang (1858-1934) e Rosa Mayreder (1858-1938), publicou o periódico *Dokumente der Frauen* (*Documentos das mulheres*), no qual discutia-se política, direito, medicina e, desde bastante cedo, psicanálise. Emma Eckstein, a ex-paciente de Freud retratada no famoso "Sonho da injeção de Irma", escreveu para o periódico, por volta do período em que exerceu a psicanálise. Os caminhos de Mayreder e de Freud se cruzaram por volta de 1912. Seu marido Karl, depois de episódios de intenso sofrimento mental, foi levado a Freud e a Adler. O tratamento não obteve êxito. No final de sua carreira, Mayreder não poupou críticas a Freud.

apenas circulava nos meios científicos, mas também justificava fisiologicamente práticas de dominação social.[15] Freud, bastante cedo, reagiria veementemente contra tais ideias.

Já na segunda década do século XX, o movimento psicanalítico seria fortemente marcado pela presença de mulheres psicanalistas, fato bastante incomum em outras profissões liberais naquela altura.[16] Em grande parte, isso se devia não apenas à crescente modernização da cultura,[17] mas também ao incentivo de Freud à atividade profissional e à independência social das mulheres (cf. ROUDINESCO, 2016, p. 347). Não apenas Anna Freud e Melanie Klein, mas também Sabina Spielrein, Helene Deutsch, Jeanne Lampl-de Groot, Karen Horney, Ruth Mack Brunswick e Joan Riviere fizeram contribuições decisivas e tiveram papel ativo na construção da psicanálise. Outras mulheres marcantes e independentes, como a princesa Marie Bonaparte ou Lou Andreas-Salomé, estabeleceriam laços de intimidade e de intensa colaboração intelectual e mesmo vital com Freud.

---

[15] A bibliografia a esse respeito também é vastíssima, mas vale ressaltar, particularmente, o modo como Virginia Woolf aborda o tema, no final da década de 1920, em *Um teto todo seu.*

[16] "O percentual de mulheres na profissão de psicanalista tem sido sensivelmente maior do que em qualquer outra. Em 1940, 40% dos analistas na Grã-Bretanha eram mulheres; o restante do movimento psicanalítico internacional alcançou 30% na década de 1930. Entre 1920 e 1980, uma média de 27% dos analistas na Europa eram mulheres, enquanto nos Estados Unidos, onde um diploma de medicina era necessário, ainda assim o percentual médio era de expressivos 17%. Em comparação, o percentual de mulheres na medicina era de 4% a 7%, e no direito, de 1% a 5%, no mesmo período. Esses números, por si sós, deveriam nos fazer questionar o tratamento historiográfico dado à psicanálise, tanto pelos historiadores homens, quanto pelas feministas" (APPIGNANESI; FORRESTER, 2011, p. 41).

[17] Le Rider (1992, p. 205) descreve como um dos resultados da modernização "o novo status das mulheres nas cidades grandes, onde as diferenças entre os sexos são cada vez menos perceptíveis no trabalho e na vida cotidiana".

Isso sem falar no papel inestimável que tinham tido mulheres como Bertha Pappenheim (Anna O., paciente de Breuer), Anna von Lieben (Cäcilie M.), Fanny Moser (Emmy von N.), Ida Bauer (Dora) ou Margareth Csonka (conhecida na literatura psicanalítica como "a jovem homossexual") na descoberta e nos destinos da psicanálise, não apenas como pacientes com ricas histórias clínicas capazes de induzir novos conceitos e de exigir a reformulação de práticas (fazendo o médico se calar e o analista rever sua teoria e sua técnica), mas também como sujeitos cujos sintomas exibiam uma trama complexa de determinações intra e extrapsiquicas. Com efeito, na passagem do século, a histeria, com sua sintomatologia que se localiza na fina fronteira que separa o subjetivo e o social, nessa encruzilhada entre um vetor clínico e um vetor político, manifesta uma outra maneira de construir e de habitar o feminino.

Quem eram, pois, as mulheres na vida de Freud? Quais eram os modelos femininos a partir dos quais ele construiu – e reconstruiu – sua própria imagem da feminilidade? Além dos nomes supracitados, alguns biógrafos enfatizaram o papel das mulheres de sua família: a mãe (Amalia), a esposa (Martha), a cunhada (Minna) e suas filhas (Mathilde, Sophie e Anna). Mas por que não incluir nessa lista, sob o influxo das "Lembranças encobridoras", os nomes de Gisela Fluss e de sua mãe, Eleonora, paixões do jovem Sigismund, que o fizeram reconhecer em si pela primeira vez a divisão das correntes afetiva e erótica, transferindo sob a forma de amizade o respeito maternal à jovem ou confessando uma ardente paixão dirigida àquela mãe moderna e liberal, tão diferente de sua própria mãe?

Algumas daquelas mulheres psicanalistas, aliás, encarnavam, não apenas teoricamente, mas também em suas vidas práticas, aspirações feministas nem sempre fáceis de se concretizarem naquela época. Talvez isso tudo esteja relacionado a uma característica exclusiva do modelo de formação profissional da psicanálise, ausente nas demais profissões: a passagem de paciente a praticante, ou, em termos mais precisos, a passagem de analisante a analista.[18] Afinal, independentemente de origem étnica, classe ou gênero, "o objetivo do tratamento nunca será algo diferente do que a cura prática do doente, o estabelecimento de sua capacidade de realizar e de gozar" (Freud, 2016, p. 57).[19]

Não custa insistir no fato de que rótulos como "vitoriano", "feminista" ou "antifeminista" não eram, como sequer são hoje em dia, monolíticos: "existiam antifeministas que queriam impedir o direito de voto às mulheres, mas defendiam seu direito à instrução superior, ao controle sobre seus bens ou o acesso equitativo ao tribunal de divórcios. Existiam feministas, presumivelmente adversárias das antifeministas, que adotavam uma linha muito parecida".[20]

O complexo tema da sexualidade feminina, curiosamente, não parecia ser uma bandeira prioritária das feministas austríacas. Não obstante, o debate sobre a sexualidade feminina constituiu-se num terreno de disputas ainda no século XIX: a investigação da experiência erótica oitocentista não pode ser

---

[18] A bibliografia a esse respeito é abundante, principalmente entre lacanianos, cuja aposta no dispositivo do passe é um elemento central da formação analítica. Além disso, para muito lacanianos, o final de análise pode estar relacionado a um ultrapassamento da lógica fálica em direção ao gozo feminino, argumento que reforçaria enormemente o ponto de vista esboçado acima. Cf. a esse respeito "A produção de conhecimento em psicanálise como *sinthome* do analista (PINTO, 2008).

[19] Passagem muitas vezes traduzida errônea e restritivamente como "capacidade de trabalhar e de amar" (cf. a nota do editor brasileiro para "O método psicanalítico freudiano". Nesta coleção em *Fundamentos da clínica psicanalítica*).

[20] O quadro era particularmente complexo: "Entre as feministas, as socialistas sustentavam que apenas a derrubada do capitalismo traria a libertação das mulheres; as estrategistas políticas insistiam no sufrágio universal" (GAY, 1989b, p. 461-462, trad. modificada).

separada "do debate que se travava no século XIX acerca da sexualidade feminina" (Gay, 1989a, p. 110). Particularmente, o tema da sexualidade feminina foi intensamente debatido pela comunidade psicanalítica nos anos 1920-1930. Psicanalistas mulheres, vindas de vários países, que tinham engajamentos sociais e políticos variados, biografias diversas, experiências clínicas desiguais, tiveram um papel decisivo na forma de participação nos congressos psicanalíticos, nas inúmeras publicações científicas da época, nos debates e enfrentamentos com a doutrina de Freud. O leitor de hoje talvez possa ter a impressão de que não havia debates fecundos ou que a palavra de Freud não era contestada e/ou submetida ao crivo de outras experiências e tendências. Mas a história das ideias psicanalíticas rapidamente desmente essa impressão. O movimento psicanalítico foi bastante plural e aberto ao contraditório: uma rápida revisão do volume de publicações dos principais periódicos publicados ainda durante a vida de Freud é suficiente para demonstrar tal fato. O debate sobre a sexualidade feminina, por exemplo, dividiu as escolas de matriz inglesa e matriz vienense, que defenderam posições fortemente contrastantes, sem, contudo, culminar em quaisquer rupturas, repreensões ou expurgos. Freud reconhece de bom grado o papel que as analistas mulheres tiveram no debate. A tal ponto que uma das premissas fundamentais acerca da natureza da libido, qual seja, sua natureza eminentemente masculina, premissa sustentada com uma teimosia inabalável durante três décadas, parece finalmente vacilar, logo após o intenso debate da comunidade psicanalítica acerca da sexualidade feminina. Com efeito, na Conferência de 1933, "A feminilidade", lemos: "Só existe uma libido,[21] que está a serviço tanto da função sexual masculina

---

[21] Ver o excelente comentário de Zupančič (2017, p. 44 ss), que tira consequências ontológicas da diferença sexual.

quanto da feminina. A ela própria não podemos atribuir nenhum sexo" (neste volume, p. 337).[22]

***

Um dos aforismos mais conhecidos do século XX foi formulado por Simone de Beauvoir. Sua fórmula contundente e concisa transformou-se numa das bandeiras mais importantes das lutas pela emancipação da mulher: "*On ne naît pas femme: on le devient*" ("Não se nasce mulher: torna-se mulher", em tradução livre). É inegável que, quase duas décadas antes, Freud tenha contribuído a aplainar o terreno: "Corresponde à singularidade da psicanálise não querer descrever o que a mulher é – isto seria para ela uma tarefa quase impossível de resolver – mas sim, pesquisar como ela se torna mulher" (p. 317).[23]

---

[22] Em debate com Heidegger sobre a diferença sexual, o filósofo Jacques Derrida faz uma crítica à neutralidade do *Dasein* como "ente exemplar". Tal neutralidade seria uma forma de não conferir a ele nenhum tipo de predeterminação antropológica, ética ou metafísica. Embora o *Dasein* seja neutro, Heidegger não tem nenhuma dúvida de que, quando vem a adquirir marca sexual, essas marcas são duas, o que levará Derrida a propor que, se o *Dasein* não é um homem, "a primeira conclusão a tomar é que ele não se submete à divisão binária com a qual se pensa mais espontaneamente nesse caso, a diferença sexual. Se não designa o homem, também não designa, *a fortiori*, nem o homem nem a mulher" (DERRIDA, 1990, p. 154). Com isso, Derrida estaria de algum modo endossando e radicalizando a ideia freudiana aqui esboçada de uma sexualidade pulsional "neutra", pré-diferencial, pré-dual.

[23] Apesar das marcantes divergências teóricas entre a perspectiva psicanalítica freudiana e o existencialismo de Beauvoir, o que importa ressaltar aqui é que esse "devir-mulher" supõe "desontologizar" a existência subjetiva, como mostra aliás Judith Butler. Por sua vez, o projeto de radicalizar o "tornar-se" como aquilo que lança o sujeito numa experiência de "constituir-se", que não é fundado no sexo anatômico nem em categorias reificadas de gênero, supõe ainda uma aposta radical no desamparo constitutivo. Aposta que está na base do pensamento de Freud, desde 1895, como condição fundamental de constituição subjetiva diante da alteridade.

AINDA SOBRE A COMPOSIÇÃO DESTE VOLUME

Outras edições temáticas da obra de Freud propuseram volumes semelhantes a este em sua organização. A *Studienausgabe*, famosa edição de estudos alemã, reuniu em seu volume V, sob o título de *Sexualleben* (Vida sexual), uma boa parte dos textos aqui publicados. Contudo, na presente coleção, decidimos publicar "A sexualidade na etiologia das neuroses" (1898) e "Minhas perspectivas sobre o papel da sexualidade na etiologia das neuroses" (1906 [1905]) no volume sobre *Histeria, neurose obsessiva e outras neuroses*, valorizando sobretudo o papel da sexualidade como fator etiológico. Sobre a composição do presente volume, uma questão importante precisa ser respondida: por que, afinal, esta coletânea não contém o texto seminal de Freud acerca da sexualidade, os célebres *Três ensaios sobre a teoria sexual*? Não basta lembrar o precedente aberto pela edição francesa intitulada *La vie sexuelle*, publicada por Jean Laplanche na coleção Bibliothèque de Psychanalyse (Paris: PUF, 1969). Isso porque, no fundo, a pergunta já contém a reposta: justamente por ser o texto *princeps* de Freud acerca da sexualidade, nesta coleção, os *Três ensaios* merecem uma edição à parte, num volume consagrado a ele, suas variantes, seus acréscimos, além de paratextos substanciais. Com efeito, trata-se talvez do livro de Freud que mais sofreu alterações e revisões do próprio Freud em suas oito edições durante sua vida... De todo modo, algumas das principais ideias contidas nos *Três ensaios* são, ainda que de maneira fragmentária, abordados no conjunto de artigos que o leitor tem em mãos. Em compensação, o presente volume incluiu um material inexistente em outras coletâneas desta natureza: as cartas sobre a bissexualidade, uma carta sobre a homossexualidade, e a conferência sobre a feminilidade. Este volume conta com um aparato editorial original, que contém não apenas notas da tradutora (N.T.), mas também notas do revisor (N.R.), elaboradas pelo coordenador de tradução, e notas do editor (N.E.). Ao fim de cada texto de Freud, o editor incluiu ainda uma nota (não numerada) que pretende reconstituir sumariamente a gênese e o contexto discursivo de cada ensaio, assim como apontar, sempre que possível, as principais linhas de força do texto, e referir uma ou outra notícia acerca de sua recepção ou repercussão na história da psicanálise.

AGRADECIMENTOS

Este volume, como de costume, contou com a ampla participação de amigos e colaboradores. A cada novo volume, o esforço coletivo tem se mostrado mais decisivo na construção desta coleção. Gostaríamos de agradecer, primeiramente a Maria Rita Salzano Moraes, tradutora disposta e competente; a Maria Rita Kehl, pela disponibilidade e afinco com que redigiu o Posfácio; ao auxílio luxuoso de Ana Cecília de Carvalho, Carla Rodrigues, Jeferson Machado Pinto, Jésus Santiago, Marcus Vinícius Silva e Paulo César Ribeiro, que contribuíram com ricos debates e com perspectivas diversas para a confecção das notas desta edição, que o leitor encontrará ao fim de cada texto freudiano; a Ernani Chaves, que mais uma vez contribuiu com sua erudição ao esclarecimento de passagens polêmicas; a Claudia Moreira, por seu devir.

REFERÊNCIAS

AGAMBEN, Giorgio. *Nudez*. Belo Horizonte: Autêntica, 2014.

ANDERSON, Harriet. *Utopian Feminism: Women's Movements in Fin-de-Siècle Vienna*. New Haven: Yale University Press, 1992.

APPIGNANESI, Lisa; FORRESTER, John. *As mulheres de Freud*. Rio de Janeiro: Record, 2011.

BUTLER, Judith, *Problemas de gênero: feminismo e subversão da identidade*. Rio de Janeiro: Civilização Brasileira, 2003.

CHARTIER, Roger (Org.). *História da vida privada 3: da Renascença ao Século das Luzes*. Trad. Hildegard Feist. São Paulo: Companhia das Letras, 2009.

COSTA, Jurandir Freire. *Sem fraude, nem favor*. Rio de Janeiro: Rocco, 1998.

DERRIDA, Jacques. *O cartão-postal: de Sócrates a Freud e além*. Rio de Janeiro: Civilização Brasileira, 2007.

DERRIDA, Jacques. *Différence sexuel, différence ontologique (Geschlecht I)*. In: *Heidegger et la question*. Paris: Champs Flamarion, 1990. p. 145-172.

DUNKER, Christian. *Reinvenção da intimidade*. São Paulo: Ubu Editora, 2017.

FOUCAULT, Michel. *Histoire de la sexualité 4: Les aveux de la chair*. Paris: Gallimard, 2018.

FOUCAULT, Michel. *História da sexualidade 1: A vontade de saber*. 13. ed. Rio de Janeiro: Graal, 1999.

FREUD, Sigmund. *Fundamentos da clínica psicanalítica*. Belo Horizonte: Autêntica, 2017.

GAY, Peter. *A experiência burguesa da rainha Vitória a Freud: a paixão terna*. São Paulo: Companhia das Letras, 1990.

GAY, Peter. *A experiência burguesa da rainha Vitória a Freud*: a educação dos sentidos. São Paulo: Companhia das Letras, 1989a.

GAY, Peter. *Freud: uma vida para nosso tempo*. Trad. Denise Bottmann. São Paulo: Companhia das Letras, 1989b.

KEHL, Maria Rita. *Deslocamentos do feminino*. 2. ed. São Paulo: Boitempo, 2016.

LACAN, Jacques. *Autres écrits*. Paris: Seuil, 2001. (Ed. bras: *Outros escritos*. Rio de Janeiro: Jorge Zahar, 2003.)

LE RIDER, Jacques. *A modernidade vienense e as crises de identidade*. Rio de Janeiro: Civilização Brasileira, 1992

MAJOR, René; TALAGRAND, Chantal. *Freud*. Porto Alegre: L&PM, 2017.

MANGO, Edmundo G; PONTALIS, Jean-Bertrand. *Freud com os escritores*. São Paulo: Três Estrelas, 2013.

MEZAN, Renato. *Freud: pensador da cultura*. São Paulo: Brasiliense, 1985.

PERROT, Michele (Org.). *História da vida privada 4: da revolução francesa à Primeira Guerra*. São Paulo: Companhia das Letras, 2009.

PINTO, Jeferson M. *Psicanálise, feminino, singular*. Belo Horizonte: Autêntica, 2008.

ROUDINESCO, Elisabeth. *Sigmund Freud na sua época e em nosso tempo*. Trad. André Telles. Rio de Janeiro: Zahar, 2016.

ZUPANČIČ, Alenka. *What IS Sex?*. Cambridge: Massachusetts Institute of Technology, 2017.

Cartas sobre a bissexualidade

CARTA 153 [23] DE FREUD A FLIEß

Viena, 4 de janeiro de 1898

Querido Wilhelm,

A caracterização respeitosa da fotografia de Annerl[1] feita por Robertchen[2] é realmente muito engraçada. Ele é um rapaz adorável – caso você ainda não saiba.

Hoje estou enviando a você o n.º 2 dos relatórios δρεχχológicos[3] de uma revista muito interessante, editada por mim para um único leitor. O n.º 1, que guardei comigo, contém sonhos confusos, que dificilmente poderiam te interessar, e pertencem à minha autoanálise que ainda avança aos trancos, inteiramente às escuras. Estou solicitando devolução, tendo em vista uma posterior compreensão, mas com certeza não num futuro imediato.[4] Como sempre, a semana seguinte à nossa conversa foi muito produtiva para mim. Depois, seguiram-se alguns dias estéreis, com um humor miserável e dores de cabeça (e do coração) deslocadas para as pernas. Desde hoje de manhã, total desanuviamento. Continuarei me esforçando e errando.

É bastante interessante para mim que te incomode tanto a minha posição ainda desfavorável à interpretação do sinistrismo.[5] Quero tentar ser objetivo, porque sei exatamente o quanto isso é difícil.

Parece tratar-se do seguinte: fiquei formalmente tocado pela ênfase na bissexualidade e considero essa sua ocorrência de pensamento a mais importante para os meus temas desde a "defesa". Se eu tivesse aversão por razões pessoais, por ser eu mesmo um tanto neurótico, essa aversão teria, necessariamente, que se voltar justamente contra a bissexualidade, que responsabilizamos pela tendência ao recalcamento. Ocorre-me que me oponho apenas à imbricação da bissexualidade com a bilateralidade, que você requer.[6] Não assumi, de início, nenhuma posição em relação a essa ideia, porque ainda me sentia muito afastado do tema. Em Breslau, na segunda tarde, em consequência da reação nasal, sentia-me como se tivesse sido abatido na cabeça, do contrário eu teria podido colocar a dúvida que sentia como uma objeção, ou melhor, teria podido retomar isso, quando você mesmo disse que cada uma das duas metades conteria provavelmente as duas espécies de órgãos sexuais. Onde fica então, de fato, por exemplo, a feminilidade da metade esquerda no homem, se ela inclui um testículo (e os correspondentes órgãos sexuais masculinos/"femininos" inferiores) como a direita? Seu postulado, de que em todos os resultados o masculino e o feminino precisariam unir-se, já está satisfeito com uma metade!

Além disso, ocorreu-me que você me considerava um tanto canhoto; e se isso era verdade, poderia ter-me dito, tendo em vista que esse autoconhecimento em nada me magoa. Está apenas em você o fato de não saber tudo o que há de mais discreto a meu respeito; tanto quanto sei, me conhece há muito tempo. Mas não sei nada sobre uma preferência pela esquerda, agora, ou na infância; ao contrário, eu poderia dizer que durante alguns anos eu tinha duas mãos esquerdas. Só posso lhe dizer uma coisa: não sei se para os outros é sempre evidente onde ficam a sua direita e a sua esquerda e onde estão a direita e a esquerda nos outros. No meu caso (em anos mais remotos), era mais uma questão de ter que pensar onde ficava a minha direita; nenhuma sensação orgânica me dizia isso. Eu costumava tentar fazer os movimentos rápidos de escrita com a direita. No caso dos outros, eu ainda hoje preciso calcular sua posição, etc. Talvez isso se harmonize com a sua concepção, talvez tenha a ver com o fato de que, em geral, eu possua uma noção espacial vergonhosamente reduzida, o que me tornou impossíveis todos os estudos geométricos e tudo o que daí deriva.

É o que me parece. Mas sei perfeitamente que isso pode ser diferente e que, até agora, a minha aversão em relação à sua concepção do sinistrismo pode estar baseada em motivos inconscientes. Se eles forem histéricos, certamente não terão nada a ver com o tema e estarão atendo-se apenas à forma de expressão. Por exemplo, que eu tenha feito alguma coisa que só se faz com a esquerda. A explicação para isso virá algum dia, Deus sabe quando.

Só fiquei sabendo da verdade sobre P. I.[7] depois do meu retorno. Se realmente há alguma coisa com ele, ele será tão minimamente impedido – por esse deslize quanto Meynert[8] por sua embriaguez por clorofórmio – de fazer isso valer. – Ah! O vício originário! O pobre rapaz é a complementação necessária do filisteísmo e da hipocrisia do círculo todo.

Você tem que me prometer não esperar nada do *Gartenlaube*.[9] Será realmente conversa fiada, boa o suficiente para as pessoas, e não terá por que ser de interesse para nós.

Na quarta-feira iremos com a sua família inteira (Bondy e Rie)[10] ao Carltheater assistir a uma peça judaica de Herzl, uma noite de estreia, que já teve o seu papel em meus sonhos.[11]

De onde conseguiu a citação dos professores e das orelhas? Gostaria de tomá-las de você. Recentemente, em uma fantasia diurna (das quais ainda não estou absolutamente livre), arremessei as seguintes palavras contra Sua Excelência, o ministro da Educação: "A mim o senhor não pode intimidar. Sei que ainda serei Docente de Universidade [*Privatdozent*], muito depois de o senhor ter deixado de ser chamado de ministro".

Fique bem, então, e escreva logo de novo, antes que eu venha com o n.º 3. No meu lado do túnel está bem escuro; para você, nesse trabalho, até o sol e as estrelas estão brilhando.

Cordialmente seu,
Sigm.

CARTA 161 [85] DE FREUD A FLIEß

Viena, 15 de março de 1898
IX., Berggasse 19

Dr. Sigm. Freud
Docente Universitário de doenças nervosas

Querido Wilhelm!

Se algum dia subestimei Conrad Ferdinand, há tempos fui convertido por você "à porta do céu".[12] Peço-lhe que me ceda aquele trecho para o futuro trabalho sobre a histeria.

E também não subestimo a bissexualidade de modo algum; dela espero obter toda a iluminação adicional, especialmente a partir daquele momento no mercado de Breslau, em que travamos uma conversa. Só estou afastado dela agora porque, enterrado em um poço profundo, não enxergo mais nada. Minha disposição para o trabalho parece ser uma função da distância entre nossos congressos. Neste momento estou simplesmente aparvalhado; durmo durante as análises da tarde; não me ocorre absolutamente mais nada. Eu realmente acredito que meu modo de vida, as oito horas de análise nos oito meses no ano, são-me devastadoras. Infelizmente, minha sensibilidade, que deveria aconselhar-me ao descanso de tempos em tempos, não conseguiu sustentar-se diante do péssimo rendimento financeiro destes tempos e das perspectivas de outros ainda piores. Dessa maneira, eu continuo a trabalhar como um cavalo de coche, como se diz aqui. Passou-me pela cabeça que você tivesse querido ler o trabalho sobre os sonhos e que seria discreto demais para pedi-lo. Não é necessário explicar que eu o teria enviado antes do prelo. Mas como ele está parado de novo, posso mandar a você até mesmo em fragmentos. Para isso, então, algumas explicações. Trata-se de um segundo capítulo. O primeiro sobre a literatura ainda não foi escrito. Será seguido por:

3. Material do sonho;
4. Sonhos típicos;
5. Processo psíquico no sonho;
6. Sonho e neuroses.

Os dois sonhos aqui mencionados retornarão em capítulos posteriores; sua ainda incompleta interpretação será então concluída. Espero que não faça objeção às observações sinceras que fiz no sonho da cátedra.[13] Os filisteus ficarão contentes em poder dizer que, com isso, eu tornei as coisas impossíveis. O que talvez o espante no sonho terá mais tarde a sua explicação (minha ambição). Observações sobre o *Édipo Rei*, o conto de fadas do talismã e talvez o *Hamlet* terão seu lugar. Onde eu terei de consultar sobre a lenda de Édipo ainda não sei.

Minha ponderação em sobrecarregá-lo em um momento em que não está com disposição para o trabalho eu combato com a consideração de que a coisa, em seu conteúdo especulativo mínimo, provavelmente irá apenas diverti-lo de maneira inofensiva.

No que diz respeito à histeria, neste momento estou completamente desorientado. É claro que eu gostaria muito de saber se as suas esperanças em relação aos prazos se realizaram e se as nossas expectativas quanto à Páscoa podem seguir *inalteradas*. Desistir está, de longe, fora de questão.

Saudações cordiais,
Seu Sigm.

CARTA 208 [113] DE FREUD A FLIEß

Riemerlehen, 1º de agosto de 1899

Dr. Sigm. Freud
Docente Universitário de doenças nervosas

Querido Wilhelm!

Estou enviando a você, em dois envelopes ao mesmo tempo, as primeiras correções do capítulo introdutório (da bibliografia).[14] Se tiver algo a objetar, mande-me a página com as suas observações, pois ainda é possível aproveitá-las até a segunda e a terceira correções. O seu vivo interesse pelo trabalho me faz bem, e não sei expressar o quanto. Infelizmente esse capítulo irá constituir uma dura prova para o leitor.

Aqui está tudo incomparavelmente lindo, fazemos caminhadas ora mais longas, ora mais curtas e todos estamos muito bem, exceto por algumas situações de saúde pelas quais tenho passado ocasionalmente. Estou trabalhando na conclusão do trabalho sobre o sonho, em um quarto grande e silencioso no andar térreo, com vista para as montanhas. Meus deuses antigos e encardidos, tão pouco reconhecidos por você, participam do trabalho como pesos de papel. A retirada do longo sonho cancelado por você será compensada pela inserção de uma pequena coletânea de sonhos (sonhos inofensivos e absurdos, cálculos e discursos nos sonhos, afetos nos sonhos). A reelaboração só afetará o último capítulo psicológico, que talvez eu aborde em setembro e lhe envie na forma de manuscrito, ou – eu o leve comigo. Meu interesse agora está todo voltado para isso.

Aqui também há cogumelos, mas ainda não em abundância. É claro que as crianças estão participando da atividade de colheita. O aniversário da dona da casa foi longamente festejado, entre outras coisas, com uma excursão da família até Bartholomae. Devia ter visto a Annerl no Königssee. Martin,[15] que aqui está vivendo plenamente em suas fantasias, levantou para si uma cabaninha na floresta, etc., e ontem declarou: "Na verdade, não acredito que os meus assim chamados poemas sejam verdadeiramente bonitos". Nós não o perturbamos nesse autoconhecimento. Oli está novamente praticando a anotação exata dos caminhos, das distâncias, dos nomes de lugares e de montanhas. Mathilde é um ser humano completo e, naturalmente, uma perfeita dama. Todos eles estão vivendo bons momentos.

Até mesmo ao Fr. Pineles[16] – que normalmente é um ser humano amável, delicado e bem informado, e que, através de seu parentesco com o meu velho amigo Prof. Herzig, tornou-se pessoalmente mais próximo de mim – você deve, em vão, ter provado que nós dois somos profetas. Ele inalou ar clínico em excesso, que contém diversas toxinas poderosas. A respeito de Breuer,[17] fiquei novamente sabendo que declarou, sobre o último trabalho (esquecimento), que não se surpreendia com o fato de que ninguém desse valor ao meu material, já que eu deixava lacunas como aquelas. Ele achou que, em meus pensamentos, eu não expus em que consiste a ligação entre a morte e a sexualidade. Quando o livro dos sonhos estiver pronto e disponível, ele poderá ficar consternado com o contrário, com a abundância de indiscrições. Só quando o acaso (todavia improvável) tiver me presenteado com um título é que ele vai abaixar a crista.

Quanto mais o trabalho deste ano vai agora ficando para trás, mais satisfeito vou ficando com ele. A não ser com a bissexualidade! A respeito dela, você certamente tem razão. Estou até me acostumando a conceber cada ato sexual como um processo entre quatro indivíduos. Sobre isso haverá muito que conversar.

Algumas coisas que você escreve fazem-me lamentar profundamente. Eu queria poder ajudar.

Cumprimente cordialmente por mim a família toda e lembre-se de Riemerlehen, onde estou.

Muito cordialmente,
Seu Sigm.

CARTA 262 [141] DE FREUD A FLIEß

Viena, 30 de janeiro de 1901
IX., Berggasse 19

Dr. Sigm. Freud
Docente Universitário de doenças nervosas

Querido Wilhelm!

Tenho que respondê-lo sobre várias coisas, o que não acontece há muito tempo. Sobre o estado de Minna,[18] o que sei é o seguinte: não há dúvida de que seja uma úlcera, mas não está absolutamente certo que esteja localizada no duodeno; tendo em vista o sangue e a intensidade das dores, o assistente de Oscar, A. Hammerschlag,[19] que aliás não estava nem um pouco à vontade, quis nos persuadir até mesmo de uma localização no reto. Penso que ela esteja no cólon (flexura). Começou com embolia; uma úlcera por tuberculose parece estar descartada. Oscar ouviu ao longo dos dias sons impuros; alguns dias antes tinha havido uma ligeira elevação da temperatura, que anteriormente não tinha sido constatada. Esse é todo o material de que dispomos. É claro que ninguém está enxergando direito, mas está começando a se revelar para nós uma afecção cardíaca, cuja origem e importância é desconhecida, mas que poderia envolver alterações endocárdicas. Algumas fezes características se perderam por descuidos domésticos, mas depois disso Oscar reconheceu coágulos de fibrina nas misturas em questão.

Seu estado geral melhorou muito nos últimos dias, e com isso aumentou também o nosso ânimo. Um adoecimento funcional ou neurótico certamente não pode ser diagnosticado. A história toda não é simples.

"Sonho e histeria"[20] possivelmente não irá decepcioná-lo. O principal nele continua sendo o que é psicológico, a utilização do sonho, algumas peculiaridades dos pensamentos inconscientes. Sobre o que é orgânico há apenas impressões, e, na verdade, das zonas erógenas e da bissexualidade. Mas ela foi nomeada e reconhecida desta vez, e preparada para uma exposição detalhada numa outra vez. Trata-se de uma histeria com tosse nervosa e afonia, que podem ser remetidas ao caráter da sucção, e nos processos de pensamento em conflito, a oposição entre uma inclinação para o homem e uma para a mulher desempenha o papel principal.

Enquanto isso, a *Vida cotitiana*[21] descansa meio terminada e logo terá continuidade. Até pretendo fazer um terceiro, algo pequeno; pois disponho de muito tempo livre e tenho necessidade de me ocupar. Este ano há um alívio em 3-4 horas diárias de trabalho e correspondentemente um maior bem-estar físico, embora um certo mal-estar no orçamento.

Quanto à data, não errei em muito. Eu fui tão tolerante em computar para o público apenas o tempo a partir da publicação das "Relações" que indiquei 1897, quando, na verdade, foi no Natal de 1896 (?) que elas foram publicadas. Seriam, portanto, mais de quatro anos. – A segunda discussão em Viena deve ter sido mais vergonhosa do que a primeira. Essa gente é incorrigível. Com o mesmo fôlego que deveria envergonhá-los por terem que admitir que rechaçaram com tanta injustiça o que era fácil de ser provado e, ainda assim, altamente singular em teu livro, eles se atrevem a debochar da parte mais difícil dele, e nenhuma autocrítica lhes diz que, se eles se mostraram assim e o autor assado, então também poderia haver no outro alguma coisa, [e] que eles teriam primeiro que pensar! Incorrigíveis, e chega disso!

O Großmann de Viena é tão repulsivo quanto o G. de Berlim.[22] A coisa está correta, muito velha e *fora* de contexto em relação com a sua descoberta. Uma vez ele me mostrou um cunhado epilético que não conseguia inspirar por causa de obstrução no nariz, e aconselhei-o a que desobstruísse o nariz, pois talvez isso pudesse ter uma influência nos ataques. Foi-me permitido algumas vezes observar as operações!, e fiquei chocado com a sua falta de jeito, com seu desamparo e com sua falta de planejamento.

Você não acha que agora seria o momento certo de agrupar em três páginas os poucos acréscimos a fazer ao tema atual, as zonas de Head, o efeito em herpes zoster, e o que mais tiver, e entregá-las para que venham a público? O contato com o público afinal será um meio de garantir uma certa consideração às grandes coisas biológicas que são as mais importantes para você. As pessoas só seguem mesmo a autoridade, que por sua vez só pode ser adquirida se fizermos alguma coisa que lhes seja acessível.

Em meio à depressão dos ânimos e material desta época, atormenta-me a tentação de passar a semana da Páscoa deste ano em Roma. Com absolutamente nenhum direito, pois nada foi alcançado, e é provável que por motivos exteriores também seja impossível. Esperemos por tempos melhores. Desejo avidamente que queira contar-me sobre esses tempos.

Muito cordialmente,
Seu Sigm.

CARTA 270 [145] DE FREUD A FLIEß

Thumsee, 7 de agosto de 1901[23]

Querido Wilhelm!

Pela primeira vez, em três semanas, o tempo hoje está lamentável, o que exclui qualquer outra atividade; amanhã devemos ir para Salzburg para uma apresentação de *Don Juan*, para a qual Ferstel conseguiu lugares para nós; de modo que já lhe respondo hoje, ou pelo menos começo a responder.

Primeiro sobre os negócios, depois sobre o que é sério e, por fim, o prazer.

A senhora Do. seria um ótimo substituto para L. G.; de acordo com as tuas últimas comunicações, ela é certamente a pessoa certa para esse tratamento e poderia antecipar um êxito maior do que a média. Só que antes de 16 de setembro eu não voltarei à labuta, não importa qual seja a paciente, conhecida ou desconhecida, e, até lá, ela pode ter novamente superado o seu paroxismo. Não conto com ninguém que já não esteja em minhas mãos. Aqueles que me procuram são doentes, logo, particularmente irracionais e influenciáveis. A propósito, a próxima temporada irá me interessar de maneira especial. Terei, digamos, com certeza, apenas um paciente, um jovem com neurose obsessiva, e minha boa velhinha, que para mim era uma fonte de renda pequena, faleceu durante as férias.

Estou anexando a esta carta um atestado do pai G., por desejo explícito de Martha,[24] que está me vendo escrever para você.

Winternitz[25] é um oportunista, que foi sistematicamente um vira-casaca e que por isso possui interesse particularmente sintomático. Que só se possa ter grande sucesso, que enaltece as pessoas, *depois dos 40*, sempre foi para mim uma grande surpresa. Ele poderia ter ocorrido a você mais cedo e não teria lhe trazido nenhum prejuízo psíquico. Eu adoraria tê-lo, por causa da utilidade material, mas ele não vem, e assim deverá ser até o fim.

Tenho partilhado continuamente com Oscar das tristes circunstâncias em Kaltenleutgeben através da troca de correspondência. Eu sempre me questionei sobre o pouco em comum que restaria entre vocês depois de os pais partirem; mas, de coração, não posso mesmo ficar do seu lado, isto é, do lado de vocês. Oscar e Mela estão comoventemente dispostos a sacrifícios e abnegados nestes tempos de doença; ele, que conheço há mais tempo, foi sempre assim, e só o mostrou novamente a mim. Não posso deixar de agradecer e o perdoo por uma grande parte de sua falta de compreensão pela minha descoberta, conduta esta em que ele não é o único. Mas entre você e ele não precisaria ser assim. "Isto não são seres humanos", parece-me precisamente uma característica inapropriada para os dois, tendo em vista que se comportam humanamente de maneira correta e boa.

Não dá absolutamente para esconder o fato de que nós dois acabamos nos afastando bastante um do outro. Percebo a distância por isso e aquilo. O mesmo vale para meu juízo sobre Breuer. Há muito tempo não o desprezo, venho sentindo sua força. Se ele está morto para vocês, então ainda está exercendo o efeito postumamente. O que a sua esposa está fazendo, a não ser elaborar, em uma obscura compulsão, a sugestão que Breuer lhe plantou na alma na ocasião em que lhe desejou sorte por eu não morar em Berlim e não poder perturbar seu casamento? E você alcança também aí o limite de sua perspicácia, toma partido contra mim e me diz aquilo que desvaloriza todos os meus esforços: "o leitor de pensamentos lê nos outros apenas os seus próprios pensamentos".

Se sou assim, então joga a minha *Vida cotidiana* na lata do lixo, sem nem mesmo lê-la. Ela está cheia de referências a você: manifestas, para as quais forneceste o material, e ocultas, nas quais o motivo remonta a você. Até mesmo a epígrafe foi dada por você.[26] Independentemente de tudo o que permaneceu do conteúdo, ela pode fornecê-lo a prova do papel que você desempenhou para mim até agora. Depois de uma declaração como essa, bem que posso autorizar-me então a lhe enviar o trabalho, sem nenhuma palavra, quando ele chegar às minhas mãos.

No que diz respeito a Breuer, você com certeza está inteiramente certo sobre *o ser* irmão. Mas não compartilho de seu desprezo pela amizade entre os homens, talvez porque faça parte dela de modo intenso. Para mim, como você está cansado de saber, a mulher nunca substitui o amigo na vida dos companheiros. Se a inclinação masculina de Breuer não fosse tão excêntrica, tão tímida, tão contraditória, como tudo o que nele é anímico, haveria um belo exemplo sobre a que espécie de realizações a tendência androfílica no homem se deixa sublimar.

Prometi escrever a você também sobre "prazer". Thumsee é realmente um pequeno paraíso, especialmente para as crianças, que são aqui alimentadas de modo selvagem, que brigam entre si e com os hóspedes pelos barcos, nos quais então desaparecem do nosso olhar preocupado de pais. A companhia dos peixes já me deixou devidamente aparvalhado, mas ainda não estou com a alma livre que normalmente consigo ter nas férias, e acho que não posso prescindir de oito a dez dias de azeite e vinho. Meu irmão talvez venha a ser companheiro de viagem. Sobre a minha cunhada não posso relatar nada muito melhor, mas pelo menos uma calmaria na situação. Está se movimentando pouco e com um humor instável e abatido; a úlcera intestinal provoca-lhe desconfortos contínuos.

E agora o principal! Tanto quanto posso perceber, meu próximo trabalho deverá chamar "A bissexualidade humana",[27] que pegará o problema pela raiz e dirá a última palavra que me for possível. A última e a mais profunda. No momento, tenho para ele apenas uma coisa: o reconhecimento principal que há muito tempo se construiu sobre a ideia de que o recalcamento, meu problema central, só é possível através de reação entre duas correntes sexuais. Eu precisarei de cerca de meio ano para reunir o material e espero descobrir que o trabalho já esteja agora passível de execução. Mas então vou precisar ter uma conversa longa e séria com você. A ideia em si é sua. Deve se lembrar que disse a você há anos que a solução estava na sexualidade, quando ainda eras rinologista [*Nasenarzt*] e cirurgião, e anos depois corrigiu: na bissexualidade, e vejo que tem razão. Talvez eu precise tomar emprestado ainda mais de você, talvez meu sentimento de honestidade me obrigue a pedi-lo que assine o trabalho comigo, de modo que a escassa parte anátomo-biológica que me cabe ganharia por si uma ampliação. Eu teria como meta o aspecto psíquico da bissexualidade e a explicação da neurótica [*Neurotik*]. Esse é, portanto, o próximo projeto que espero que volte a nos unir adequadamente também nas coisas científicas.

As mais cordiais saudações a você e aos seus. Deixe-me ouvir algo de sua parte.

Seu Sigm.

CARTA 271 [146] DE FREUD A FLIEß

19 de setembro de 1901
IX., Berggasse 19

Querido Wilhelm!

Recebi o seu cartão algumas horas ainda antes da partida. Eu deveria agora lhe escrever sobre Roma; é difícil. Mesmo para mim foi avassalador e, como sabe, a realização de um desejo almejado durante muito tempo. Assim como são essas realizações que se tornam um tanto prejudicadas quando se esperou muito tempo por elas, mas mesmo assim: um ponto alto da vida. Mas durante o tempo em que eu estive inteiramente tranquilo em relação à Antiguidade (eu poderia ter ficado admirando o pedacinho do Templo de Minerva perto do Fórum de Nerva em sua degradação e desfiguração), não me foi possível usufruir livremente da segunda Roma; a tendência a me esvair em pensamentos sobre a minha miséria e sobre tudo o mais de que tenho notícia perturbou-me e deixou-me incapacitado; não pude suportar bem a mentira sobre a salvação da humanidade, que ergue sua cabeça de maneira tão proeminente em direção ao céu.

A terceira Roma italiana eu acho cheia de esperança e simpática.

A propósito, fui modesto no prazer, não quis ver tudo nos 12 dias. Não apenas subornei Trevi, como todos fazem, mas também, o que eu mesmo inventei, enfiei a mão na *Bocca dela verità* em Sta. Maria Cosmedin, com o juramento de que voltaria. O tempo estava quente, mas bem tolerável, até que um dia, felizmente apenas no nono, um siroco[28] começou a soprar e me abateu, a ponto de eu não conseguir mais me recuperar. Depois de minha chegada, surgiu uma gastroenterite que remeto ao dia da viagem e da qual agora estou sofrendo, sem reclamar. Meu pessoal voltou para casa uma noite antes de mim; minha atividade ainda é mínima.

Sua última carta foi realmente benfazeja. Agora posso explicar a mim mesmo a sua conduta nas cartas do ano que passou.[29] A propósito, foi a primeira vez em que você me disse algo distinto da verdade. O que diz sobre a minha conduta em relação ao seu grande trabalho reconheço cá comigo como sendo injusto. Eu sei quantas vezes pensei nele com orgulho – e estremecimento e o quanto me perturbou a incapacidade de me conectar com uma ou outra conclusão. Você sabe que não há em mim nenhum vestígio de talento para quantificações e que não tenho nenhuma memória para números e medidas; talvez isto possa ter dado a impressão de que eu não tenha retido nada do que você me comunicou. Acho que tudo o que se deixa ler como pontos de vista e qualidades a partir dos números não foi perdido no meu caso. Talvez você tenha desistido muito rapidamente da minha cumplicidade. Um amigo que tem o direito de tentar contradizer, que dificilmente pode tornar-se perigoso pelo que ignora, não é sem valor para aquele que anda por caminhos tão obscuros e se relaciona com bem poucas pessoas, todas as quais o admiram de maneira incondicional e sem crítica.

A única coisa ofensiva em sua carta foi um outro mal-entendido de que a minha exclamação: "Mas você está soterrando o valor das minhas descobertas" estaria se referindo à minha terapia. Com isso, eu realmente não estava pensando em encontrar desculpas. O que lamentei foi perder o "único público", como diz o nosso Nestroy. A quem mais vou escrever então? Se você, portanto, no momento em que uma interpretação de minha parte o causa mal-estar, está pronto a concordar que o "leitor de pensamentos" não intui nada do outro, mas apenas projeta seus próprios pensamentos, você realmente também não é mais o meu público, e necessariamente irá considerar todo o meu modo de trabalhar tão desprovido de valor quanto os outros.

Não entendi a sua resposta sobre o tema da bissexualidade. Evidentemente está muito difícil nos entendermos. Com certeza eu não queria outra coisa além de elaborar a minha complementação à teoria da bissexualidade, expor a tese de que o recalcamento e as neuroses têm a independência do inconsciente, portanto, a bissexualidade, como pressuposto.

Que eu não esteja pensando em ampliar a minha parcela nesta descoberta já terá sido mostrado pela prioridade dada, desde então, ao referido trecho no *Vida cotidiana.*[30] Mas algum tipo de conexão com o que, de maneira geral, é biológico e anatômico na bissexualidade seria, afinal, indispensável, e dado que quase tudo que sei a esse respeito provém de você, então não resta outra coisa a não ser fazer referências a você ou conseguir essa introdução inteiramente de você. Mas agora não estou absolutamente com nenhuma vontade de publicar. Nesse meio-tempo certamente ainda falaremos sobre isso. Não se pode dizer simplesmente: a consciência é dominante, o inconsciente é o fator sexual subjacente, sem cometer a mais grosseira simplificação de uma natureza muito mais complicada, embora, naturalmente, esse seja o fato fundamental.

Estou ocupado escrevendo um ensaio mais psicológico: *Esquecer e recalcar* [*Vergessen und Verdrängen*],[31] que, no entanto, também guardarei comigo por longo tempo.

A data da sua palestra de Bresgen já passou; eu a estou aguardando com grande entusiasmo; ela foi adiada?

Saúdo-o cordialmente e fico na expectativa de boas notícias de você e dos seus.

Seu Sigm.

CARTA 284 DE FLIEß A FREUD

Telegrama: Hôtel Meissl & Schadn
Schadnhotel Viena
Telefone 1230

Viena, 20 de julho de 1904

Caro Sigmund,

Chegou ao meu conhecimento um trabalho de Weininger,[32] em cuja primeira parte, biológica, encontrei descrita, para a minha consternação, a elaboração das minhas ideias sobre bissexualidade e a natureza da atração sexual que dela decorre – homens femininos que atraem mulheres masculinas e vice-versa. A partir de uma citação no trabalho, percebi que Weininger conhecia Swoboda[33] – seu aluno – (antes da publicação do livro), e fiquei sabendo que ambos os homens eram *intimi*. Não tenho nenhuma dúvida de que Weininger chegou ao conhecimento de minhas ideias através de você e que da parte dele houve um abuso de propriedade alheia. O que sabe sobre isso? Peço, de coração, uma palavra sincera (para o meu endereço em Berlim, pois já estarei partindo daqui na noite do dia 23).

Cordiais saudações,
Seu Wilh.

CARTA 285 DE FREUD A FLIEß

V[illa] Sonnenfels
23 de julho de 1904

Prof. Dr. Freud

Caro Wilhelm!

Eu também acho que o finado Weininger foi um ladrão com uma chave que encontrou.

Eis aqui tudo o que sei sobre isso. Swoboda, que era seu amigo íntimo, e me ouviu falar sobre a bissexualidade, que é abordada em cada tratamento, lançou-lhe a palavra "bissexualidade", como ele conta, quando o encontrou ocupado com problemas sexuais. Weininger teve um estalo e correu para casa para escrever o livro. É claro que está além do meu julgamento saber se esse relato está correto.

Além disso, penso que Weininger, que supostamente se entregou à morte por temor à sua natureza criminosa, também poderia ter conseguido em outro lugar a ideia da bissexualidade, pois já há bastante tempo ela tem exercido um papel na literatura. A consonância dos detalhes teria, certamente, que ser explicada da seguinte maneira: uma vez que foi levado à ideia, ele conseguiu intuir corretamente uma parte das implicações, mas uma grande parte de maneira incorreta. Pois Swoboda não quis lhe dar nenhuma outra informação, nem tinha nenhuma outra para lhe dar, já que de mim ele não ficou sabendo de mais nada além do que emerge no tratamento, ou seja, que em cada neurótico pode ser encontrada uma forte corrente homossexual.

Swoboda não é, como você escreve, *meu aluno*. Ele veio a mim como doente grave, encontrou em mim a mesma assistência e tomou conhecimento das mesmas coisas que os outros; não participei absolutamente de sua descoberta, que recorre muito mais às suas ideias; não li o seu livro antes da publicação; quando o li, fiquei muito atônito com o tipo de gratidão neurótica de utilizar as suas descobertas para combater a minha teoria do sonho. Ele simplesmente me usou, inclusive para que lhe arranjasse um editor, o que fiz, com expressa recusa da responsabilidade por esse trabalho, com base em suas qualidades como trabalhador. A respeito dessa espécie de coisas, estou sempre preparado, com a intenção de jamais arrepender-me delas mais tarde.

Nesse momento, estou finalizando os *Três ensaios sobre a teoria sexual*, nos quais, na medida do possível, desvio-me do tema da bissexualidade. Em dois pontos não posso fazê-lo: na explicação da inversão sexual; em relação a ela, vou até onde a literatura o permite (Krafft-Ebing e predecessores, Kiernan, Chevalier, entre outros),[34] e também na menção à corrente homossexual nos neuróticos. Nesse caso, tenho em mente acrescentar uma nota de que fui preparado pelas tuas precisas manifestações para a necessidade dessa descoberta.[35] Ou talvez você queira sugerir-me uma formulação semelhante.

O restante trata da vida sexual infantil e dos componentes da pulsão sexual.

Com minhas cordiais saudações,
Seu Sigm.

CARTA 286 DE FLIEß A FREUD

Berlim, 26 de julho de 1904

Caro Sigmund,

Então estava equivocado aquilo que Oscar Rie me contou, com toda inocência, quando comecei a falar de Weininger: que W. teria estado na sua casa com o manuscrito e você o teria desencorajado no que diz respeito a torná-lo público, porque o conteúdo era absurdo. Eu achei que, nesse caso, você teria, necessariamente, que ter chamado a atenção dele e a minha a respeito do "roubo". O próprio Weininger obviamente não acreditou – como você – que ele poderia obter de outro lugar o pensamento sobre a bissexualidade permanente e necessária de todos os seres vivos (e não apenas de uma disposição à bissexualidade). Pois, à página 10, ele declara o pensamento nessa forma como inteiramente novo. Eu ficaria muito agradecido se você pudesse me indicar as outras fontes, sobre as quais escreveu – Krafft-Ebing, Kiernan, Chevalier, etc. – de tal maneira que eu pudesse visualizá-las com facilidade. Pois sou muito pouco versado na literatura.

E que a substância viva em todos os seres vivos é masculina *e* feminina – o que precisei concluir da incidência contínua de 28 *e* 23 no homem *e* na mulher – Weininger também roubou em seu arrenoplasma e teliplasma.

Até hoje eu não sabia, o que só fiquei sabendo pela sua carta, que você tem feito uso da bissexualidade permanente no tratamento. A primeira conversa[36] que tivemos foi em Nuremberg, quando eu ainda estava deitado e você estavas me contando a história clínica de uma mulher que tinha sonhos com cobras gigantes. Na ocasião, você ficou muito abalado com o pensamento de que correntes subjacentes em uma mulher poderiam originar-se da parte masculina de sua psique. E tanto mais me surpreendeu então a sua resistência, em Breslau, contra a suposição da bissexualidade na psique. Em Breslau eu também tinha falado a você que entre os meus conhecidos existiam vários maridos canhotos, e, a partir da teoria do sinistrismo, desenvolvi para você uma explicação que coincide até os detalhes com a de Weininger (que nada sabe sobre sinistrismo). O sinistrismo em si você rejeitou, e da nossa conversa bissexual, como você mesmo admitiu da maneira mais franca, se esqueceu por algum tempo.

Mas por eu não saber que no tratamento a menção à bissexualidade é necessária, não pressenti que o amigo íntimo de Weininger, o Dr. Swoboda, era seu paciente, e tanto menos quando você, em sua carta a mim, o comparou com Gattel e acrescentou: "mas acredito que agora também estou começando a dispor de melhor material proveniente de alunos".

Ambos teríamos, sem dúvida, desejado um motivo melhor para a correspondência do que a discussão sobre um ladrão. Que o futuro o traga para nós.

Com saudações cordiais,
Wilhelm

CARTA 287 DE FREUD A FLIEß

27 de julho de 1904

IX., Berggasse 19

Prof. Dr. Freud

Caro Wilhelm!

Vejo que tenho que te dar mais razão do que queria originalmente, pois espanta a mim mesmo eu ter me esquecido de quantas vezes me queixei do aluno Swoboda, de ter passado por cima do fato da visita de Weininger a mim, da qual não me esqueci. O último fato ocorreu exatamente da maneira como Rie te contou; o material que esteve em minhas mãos tinha, na verdade, um teor inteiramente diverso do livro hoje impresso; fiquei também consideravelmente horrorizado com o capítulo sobre a histeria, que foi escrito *ad captandam benevolentiam meam* [para ganhar a minha simpatia], mas é claro que dava para reconhecer o ponto de vista generalizado da bissexualidade, e é possível que na ocasião eu tenha lamentado por ter passado a sua ideia a ele, através de Swoboda, o que eu já sabia. No efeito conjunto com a minha própria tentativa de roubar essa originalidade, entendo então a minha conduta em relação a Weininger e meu esquecimento posterior.

Não acredito, contudo, que na ocasião eu pudesse ter gritado: "Pega ladrão!". Para começar, isso não teria adiantado nada, pois o ladrão pode afirmar, da mesma forma, que essa ideia teria ocorrido propriamente a ele; por outro lado, as ideias não podem ser patenteadas. Podemos retê-las – e isso é recomendável, ao darmos valor a sua prioridade. Assim que as deixamos ir, elas seguem seu próprio caminho. Além disso, naquela ocasião, eu já estava familiarizado com os dados da literatura, nos quais se recorre à ideia da bissexualidade para explicar a inversão. Você há de admitir que até uma cabeça inteligente consegue facilmente por si própria dar o passo de estender a predisposição bissexual de alguns para todos; embora esse passo seja o seu *novum* [a sua novidade]. Para mim, pessoalmente, você sempre foi (desde 1901) o autor da ideia da bissexualidade; temo que, ao examinar a literatura, você irá descobrir que muitos chegaram pelo menos perto de você. Os nomes que comuniquei a você estão em meu manuscrito; não trouxe livros comigo para poder te fornecer evidências mais precisas; você certamente as encontrará na *Psychopathia sexualis*, de Krafft-Ebing.

Além disso, eu tinha certeza, e ainda tenho, de não ter passado para Swoboda nenhum detalhe de suas comunicações. A generalidade da predisposição bissexual é tudo o que emerge no tratamento e é o que ali necessito. Desde a experiência que foi comunicada com franqueza na *Vida cotidiana*, tenho tido a noção de que, para um de nós, poderia vir o arrependimento pelo nosso intercâmbio irrestrito de pensamentos daquela época, e esforcei-me com êxito para esquecer os detalhes das suas comunicações. E sobre o fato de que, com minha generosidade ou descuido, eu tenha ficado muito à vontade com a sua propriedade, é evidente que na ocasião eu me acusei de forma obscura, da mesma forma com que hoje o faço com plena clareza. Autorizo-me apenas a supor que o dano que você sofreu da parte de Weininger seja muito pequeno, pois ninguém irá levar a sério o trabalho grosseiro dele, e você pode, se achar que vale a pena o esforço, esclarecer a situação.[37] Roubar não é tão fácil quanto Weininger imaginou; é com isso que me consolo e gostaria de vê-lo também consolado.

Que esse incidente com o qual me acusa tenha despertado novamente uma correspondência longamente adormecida não é só você que lamenta, mas eu também. No entanto, não é minha culpa que você só volte a encontrar tempo e vontade de trocar cartas comigo por um motivo tão mesquinho. Nos últimos anos – a *Vida cotidiana* é disso a linha divisória – você justamente não mostrou mais nenhum interesse nem por mim nem pelos meus, ou pelos meus trabalhos. Mas hoje eu já superei isso e tenho pouca necessidade dele; não estou fazendo nenhuma censura você e peço também que não responda a esse ponto.

Tenho um outro pedido. Minha vida inteira espalhei estímulos sem perguntar o que seria deles. Posso admitir, sem me humilhar, que aprendi isto ou aquilo com os outros. Mas nunca me apropriei de coisas alheias como sendo minhas; isso só pessoas como Gärtner podem afirmar.[38] Agora, com a bissexualidade, também não quero entrar numa posição contra você, menos ainda a partir do momento em que, sobre a mesma coisa, você prefere expressar seu reconhecimento a outro, e a mim, sua reprovação (o caso de Swoboda). Portanto, você ainda deve fazer a gentileza de me ajudar a sair do atual embaraço, lendo as observações sobre a bissexualidade nas provas do meu recém-concluído *Ensaio sobre a teoria sexual*, e alterando-as até sentir-se satisfeito. Eu poderia, mais facilmente, prorrogar a publicação até você entregar a sua *Biologia* ao público. Mas não sei quando isso irá acontecer. Dificilmente irá se apressar por minha causa. Enquanto isso não posso fazer absolutamente nada, nem mesmo terminar o *Chiste*, que, em um ponto decisivo, remete a algo da *Teoria sexual*. Também não ganho nada se esperar pela sua publicação, pois daí seria impossível fugir do tema da bissexualidade, como faço agora; então eu teria que assumir uma posição e eventualmente fazer outros trabalhos. Por outro lado, no meu caso, há tão pouco sobre bissexualidade ou sobre outras coisas emprestadas de você que posso fazer justiça à sua participação com poucas observações. Só preciso ter a garantia de que você esteja de acordo com elas e que não encontre nelas um motivo para uma censura posterior.

Peço-lhe, portanto, esta resposta.

Com cordiais saudações,
Sigm.

P.S.: Möbius dedicou ao livro de Weininger um panfleto, "Sexo e imodéstia", que é claro que também não trouxe comigo. Ele reivindica para si muitas das ideias de Weininger. Certamente estará interessado em verificar quais são.

Seleção da correspondência Freud-Fließ (1887-1904)

1950 *Aus den Anfängen der Psychoanalyse*, estabelecida por Marie Bonaparte, Anna Freud e Ernst Kris

1985 *The complete letters of Sigmund Freud to Wilhelm Fließ* (1887-1904), editadas por J. M. Masson

1986 *Briefe an Wilhelm Fließ*, 1887-1904. Ungekürzte Ausgabe.

Foi no outono de 1887 que Freud e Fließ se conheceram. Estavam ambos na casa dos 30 anos de idade, sendo Fließ um pouco mais novo. Freud, recém-casado com Martha Bernays, iniciara sua prática clínica particular havia pouco tempo; Fließ era otorrinolaringologista em Berlim. A família de sua esposa, Ida Bondy, era próxima dos Breuer. A troca epistolar entre os dois homens durou mais de 15 anos. A correspondência com Fließ destaca-se das demais por conta de seu caráter seminal. Nela, Freud não apenas desenha, sob a forma de rascunhos e manuscritos, algumas de suas principais ideias, que desembocarão mais tarde na construção da teoria psicanalítica, mas também relata sua vida privada, elabora interpretações de sonhos, experimenta uma espécie de amor transferencial. Uma das ideias que circulou entre os dois homens, e que foi fundamental para a concepção freudiana da sexualidade humana desenvolvida nos anos seguintes, remonta à teoria da bissexualidade inerente a todo ser humano.

Na realidade, a ideia da bissexualidade não era criação nem de Fließ nem de Freud. Ela já circulava, ainda que de maneira incipiente, na medicina romântica ou na sexologia do final do século XIX. Contudo, pelo menos desde que Charles Darwin publicou *A descendência do homem* (1871), teve início "a passagem do mito platônico da androginia para a nova definição da bissexualidade, segundo as perspectivas da ciência biológica" (Roudinesco; Plon, 1998, p. 72). Assim, a bissexualidade originária, especialmente a partir da embriologia, passava a ser um dado da natureza. Nesse sentido, a genealogia da vertente freudiana da bissexualidade é bastante complexa e não se limita, pelo menos não exclusivamente, a seu diálogo com Fließ, embora essa permaneça sendo certamente sua referência incontornável na matéria, tanto no que diz respeito às convergências quanto no que diz respeito às divergências, conforme atestam textos tardios (cf. "Bate-se numa criança", em *Neurose, psicose e perversão,* p. 149; "A análise finita e a infinita", em *Fundamentos da clínica psicanalítica,* p. 359, ambos nesta coleção).

Freud aborda o tema da bissexualidade em uma dezena de cartas a Fließ, trocadas entre o inverno de 1896 e o verão de 1904.

A primeira ocorrência remete à célebre Carta 52 [112], de 6 de dezembro de 1896, em que Freud escreve: "Para decidir entre perversão ou neurose, sirvo-me da bissexualidade de todos os seres humanos. Num ser puramente masculino haveria, também nas duas barreiras sexuais, um excesso de liberação masculina, portanto, produção de prazer e, em consequência, perversão; no puramente feminino, um excesso de substância desprazerosa nessas ocasiões. Nas primeiras fases, ambas as liberações seriam paralelas, isto é, produziriam um excesso normal de prazer" (a íntegra dessa carta está disponível, nesta coleção, no volume *Neurose, psicose, perversão*, p. 41).

Como não dispomos, salvas algumas poucas exceções, das cartas escritas por Fließ, não é fácil reconstituir de maneira satisfatória o diálogo que os dois homens mantiveram sobre o tema. Quase tudo que conhecemos deriva dos comentários feitos por Freud e dos trabalhos publicados por Fließ, inclusive seu texto acerca do episódio envolvendo Otto Weininger e Hermann Swoboda (e menos diretamente o próprio Freud). De toda forma, a versão fließeana da bissexualidade era articulada com uma teoria matemática acerca dos "períodos" (ou ciclos vitais, como se dizia na época) e também com uma hipótese acerca da "bilateralidade" (cada lado do corpo traduziria espacialmente a diferença entre os sexos). Vale ressaltar, contudo, que aquilo que Freud chamava de "bissexualidade" (*Bisexualität*) Fließ nomeava de "dupla sexualidade" (*Doppelgeschlechtigkeit*), conforme explicita também a tradutora Maria Rita Salzano Moraes, nas valiosas notas incluídas no presente volume. Essa diferença de nomenclatura talvez já aponte para um aspecto maior da distância entre os dois autores, afinal Freud parece já intuir o caráter conflituoso e desarmônico entre os componentes masculino e feminino da sexualidade.

Em sua obra publicada, Freud relata um importante episódio sobre esses eventos no capítulo VII de *Sobre a psicopatologia da vida cotidiana*: "Certo dia, no verão de 1901, expliquei a um amigo, com quem na época eu mantinha um animado intercâmbio de ideias sobre questões científicas: esses problemas neuróticos só poderão ser resolvidos se tivermos inteira e completamente como base a suposição de uma bissexualidade originária no indivíduo. Recebi como resposta: 'Isto foi o que eu te disse há dois anos e meio em Breslau, quando fizemos aquele passeio à tarde. Na ocasião, você não quis saber nada sobre isso'. É doloroso quando se é convidado dessa maneira a abrir mão de sua originalidade. Eu não consegui me lembrar nem de uma conversa como essa nem dessa revelação de meu amigo. Um de nós dois tinha de estar enganado; segundo o princípio da pergunta *cui prodest?* [quem se beneficia?], devia ser eu. No decorrer da semana seguinte, lembrei-me de fato de tudo, tal como o meu amigo quis evocar em mim; e até mesmo sei o que na ocasião dei como resposta: 'Ainda não lidei com isso, não quero me meter nisso'" (*GW*, IV, p. 159-160).

É inegável que essa ideia deixou marcas profundas e duradouras na metapsicologia freudiana (que se estendem dos *Três ensaios* a "A análise finita e a infinita", passando por "O Eu e o Isso", entre outros), assim como delineou os contornos da relação transferencial e da posterior ruptura entre os dois homens. Basta lembrar que, alguns anos depois da ruptura com Fließ, esforçando-se por desinvestir o afeto dirigido ao seu antigo amigo, Freud escreve a Ferenczi: "Uma porção de investimento homossexual foi retraída e empregada no engrandecimento do próprio Eu. Foi-me possível ter êxito onde o paranoico fracassa" (6 de outubro de 1910). A seguir publicamos uma seleção da correspondência Freud-Fließ contendo todas as cartas em que ocorrem menções literais à bissexualidade, buscando oferecer ao leitor um dossiê sobre o tema. A única exceção é a já mencionada Carta 52 [112], de 6 de dezembro de 1896, cuja íntegra foi publicada no volume *Neurose, psicose, perversão* e da qual, aqui, republicamos apenas o extrato pertinente ao tema (citado anteriormente).

***

Em 1969, Jacques Lacan comenta rapidamente que "a sexualidade biológica deve ser deixada no legado de Fließ" e que ela não tem nada a ver com o real do sexo: a incomensurabilidade do desejo e a insuficiência do ato sexual como definidor da identidade subjetiva. Recentemente, Van Haute e Geyskens publicaram uma interessante abordagem da complexa oscilação entre a primazia da bissexualidade e a primazia do Édipo ao longo da obra de Freud. Judith Butler, por seu turno, apresentou uma leitura crítica da bissexualidade freudiana, que, a seu ver, pressuporia dois desejos heterossexuais atuando conjuntamente em um psiquismo. As cartas aqui publicadas demonstram claramente que essa leitura não se sustenta.. Michael Schröter fez um levantamento documental rigoroso acerca da questão do suposto plágio.

FLIEß, W. *In eigner Sache*. Gegen Otto Weininger und Hermann Swoboda. • FLIEß, W. *Neue Beiträge zur Klinik und Therapie der nasalen Reflexneurose*. Leipzig; Wien, 1893. • FLIEß, W. *Die Beziehungen zwischen Nase und weiblichen Geschlechtsorganen (In ihrer biologischen Bedeutung dargestellt)*. Leipzig; Wien, 1897. • LACAN, J. A lógica da fantasia. In: *Outros escritos*. Rio de Janeiro: Zahar, 2003. • PORGE, E., *Vol d'idées?* Paris: Aubier, 1994. • VAN HAUTE, P.; GEYSKENS, T. *Psicanálise sem Édipo?* Uma antropologia clínica da histeria em Freud e Lacan, 2017. • SCHRÖTER, M. Fließ versus Weininger, Swoboda and Freud: the plagiarism conflict of 1906 assessed in the light of the documents. *Psychoanalysis & History*, v. 5, n. 2, p. 147-173, 2003. • BUTLER, J. *Gender trouble*. Feminism and the Subversion of Identity. New York: Routledge, 1990.

NOTAS

1 Apelido de Anna Freud, diminutivo de Anna no alemão austríaco. Nascida em 3 de dezembro de 1895, viveu até 1982, tendo feito grandes contribuições à psicanálise, não apenas quanto à psicanálise com crianças, mas também colaborando de forma decisiva com a edição da obra de seu pai. (N.E.)

2 Robert Fließ (1895-1970). Filho de Wilhelm Fließ, referido também no diminutivo "Robertchen". Foi analisado por Karl Abraham e Ruth Mack Brunswick. Tornou-se médico e psicanalista em Nova York. (N.R.; N.E.)

3 "Dreckológicos", escrito parcialmente com caracteres gregos. *Dreck*, em alemão, quer dizer: sujeira, porcaria, imundície. Portanto, o neologismo parece equivaler a "escatológico". Esse trecho faz parte dos muitos censurados por Anna Freud, na primeira edição das Cartas, em que detalhes relativos aos sofrimentos neuróticos de Freud e à natureza homossexual sublimada de sua relação com Fließ foram omitidos. (N.T.; N.E.)

4 Cf. Carta 158, na qual Freud agradece Fließ pela devolução do referido relatório. (N.T.)

5 Condição dos canhotos. No sentido de Fließ: predominância, na parte esquerda do corpo, de características sexuais opostas ao sexo do sujeito (PORGE, E. *Roubo de ideias?* Trad. Dulce Duque Estrada. Rio de Janeiro: Companhia de Freud, 1998, p. 43). (N.T.)

6 O que Freud chamava de "bissexualidade" [*Bisexualität*] Fließ nomeava de *Doppelgeschlechtigkeit*, dupla sexualidade, uma concepção "periódica" da bissexualidade. Como observou Bertrand Vichyn: "Para Fließ, a bissexualidade era seu *objeto*, e ele utilizava a respeito dela uma lógica binária do 'tudo ou nada' [...]. Para Freud, a bissexualidade era uma propriedade indivisível" (1904. Dernier échange épistolaire entre Freud et Fließ. *Psychanalyse à l'Université*, v. 6, n. 24, set. 1981, p. 727, *apud* PORGE, E., *Freud / Fließ: mito e quimera da autoanálise*. Trad. Vera Ribeiro. Rio de Janeiro: Jorge Zahar, 1998). (N.T.)

7 Pacientes são referidos sempre por siglas. (N.E.)

8 Theodor Hermann Meynert (1883-1891) foi um psiquiatra austríaco. Professor e diretor da clínica psiquiátrica associada da Universidade de Viena, onde Freud trabalhou em 1883. (N.E.)

9 *Die Gartenlaube* foi o primeiro semanário de circulação em massa, uma espécie de precursor das revistas modernas. Circulou principalmente entre a classe média de língua alemã entre 1853-1944. (N.E.)

10 Oskar Rie (1863-1931), médico da família de Freud, seu amigo e parceiro no jogo de cartas, casou-se com Melanie Bondy, irmã de Ida Bondy (1869-1941), esposa de Fließ. (N.E.)

[11] O sonho "Geseres und Ungeseres" foi analisado por Freud na Parte VI da Seção G (Sonhos absurdos) do Capítulo VI da *Interpretação dos sonhos* (*GW*, II-III, p. 443-455). No início de sua análise, Freud afirma que o sonho foi construído a partir de um emaranhado de pensamentos evocados pela peça *Das neue Ghetto* (O novo gueto), de Theodor Herzl. Herzl (1860-1904) foi um jornalista judeu austro-húngaro que se tornou fundador do moderno sionismo político. Redigiu ainda peças para o teatro e foi editor literário do *Neue Freie Presse*. (N.E.)

[12] "À porta do céu" (Am Himmelstor) é um poema de Conrad Ferdinand Meyer (1825-1898), escritor suíço. Freud faz aqui o trocadilho com o título do poema e o tema da conversão. (N.E.)

[13] Freud analisou esse sonho no início do Capítulo IV de *A interpretação dos sonhos*, que trata da distorção nos sonhos (*GW*, II-III, p. 142 ss.) (N.E.)

[14] Trata-se provavelmente do Capítulo I de *A interpretação dos sonhos*, que trata da literatura sobre os sonhos e que foi redigido a pedido de seu editor, mas que não constava nos planos iniciais de Freud. (N.E.)

[15] Jean-Martin (1889-1967) é o segundo filho de Freud. Seu nome era uma homenagem a Jean-Martin Charcot. No mesmo parágrafo, Freud dá notícias rápidas de Annerl (Anna, a caçula), Oli (Oliver, terceiro filho, 1891-1969) e Mathilde (primogênita, 1887-1978). (N.E.)

[16] Friedrich Pineles (1868-1936), especialista em órgãos internos, em Viena, segundo os editores alemães. (N.E.)

[17] Josef Breuer (1842-1925) é coautor, com Freud, de *Estudos sobre histeria*. Notabilizou-se pelo caso Anna O. (Bertha Pappenheim) e pelo método catártico, decisivo nos anos de invenção da psicanálise. (N.E.)

[18] Minna Bernays (1865-1941), cunhada de Freud. (N.E.)

[19] Segundo os editores alemães, trata-se Albert Hammerschlag (1863-1935), especialista em medicina interna e professor livre-docente. "Oscar" é, na verdade, Oskar Rie (ver nota n. 10, acima). (N.E.)

[20] Título original do caso clínico posteriormente publicado como "Fragmento de uma análise de histeria" e conhecido como "Caso Dora". Dora foi tratada por Freud por aproximadamente três meses, no final de 1900. Embora tenha sido redigido logo depois, em janeiro de 1901, o caso só foi publicado em 1905. (N.E.)

[21] Referência ao livro em elaboração à época *Sobre a psicopatologia da vida cotidiana* (*Zur Psychopathologie des Alltagslebens*) publicado em 1901.

[22] Seguindo ainda a edição alemã, trata-se de Michael Großmann (1848-1927), otorrinolaringologista. O outro G. seria, supostamente, Jonas Großmann, também médico, editor de uma revista sobre hipnose e sugestão. (N.E.)

[23] Freud considerou esta carta "muito importante", por ocasião da recuperação da correspondência Freud/Fließ pela parte de Marie Bonaparte. (N.T.)

[24] Martha Bernays (1861-1951), casou-se com Freud em 1886. (N.E.)

[25] Wilhelm Winternitz (1835-1917), autor de *Hydrotherapie* (1898). (N.E.)

[26] Na Carta 255, de 14 de outubro de 1900, Freud pede a autorização de Fließ para utilizar, como epígrafe da obra, a citação do *Fausto*, que efetivamente foi impressa na página de rosto: "*Für die Alltagspsychologie möchte ich mir das schöne Motto [...] von Dir ausbitten*" (Para a *Vida cotidiana*, gostaria de lhe pedir a bela epígrafe): "*Nun ist die Luft von solchem Spuk so voll, daß niemand Weiss, wie er ihn meiden soll*" (Agora o ar está se enchendo desse fantasma, que ninguém sabe como evitá-lo) (*Fausto*, Parte II, Ato V, cena 5). (N.T.)

[27] De acordo com os editores alemães da correspondência Freud-Fließ, esse trabalho seria os *Três ensaios sobre a teoria sexual*, publicado em 1905. (N.T.)

[28] Vento seco proveniente do deserto do Saara que atinge algumas vezes a Itália. (N.E.)

[29] Fließ deu sua própria versão desse afastamento, frisando a "violência inexplicável" de Freud contra sua insistência "incondicional" na periodicidade dos processos físicos e psíquicos, que ele atribuiu à inveja de Freud. Fließ confessa que a partir daquele momento, ou seja, do verão de 1900, deixou a correspondência espaçar-se e não mais comunicou nenhuma de suas descobertas a Freud. (Cf. *In eigner Sache. Gegen Otto Weininger und Hermann Swoboda*; há uma tradução francesa, publicada com o título: "*Pour ma propre cause*". In: PORGE, E. *Vol d'idées?* Paris: Aubier, 1994, p. 243-289). (N.E.)

[30] Freud relata esse episódio no item (A-11) do capítulo VII de *Sobre a psicopatologia da vida cotidiana*. Ver nota editorial acima (p. 74). (N.E.)

[31] Inédito ou inacabado. (N.E.)

[32] *Sexo e caráter* foi publicado em 1903 por Otto Weininger (1880-1903), filósofo austríaco, que se matou algumas semanas antes da publicação de seu livro, no mesmo lugar em que Beethoven morreu. Na noite de seu suicídio, escreveu uma carta para seu pai e outra para seu irmão. (N.E.)

[33] Hermann Swoboda (1873-1963), professor de direito e de filosofia, teve uma passagem rápida pela psicanálise no início de sua carreira. Correspondeu-se com Otto Weininger entre 1899 e 1902, período no qual Weininger preparava seu *Sexo e caráter*. Alguns anos depois do suicídio do amigo, publicou um livro sobre o episódio, intitulado *A morte de Otto Weininger* (1911). Durante uma breve análise com Freud,

em 1900, o analista teria lhe falado da "disposição bissexual de cada ser humano", sem acrescentar mais nenhuma palavra. Michael Schröter (2003), editor alemão da correspondência Freud-Fließ, publicou um trabalho decisivo, com base em evidências documentais, em que demonstra o caráter paranoico das acusações de plágio feitas por Fließ contra Weininger, Swoboda e Freud. (N.E.)

[34] Richard von Krafft-Ebing (1840-1902) foi um psiquiatra alemão, autor de *Psychopathia sexualis* (1886). (N.E.)

[35] De fato, na p. 65, nota 2, de *Três ensaios*... (*GW*, v. 5), consta o seguinte texto: "Estou apenas fazendo justiça ao comunicar que foi só a partir das observações privadas de W. Fließ, em Berlim, que minha atenção voltou-se para a necessária generalização da tendência à inversão nos psiconeuróticos, depois de eu tê-la descoberto em casos isolados". (N.T.)

[36] De acordo com os editores alemães da correspondência, em 30 de junho de 1896 (Carta 101), p. 204, Freud teria feito a primeira indicação inequívoca da noção da bissexualidade na versão característica de Fließ, provavelmente remetendo a uma comunicação feita em Dresden: "Com respeito à teoria do recalcamento, esbarrei em dúvidas que talvez pudessem ser resolvidas com uma palavra tua, tal como a da menstruação masculina e feminina num mesmo indivíduo. Angústia, fatores químicos e assim por diante – talvez eu encontre em você a base sobre a qual eu possa parar de explicar psicologicamente e começar a me sustentar fisiologicamente". (N.T.)

[37] De fato, Fließ publicou *O curso da vida* (*Ablauf des Lebens*) (1906), bem como *Em minha própria causa* (*In eigener Sache*) (1906). (N.T.)

[38] Segundo os editores alemães, esta pode ser uma alusão às contendas por direitos autorais (*Prioritätsstreitigkeiten*) em torno da descoberta do efeito anestésico da cocaína. (N.T.)

SOBRE O ESCLARECIMENTO SEXUAL DAS CRIANÇAS (1907)

(CARTA ABERTA AO DR. M. FÜRST)

Prezado senhor colega!

Ao me solicitar uma manifestação sobre o "esclarecimento sexual das crianças", pressuponho que não espere nenhum tratado pormenorizado e formal que considere a extensa e superabundante literatura, mas que queira ouvir o juízo independente de um médico específico, a quem sua atividade profissional proporcionou ensejos especiais de se ocupar dos problemas sexuais. Sei que o senhor tem acompanhado com interesse meus empenhos científicos e que não os recusa sem examiná-los, tal como o fazem muitos outros colegas, pelo fato de eu vislumbrar as causas mais importantes dos adoecimentos neuróticos tão frequentes na constituição psicossexual e em alguns danos à vida sexual; além disso, meus *Três ensaios sobre a teoria sexual* – nos quais exponho a composição da pulsão sexual [*Geschlechtstriebes*] e as perturbações que sofre o seu desenvolvimento até a função sexual – receberam recentemente uma menção amigável em seu periódico.

Devo, então, responder-lhe as seguintes perguntas: se, de maneira geral, devemos esclarecer as crianças sobre os fatos da vida sexual, em que idade isso deve ocorrer e de que maneira. A esse propósito, aceite logo de início minha admissão de que acho perfeitamente razoável uma discussão sobre o segundo e o terceiro pontos, mas é inteiramente incompreensível para o meu entendimento como é que a primeira dessas interrogações poderia se tornar objeto de divergência de opiniões. Afinal, o que queremos alcançar, quando privamos as crianças – ou, digamos, os jovens – desses esclarecimentos sobre a vida sexual humana? Será que tememos despertar prematuramente seu interesse por essas coisas, antes que ele próprio seja despertado neles? Será que, através desse ocultamento, esperamos deter absolutamente a pulsão sexual, até o momento em que ela possa manifestar-se pelas únicas vias que lhe são franqueadas pela ordem social civilizada? Será que pensamos que as crianças não mostrariam nenhum interesse ou compreensão pelos fatos e enigmas da vida sexual se estes não lhes fossem apontados por outros? Pensamos ser possível que o conhecimento do qual os privamos [*versagen*] não os alcançará por outros caminhos? Ou perseguimos real e seriamente o propósito de que mais tarde eles julguem tudo o que é de ordem sexual como algo inferior e abominável, algo de que seus pais e educadores quiseram mantê-los afastados tanto tempo quanto possível?

Realmente não sei em qual desses propósitos devo vislumbrar o motivo desse efetivo encobrimento do sexual para as crianças; só sei que todos eles são igualmente insensatos e que me é difícil valorizá-los com refutações que possam ser levadas a sério. No entanto, lembro-me de que encontrei, na correspondência familiar do grande pensador e filantropo Multatuli,[1] algumas linhas que constituem uma resposta mais do que adequada.[i]

---

[i] *Multatuli – Cartas*, publicado por W. *Spohr*, 1906, v. I, p. 26 [*Briefe*, herausgegeben von W. *Spohr*, 1906, Bd. I, S. 26].

"Em geral, certas coisas são, no meu entender, demasiadamente veladas. É justo manter pura a fantasia [*Phantasie*] das crianças, mas essa pureza não será conservada com ignorância. Antes, acredito que esconder algo do menino ou da menina leva muito mais a suspeitar da verdade. Por curiosidade depreendemos coisas que teriam despertado pouco ou nenhum interesse, se nos tivessem sido comunicadas sem muita cerimônia. Se fosse possível preservar essa ignorância, então eu poderia me dar por satisfeito com ela, mas isso não é possível; a criança entra em contato com outras crianças, às suas mãos chegam livros que levam à reflexão; o próprio ato de fazer segredo dos pais quanto ao que, no entanto, já foi entendido aumenta o anseio de saber mais. Esse anseio, satisfeito apenas em parte, de maneira furtiva, aborrece o coração e estraga a fantasia; a criança então já está pecando e os pais ainda acreditam que ela não sabe o que é pecado."

Não sei o que de melhor ainda poderia ser dito sobre o assunto, mas talvez algo ainda possa ser acrescentado. Certamente, não é nada além da pudicidade habitual e da própria consciência pesada a respeito de assuntos sobre a sexualidade que levam os adultos a um "fazer segredo" com as crianças; mas é provável que aí também esteja em jogo uma certa ignorância teórica que pode ser combatida através do esclarecimento dos adultos. De fato, pensa-se que falta às crianças a pulsão sexual e que ela só se instala na puberdade, com a maturação dos órgãos sexuais. Isso é um erro grosseiro, que traz graves consequências tanto para o conhecimento quanto para a *praxis*. É tão fácil corrigi-lo pela observação que é preciso se admirar sobre como tal erro pode ter surgido. Na verdade, ao vir ao mundo, o recém-nascido traz sexualidade consigo; certas sensações sexuais acompanham o seu desenvolvimento durante o aleitamento e a infância, e de apenas poucas crianças podem passar despercebidas certas atividades e sensações sexuais antes de sua puberdade. Quem quiser conhecer a exposição detalhada dessas afirmações deve reportar-se aos meus referidos *Três ensaios sobre a teoria sexual* (Viena, [1905] 1906). Lá, aprenderá que os órgãos de reprodução propriamente ditos não são as únicas partes do corpo que proporcionam sensações de prazer e que a natureza, de maneira bastante impositiva, dispôs as coisas de tal modo que mesmo os estímulos dos genitais são inevitáveis durante a infância. Descrevemos esse período de vida – no qual, através da excitação de diversas partes da pele (zonas *erógenas*), através da ação de certas pulsões biológicas e como coexcitação de muitos estados afetivos, é produzido certo montante [*Betrag*] de prazer certamente sexual – como o período do *autoerotismo*, uma expressão introduzida por Havelock Ellis. A puberdade não faz outra coisa além de conferir, dentre todas as zonas e fontes produtoras de prazer, o primado aos genitais, e, com isso, obriga o erotismo a servir à função de reprodução, um processo que, naturalmente, pode sofrer certas inibições e que, para muitas pessoas, os futuros perversos e neuróticos, só se completa de maneira imperfeita. Por outro lado, a criança, muito antes de alcançada a puberdade, já é capaz da maioria das operações psíquicas da vida amorosa (da ternura, da entrega, do ciúme), e, com bastante frequência, a irrupção desses estados anímicos também se estende às sensações corporais da excitação sexual, de maneira que a criança não pode ficar em dúvida sobre a conexão entre ambas. Em resumo, a criança, muito antes da puberdade, com exceção da capacidade de reprodução, é um ser pronto para o amor, e podemos afirmar que com o ato de "fazer segredo" só a privamos da capacidade de domínio intelectual dessas realizações, para as quais ela está psiquicamente preparada e somaticamente organizada.

É que também o interesse intelectual da criança pelos enigmas da vida sexual, sua sede de saber sexual, manifesta-se em uma época da vida inimaginavelmente precoce. Então, pode acontecer de os pais, em relação a esse interesse da criança, serem como que abatidos por uma cegueira, ou imediatamente se esforçarem por abafá-lo, quando não for possível ignorá-lo, se observações como as que serão relatadas não ocorrerem com maior frequência. Conheço um menino encantador, que tem agora 4 anos, cujos pais compreensivos abriram mão de reprimir [*unterdrücken*] com violência uma parte de seu desenvolvimento. O pequeno Hans, que certamente não sofreu nenhuma influência sedutora por parte de cuidadores, demonstra, já há algum tempo, o mais vivo interesse por aquela parte de seu corpo que ele costuma chamar de "fazedor de pipi" ["*Wiwimacher*"]. Já com 3 anos ele perguntou à sua mãe: "Mamãe, você também tem um fazedor de pipi?". Ao que a mãe respondeu: "É claro, o que foi que você pensou?". A mesma pergunta ele dirigiu repetidas vezes ao pai. Na mesma idade, levado pela primeira vez a um estábulo, ele viu uma vaca sendo ordenhada e então exclamou maravilhado: "Olha, está saindo leite do fazedor de pipi". Aos 3 anos e três quartos ele está em vias de descobrir, de maneira independente, as categorias corretas através de suas observações. Vê água saindo da locomotiva e diz: "Olha! A locomotiva está fazendo pipi; onde é que está o fazedor de pipi dela?". Mais tarde, depois de pensar um pouco, acrescenta: "Um cachorro e um cavalo têm um fazedor de pipi; uma mesa e uma poltrona, não". Recentemente, ao observar sua irmãzinha de uma semana ser banhada, comentou: "Mas seu fazedor de pipi ainda é pequeno. Quando ela crescer, ele vai ficar maior". (Essa mesma posição [*Stellung*] em relação ao problema das diferenças sexuais também me foi relatada por meninos da mesma idade.) Gostaria de contestar expressamente que o pequeno Hans seja uma criança sensual [*sinnliches*] ou até mesmo patologicamente predisposta; apenas penso que ele não foi intimidado, não será oprimido pelo sentimento de culpa e por isso expressa sem preocupações seus processos de pensamento.[i]

O segundo grande problema que propõe tarefas ao pensamento das crianças – é claro que somente alguns anos depois – é a pergunta sobre a origem das crianças, que está ligada frequentemente ao aparecimento indesejado de um novo irmãozinho ou irmãzinha. Esta é a pergunta mais antiga e mais ardente da humanidade em seus primeiros anos de vida; aquele que sabe interpretar os mitos e lendas pode escutá-la no enigma que a Esfinge de Tebas colocou a Édipo. Através das respostas usualmente dadas no ambiente familiar, a honesta pulsão de investigar [*Forschertrieb*] da criança é magoada e também quase sempre sua confiança em seus pais é abalada pela primeira vez; a partir daí, ela geralmente começa a desconfiar dos adultos e a deles manter secretos seus interesses mais íntimos. Um pequeno documento pode mostrar o quanto justamente esse desejo de saber [*Wißbegierde*] pode frequentemente se tornar torturante em crianças mais velhas; é a carta de uma menina de 11 anos e meio, órfã de mãe, que trata do problema com sua irmã mais nova:

---

[i] [*Acrescentado em 1924*:] Para a história posterior do adoecimento neurótico e do restabelecimento desse "pequeno Hans", cf. "Análise da fobia de um menino de cinco anos". [Nota da *Gesamtausgabe*, v. VII.]

"Querida tia Mali!

Eu te peço o favor de me escrever sobre como você teve a Christel ou o Paul. Você deve saber isso, já que é casada. É que ontem de noite nós brigamos por causa disso e queremos saber a verdade. Fora você, não temos mais ninguém a quem poderíamos perguntá-lo. Quando é que vocês vêm para Salzburgo? Sabe, querida tia Mali, é que simplesmente não entendemos como a cegonha traz as crianças. Trudel pensava que a cegonha as trouxesse numa camisa. Além disso, gostaríamos de saber se ela as tira da lagoa, e por que nunca vemos as crianças na lagoa. Peço também para me dizer como é que se sabe de antemão quando se vai tê-las. Escreva-me uma resposta detalhada sobre isso.

Com mil saudações e beijos de todos nós.

Sua curiosa Lili."

Não creio que essa comovente carta tenha trazido às duas irmãs o esclarecimento solicitado. Posteriormente, a escritora contraiu aquela neurose que deriva de perguntas inconscientes não respondidas: ruminação obsessiva de pensamentos [*Zwangsgrübelsucht*].[i]

Não creio que haja apenas um único motivo para recusar às crianças o esclarecimento exigido por seu desejo de saber [*Wißbegierde*]. É claro que se for intenção do educador sufocar, preferencialmente bem cedo [*frühzeitig*], a aptidão das crianças ao pensamento independente, em favor do tão apreciado "bom comportamento", isso não pode ser mais bem alcançado do que através de indução ao erro no campo sexual e através de intimidação no campo do

[i] Porém, a ruminação excessiva, depois de anos, dá lugar a uma *Dementia praecox*.

religioso. As naturezas mais fortes resistirão a essas influências e se tornarão rebeldes à autoridade dos pais e, mais tarde, a qualquer outra autoridade. Se as crianças não recebem os esclarecimentos a partir dos quais se voltaram para os mais velhos, continuam se martirizando em segredo com o problema e conseguem chegar a tentativas de solução, nas quais o que pensavam estar correto se mistura da forma mais notável com o grotesco incorreto, ou elas cochicham entre si informações, nas quais, em consequência da consciência de culpa do jovem investigador, imprime-se à vida sexual a marca do assustador e repugnante. Essas teorias sexuais infantis mereceriam ser coletadas e examinadas. Na maioria dos casos, as crianças, a partir desse ponto, perderam a única posição correta em relação às questões do sexo, e muitas dentre elas não a reencontram jamais.

Parece que a grande maioria dos autores, homens ou mulheres, que escreveram sobre o esclarecimento sexual dos jovens decidiram em sentido afirmativo. No entanto, pela inabilidade da maioria das propostas sobre quando e como isso deve acontecer, somos tentados a concluir que essa concessão não foi fácil para os respectivos responsáveis. Há um caso bastante isolado, segundo o meu conhecimento da literatura, daquela fascinante carta de esclarecimento que uma certa senhora Emma Eckstein[2] apresenta como tendo sido escrita para seu filho de 10 anos.[i] O que normalmente se faz: esconder das crianças, pelo maior tempo possível, qualquer conhecimento sobre o sexual, para depois presenteá-las de uma só vez com uma revelação, apenas parcialmente sincera, em palavras pomposas e solenes, a qual, além disso, chega quase sempre muito

---

[i] E. Eckstein. *A questão do sexual na educação da criança*, 1904 [*Die Sexualfrage in der Erziehung des Kindes*, 1904].

tarde – isso, evidentemente, não é exatamente o correto a ser feito. A maioria das respostas à pergunta: "Como digo isso ao meu filho?" causam, pelo menos em mim, uma impressão tão lamentável que eu preferiria que os pais absolutamente não se envolvessem nesse esclarecimento. O que mais importa é que as crianças nunca cheguem a pensar que se quer fazer mais segredo sobre os fatos da vida sexual do que sobre qualquer outro, ainda não acessível ao seu entendimento. Para conseguir isso, é necessário que o sexual seja tratado, desde o início, da mesma maneira que outros assuntos dignos de conhecimento. Sobretudo, é tarefa da escola não se abster de mencionar o tema do sexual, de introduzir no ensino sobre o mundo animal os grandes fatos da reprodução e sua importância, e, ao mesmo tempo, de enfatizar que o homem compartilha com os animais superiores o essencial de sua organização. Se, então, o ambiente familiar não usar de intimidação de pensamento, vai acontecer com maior frequência o que observei certa vez em um ambiente familiar, quando um menino disse à irmãzinha mais nova: "Mas como é que você pode pensar que a cegonha traz as criancinhas? Você bem sabe que o homem é um mamífero, e mesmo assim acredita que a cegonha traga os filhotes dos *outros* mamíferos?". Portanto, a curiosidade da criança nunca chegará a um alto grau se ela encontrar a satisfação correspondente em cada etapa do aprendizado. O esclarecimento sobre as relações humanas específicas da vida sexual e a indicação de sua importância social teriam de ser anexados no final do curso fundamental (e antes da entrada no curso intermediário [*Mittelschule*]), portanto, não após a idade de 10 anos. Por último, a época da confirmação [*Konfirmation*][3] seria, mais do que qualquer outra, particularmente apropriada para apresentar à criança – previamente esclarecida sobre tudo o que é da ordem do corporal – as obrigações culturais associadas ao exercício da pulsão. Um esclarecimento como esse sobre a vida sexual, que se desenvolva por etapas e que, afinal, não se interrompa, e do qual a escola assuma a iniciativa, parece-me ser o único que leva em conta o desenvolvimento da criança e, por isso, evita, com sucesso, o perigo iminente.

Considero um progresso significativo na educação das crianças que o Estado francês, em vez do catecismo, tenha introduzido um livro básico que oferece à criança as primeiras noções de sua posição [*Stellung*] como cidadão e os deveres éticos a ela atribuídos no futuro. Mas esse ensino elementar será infelizmente incompleto se não incluir o âmbito da vida sexual. Aí está a lacuna, cujo preenchimento deveria ser assumido por educadores e reformadores! Aos países que colocaram a educação das crianças total ou parcialmente nas mãos de religiosos certamente não devemos apresentar uma exigência como essa. O sacerdote nunca irá admitir a igualdade essencial entre ser humano e animal, pois não pode renunciar à imortalidade da alma, da qual ele necessita para justificar a exigência moral. Então, constata-se novamente o quão pouco inteligente é colocar um único remendo de seda num casaco esfarrapado e o quanto é impossível levar adiante uma reforma isolada sem alterar as bases do sistema!

Zur sexuellen Aufklärung der Kinder (offener Brief an Dr. M. Fürst) (1907)

1907 Primeira publicação: *Soziale Medizin und Hygiene*, v. 2, n. 6, jun., p. 360-367

1924 *Gesammelte Schriften*, t. V, p. 134-142

1941 *Gesammelte Werke*, t. VII, p. 17-27

Moritz Fürst, médico em Hamburgo, solicitou a Freud que redigisse esse pequeno texto, para a *Revista de Medicina Social e Higiene*, da qual era editor. Freud acabara de publicar, dois anos antes, os célebres *Três ensaios sobre a teoria sexual*, que tinham sido bem avaliados pelo referido periódico, o que não era muito comum na recepção da psicanálise. Freud escreve seu texto em forma de carta dirigida nominalmente a Fürst, e logo de saída enumera as três perguntas que lhe foram formuladas: "Devo, então, responder-lhe as seguintes perguntas: se, de maneira geral, devemos esclarecer as crianças sobre os fatos da vida sexual, em que idade isso deve ocorrer e de que maneira". Imediatamente, espanta-se – ou finge espantar-se – com a primeira pergunta, que não deveria, em princípio, levantar dúvidas ou divergências. A maneira como desdobra essa questão em várias outras, por si só, mostra, de forma inconteste, a atualidade da posição de Freud. Em termos gerais, a pergunta que subjaz ao texto poderia ser formulada assim: é possível "educar" a pulsão sexual?

Pouco antes da publicação, Freud discute o tema na Sociedade Psicanalítica de Viena, em 13 de fevereiro de 1907. Na ocasião, a conferência apresentada por Reitler sobre "O despertar da primavera", de Wedekind, serviria de oportunidade para que Freud expressasse sua visão sobre o esclarecimento sexual das crianças, em linhas idênticas às do presente artigo. Ele inclusive lê a referida carta de Fürst diante dos presentes. Em duas reuniões posteriores, 18 de dezembro de 1907 e 12 de maio de 1909, o tema foi debatido novamente. Em ambas, as opiniões de Freud permanecem essencialmente as mesmas, mas é curioso ver em seus discípulos objeções similares àquelas combatidas no presente artigo.

Em 1908, em seu "Sobre teorias sexuais infantis", Freud retoma o assunto, em outra chave (neste volume, p. 95-113). Bem mais tardiamente, em "A análise finita e a infinita", parece matizar seu ponto de vista: "longe de mim querer afirmar que se trata de um procedimento danoso ou supérfluo, mas aparentemente o efeito profilático dessa medida liberal foi supervalorizado em excesso. As crianças agora sabem o que não sabiam até então, mas elas nada fazem com os conhecimentos novos que lhes foram dados de presente. Convencemo-nos de que elas nem mesmo estarão dispostas a sacrificar tão rapidamente aquelas teorias sexuais – digamos – naturais que elas formaram em consonância com e na dependência de sua organização incompleta da libido, tais como o papel da cegonha, a natureza da relação sexual, o modo como são feitos os bebês. Muito tempo depois de terem recebido o esclarecimento sexual, elas ainda se comportam como os povos primitivos aos quais se impingiu o cristianismo e que, secretamente, continuam a adorar seus antigos deuses" (nesta coleção, *Fundamentos da clínica psicanalítica*, p. 337-338).

***

Não custa lembrar que *esclarecer* algo, no caso a sexualidade infantil, supõe que esse algo seja, em princípio, recoberto por alguma obscuridade. Ressalta, aliás, o tema da inadequação de linguagens entre o adulto e a criança, tema trabalhado, em diferentes perspectivas, por psicanalistas como Sándor Ferenczi, Jacques Lacan e Jean Laplanche, entre outros.

É impossível não notar o uso do termo *Aufklärung* no título e em diversas passagens do texto. A palavra *Aufklärung,* ou "esclarecimento", empregada aqui no singular, mesmo tomada em sua acepção trivial, não deixa de ressoar um dos mais influentes movimentos intelectuais de toda a história e que caracterizou o século XVIII como o Século das Luzes. O movimento, que se alastrou por toda a Europa, confiava na razão como principal – ou mesmo única – fonte de legitimidade ou de autoridade para questões morais, políticas, religiosas, etc. Em uma passagem tornada célebre, Kant definiu o Esclarecimento como o movimento de tirar o indivíduo da minoridade na qual ele estaria imerso e fazê-lo aceder à maioridade, tanto intelectual quanto moral. Ecos da *Aufklärung* se fazem notar em diversos aspectos e momentos da obra de Freud. Nesse texto, em especial, são bastante notáveis, particularmente nos parágrafos finais, quando aborda o tema da educação sexual das crianças nos âmbitos privado (*das Haus*) e público, posicionando-se francamente a favor da laicidade da educação.

No que tange ao enquadre mais geral dessa discussão no dispositivo da sexualidade, Foucault chega a falar de uma "pedagogização do sexo da criança". Apesar de ser uma resposta circunstancial a uma demanda específica, o presente artigo de Freud construiria os fundamentos de uma abordagem psicanalítica do tema da educação sexual infantil, ao mostrar como sua perspectiva moralizante se assenta sobre um fator psicogeneticamente determinado, o recalcamento da sexualidade infantil.

FOUCAULT, M. *História da sexualidade* I: *A vontade de saber.* Rio de Janeiro: Graal, 1999.

NOTAS

[1] Pseudônimo literário do escritor holandês Eduard D. Dekker (1820-1887), composto por duas palavras latinas que justapostas significam "sofri-muito". No topo da lista de "10 bons livros" que Freud preparou a pedido de Hugo Heller, figuravam justamente as *Cartas e Obras* (*Briefe und Werk*), de Multatuli (cf. *GW* , Nachtragsband, p. 663). Freud refere-se ao autor também em "O problema econômico do masoquismo" (publicado nesta coleção no volume *Neurose, psicose, perversão*). (N.E.)

[2] Emma Eckstein (1865-1924) foi uma das mais importantes pacientes de Freud, cuja obra contém várias alusões a descobertas feitas durante o tratamento desse caso. Fragmentos do seu caso são relatados, por exemplo, na segunda parte do "Projeto de uma psicologia" (1895), articulam-se com a teoria da sedução ou ressurgem como motivação para o sonho modelo de *A interpretação dos sonhos*, o sonho da injeção de Irma, que remonta à desastrosa intervenção cirúrgica a que Fließ submeteu Emma. Eckstein exerceu a psicanálise por um breve período de tempo e teve participação ativa no movimento feminista de Viena. (N.E.)

[3] Celebração evangélica, sobretudo luterana, através da qual a criança é inserida na comunidade dos adultos. (N.R.)

SOBRE TEORIAS SEXUAIS INFANTIS (1908)

O material em que se apoia o resumo que se segue provém de várias fontes. Em primeiro lugar, da observação direta do que dizem e fazem [*Treibens*] as crianças; em segundo, das comunicações de neuróticos adultos que relatam, durante um tratamento psicanalítico, acerca daquilo que conservam conscientemente na memória sobre sua infância; e, em terceiro, das partes de conclusões, de construções e de recordações inconscientes traduzidas para o consciente, que resultam das psicanálises de neuróticos.

Que a primeira dessas três fontes não tenha aportado por si só todo o saber necessário encontra seu fundamento na conduta dos adultos frente à vida sexual das crianças. A elas não é atribuída nenhuma atividade sexual, por isso ninguém se dá ao trabalho de observar algo dessa natureza, e, além disso, é-lhes reprimida [*unterdrückt*] a expressão que seria digna de atenção. Em consequência, a oportunidade de se conseguir produzir a partir dessa fonte mais expressiva e mais fértil é muito restrita. O que provém das comunicações livres de influência por parte dos adultos acerca de suas recordações infantis conscientes está altamente sujeito à objeção de possível falsificação retrospectiva, no entanto, deve ser avaliado segundo o ponto de vista de que esses informantes se tornaram neuróticos posteriormente. O material da terceira fonte está sujeito a todas as contestações que se colocam à confiabilidade da psicanálise e à garantia que suas conclusões costumam trazer para o campo; não será possível, portanto, tentar justificar aqui esse julgamento; apenas quero assegurar que aquele que conhece e pratica a técnica psicanalítica ganha uma ampla confiança em seus resultados.

Não posso garantir a completude de meus resultados, apenas o cuidado com que me envolvi para obtê-los.

Uma questão difícil é decidir até que ponto o que aqui vai ser relatado de maneira geral sobre as crianças pode ser pressuposto para todas as crianças, isto é, para cada uma delas. Pressão educacional e intensidade variável da pulsão sexual certamente possibilitam grandes oscilações individuais na conduta sexual da criança e influenciam, sobretudo, a irrupção temporal do interesse sexual infantil. Por isso, não dividi minha apresentação em períodos sucessivos da infância, mas resumi aquilo que, em diferentes crianças, entra em vigência ora mais cedo, ora mais tarde. Estou convencido de que nenhuma criança – ao menos nenhuma com pleno domínio da palavra e menos ainda a bem dotada intelectualmente – possa deixar de se ocupar com os problemas sexuais nos anos *anteriores* à puberdade.

Não dou valor à objeção de que os neuróticos são uma classe especial de seres humanos, caracterizada por uma disposição degenerativa, de cuja vida infantil estaria vetada qualquer conclusão aplicável sobre a infância de outros. Os neuróticos são seres humanos como os demais, não há fronteira nítida entre eles; em sua infância, não é sempre fácil distingui-los daqueles que posteriormente permanecem normais. Constitui um dos mais valiosos resultados das nossas investigações psicanalíticas o fato de que suas neuroses não possuam nenhum conteúdo psíquico especial que lhes seja peculiar e exclusivo, mas que eles, tal como afirma C. G. Jung, adoecem dos mesmos complexos contra os quais nós, sadios, lutamos. A diferença reside apenas no fato de que os sadios sabem dominar esses complexos sem danos graves, comprováveis na prática, enquanto para os doentes de nervos [*Nervösen*] a repressão [*Unterdrückung*] desses complexos só se realiza ao preço de custosas formações substitutivas, portanto, ela praticamente fracassa. Doentes de nervos e normais estão naturalmente muito mais próximos entre si na infância do que na vida posterior, de maneira que não posso considerar um erro de método se aproveito as comunicações de neuróticos sobre sua infância para tecer conclusões por analogia sobre a vida infantil normal. Mas, como os futuros neuróticos trazem frequentemente em sua constituição uma pulsão sexual particularmente intensa e uma tendência ao amadurecimento prematuro, à sua exteriorização prematura, eles nos permitem reconhecer, de maneira mais intensa e nítida, muito mais da atividade sexual infantil do que nossa já embotada capacidade de observação nos permitiria ver em outras crianças. Todavia, o verdadeiro valor dessas comunicações provenientes de adultos neuróticos só poderá ser estimado se, seguindo o exemplo de Havelock Ellis, também forem apreciadas nessa compilação as recordações de infância de adultos sadios.

Em consequência da adversidade de circunstâncias externas e internas, as comunicações que se seguem dizem respeito predominantemente ao desenvolvimento sexual de um dos sexos, a saber, o masculino. Entretanto, o valor de uma compilação como a que estou intentando não precisa ser apenas descritivo. O conhecimento das teorias sexuais infantis, tal como se configuram no pensamento infantil, pode ser interessante em diversos sentidos, até mesmo, surpreendentemente, para a compreensão dos mitos e contos de fadas. Mas ela é indispensável para a concepção das próprias neuroses, dentre as quais essas teorias infantis ainda estão em vigência e assumem uma determinada influência na configuração dos sintomas.

***

Se nos fosse possível abandonar a nossa corporeidade [*Leiblichkeit*] e, talvez, como seres puramente pensantes de outro planeta, pudéssemos ver as coisas desta Terra com outros olhos, talvez nada chamasse mais a nossa atenção do que a existência de dois sexos entre os seres humanos que, apesar de tão *semelhantes* em outros aspectos, têm a sua diferença marcada com os mais evidentes sinais. Entretanto, não parece que as crianças também escolham esse fato fundamental como ponto de partida de suas pesquisas sobre problemas sexuais. Como elas conhecem o pai e a mãe até onde podem se lembrar em suas vidas, tomam sua presença como uma realidade que não precisa ser investigada, e assim também é a conduta do menino em relação a uma irmãzinha, da qual apenas está separado pela escassa diferença de um ou dois anos. A ânsia de saber [*Wissensdrang*] das crianças nesse caso não é despertada absolutamente de maneira espontânea, como, por exemplo, em consequência de uma necessidade inata de procurar por causas, mas sob o ferrão das pulsões egoístas que as dominam quando – depois de concluído o segundo ano de vida – são atingidas pela notícia da chegada de uma nova criança. Aquelas crianças, em cuja criação não receberam em casa um hóspede desse tipo, ainda assim são capazes de se colocar nessa situação a partir de suas observações de outros lares. A retirada experimentada ou temida com razão – dos cuidados por parte dos pais, a intuição de que precisará, de agora em diante e para sempre, compartilhar tudo com o recém-chegado – tem por efeito despertar a vida afetiva [*Gefühlsleben*] da criança e aguçar sua capacidade de pensar. A criança mais velha expressa sua franca hostilidade ao concorrente, desabafando através de críticas inamistosas a ele, desejando que "a cegonha o leve de volta" e coisas parecidas e, ocasionalmente, até impetrando pequenos atentados contra o desamparado no berço. Em geral, uma diferença maior de idade enfraquece a expressão dessa hostilidade primária; assim como em anos mais tardios, se faltam irmãos, pode impor-se o desejo por um companheiro de brincadeiras, tal como a criança observou em outros lugares.

Então, sob a incitação desses sentimentos e preocupações, a criança começa a se ocupar com o primeiro grande problema da vida e se coloca a pergunta sobre *de onde vêm as crianças*, que primeiramente quis dizer: "de onde saiu essa incômoda criança?". Acreditamos ouvir o eco dessa primeira pergunta enigmática em inúmeros enigmas do mito e da lenda; a própria pergunta é, como qualquer pesquisa, um produto da necessidade da vida, como se ao pensamento fosse colocada a tarefa de evitar a recorrência de acontecimentos tão temidos. Suponhamos nesse meio-tempo que o pensamento da criança logo se liberte de sua incitação e que prossiga trabalhando como se fosse uma pulsão autônoma de investigar [*selbständiger Forschertrieb*]. Se a criança já não tiver sido muito intimidada, ela toma, mais cedo ou mais tarde, o caminho seguinte e exige resposta dos pais e pessoas que dela cuidam, as quais, para ela, são a fonte do saber. Mas esse caminho fracassa. A criança recebe uma resposta evasiva ou uma reprimenda por sua curiosidade, ou é despachada com aquela informação de cunho mitológico que nos países de língua alemã é a seguinte: a cegonha traz as crianças que tira da água. Tenho motivos para supor que muito mais crianças do que os pais imaginam ficam insatisfeitas com essa solução e a recebem com fortes dúvidas que nem sempre são admitidas abertamente. Sei de um menino de 3 anos que, após receber esse esclarecimento, desapareceu, para o desespero de sua babá, e foi encontrado à margem do grande lago de um castelo, para onde tinha se dirigido a fim de ver as crianças na água; sei de outro menino que só permitiu à sua incredulidade a tímida expressão de que ele bem que sabia que não era a cegonha que trazia as crianças, mas sim a garça. Parece-me depreender-se das muitas comunicações que as crianças recusam a crença na teoria da cegonha e que, portanto, a partir desse primeiro logro e recusa, alimentam uma desconfiança em relação aos adultos, adquirem o pressentimento de algo proibido que lhes é negado pelos "maiores" e, por isso, mantêm em segredo suas investigações posteriores. Mas, com isso, também vivenciaram o primeiro ensejo de um "conflito psíquico", no qual essas opiniões, pelas quais elas sentem uma predileção pulsional, não são "corretas" para os adultos e entram em oposição com outras sustentadas pela autoridade dos "maiores", mas que para elas mesmas não são aceitáveis. Desse conflito psíquico pode logo desenvolver-se uma "cisão psíquica" [*Spaltung*];[1] uma das opiniões, à qual está ligado o bom comportamento, mas também a suspensão da reflexão, torna-se predominantemente consciente; a outra, para a qual o trabalho de investigação trouxe novas provas que, nesse meio-tempo, não devem ter validade, torna-se reprimidamente "inconsciente". O complexo nuclear da neurose encontra-se, desse modo, constituído.

Obtive recentemente – pela análise de um menino de 5 anos empreendida pelo pai e a mim confiada para publicação[2] – a prova irrefutável para a compreensão de algo sobre cujo rastro há muito tempo a psicanálise de adultos havia me conduzido. Sei agora que a alteração na mãe durante a gravidez não passa despercebida aos aguçados olhos da criança e que esta é perfeitamente capaz de logo estabelecer uma relação entre o aumento do corpo da mãe e o aparecimento da criança. No caso mencionado, o menino estava com 3 anos e meio quando nasceu a irmã e com 4 anos e três quartos quando revelou tudo o que sabia por meio de inequívocas alusões. No entanto, esse reconhecimento precoce é sempre mantido em segredo e, mais tarde, em conexão com os posteriores destinos da investigação sexual da criança, é recalcado e esquecido.

Portanto, a "fábula da cegonha" não pertence às teorias sexuais infantis; é, ao contrário, a observação dos animais, que escondem tão pouco sua vida sexual e com os quais a criança se sente tão familiarizada que reforça sua incredulidade. Com o reconhecimento de que o bebê cresce no corpo da mãe, reconhecimento que a criança adquire autonomamente, ela estaria no caminho certo para resolver o problema com o qual primeiro testou sua capacidade de pensar. Mas, num avanço posterior, ela é inibida por uma ignorância que não é substituída e por falsas teorias que o estado de sua própria sexualidade lhe impõe.

Essas falsas teorias sexuais que agora examinarei possuem todas elas uma característica muito curiosa. Apesar de grotescamente equivocadas, cada uma delas contém um fragmento de legítima verdade, nesse aspecto, análogo às assim chamadas "geniais" tentativas de solução dos adultos para os problemas do mundo, os quais são supercomplexos para a razão humana. O que é correto e bem fundamentado nessas teorias se explica por sua proveniência dos componentes da pulsão sexual já ativos no organismo da criança; pois não foi o arbitrário psíquico ou as impressões casuais que deixaram surgir essas suposições, mas as necessidades da constituição psicossexual, e é por isso que podemos falar de teorias sexuais infantis típicas, e é por isso que encontramos as mesmas opiniões erradas em todas as crianças a cuja vida sexual temos acesso.

A primeira dessas teorias está ligada à negligência das diferenças sexuais que destacamos anteriormente como característica da criança. Ela consiste em *atribuir um pênis a todos os humanos, inclusive aos do sexo feminino*, tal como o menino o conhece a partir de seu próprio corpo. É justamente nessa constituição sexual, que precisamos reconhecer como "normal", que já na infância o pênis é a zona erógena condutora, o objeto sexual autoerótico da mais alta importância, e seu alto valor atribuído reflete-se logicamente na incapacidade de imaginar uma pessoa semelhante ao Eu sem essa parte essencial. Quando o menininho se vê diante dos genitais de uma irmãzinha, seus comentários mostram que seu preconceito já está forte o bastante para driblar a percepção[3]: ele não constata propriamente a falta do membro, mas diz normalmente, como que se consolando e tentando conciliar: "é que ele... ainda é pequeno; mas quando ela for maior ele vai crescer". A representação da mulher com o pênis retorna ainda tardiamente nos sonhos do adulto: na excitação sexual noturna, ele joga uma mulher no chão, despe-a e se prepara para o coito, para então, à visão do membro plenamente formado em lugar dos genitais femininos, interromper o sonho e a excitação. Os inúmeros hermafroditas da Antiguidade clássica reproduzem fielmente essa representação infantil generalizada naquela época; podemos observar que ela não tem efeito ofensivo sobre a maioria das pessoas normais, enquanto as formações reais de hermafroditismo encontradas na natureza quase sempre despertam a maior repulsa.

Se essa representação da mulher com o pênis se "fixa" na criança, se ela resiste a todas as influências da vida posterior e torna o homem incapaz de renunciar ao pênis em seu objeto sexual, então um indivíduo como esse, de vida sexual normal, tem, necessariamente, de se tornar um homossexual, procurar seus objetos sexuais entre homens que, devido a outras características somáticas e psíquicas, lembram a mulher. A mulher[4] [*Weib*] real, como será reconhecido mais tarde, permanece para ele como objeto sexual impossível, pois prescinde do encanto [*Reiz*] sexual essencial; na verdade, em relação com outra impressão da infância, ela pode tornar-se repugnante para ele. A criança dominada principalmente pela excitação do pênis obteve prazer habitualmente estimulando-o com a mão, foi surpreendida pelos pais ou por pessoas que dela cuidam e aterrorizada com a ameaça de que iriam cortar seu membro. O efeito dessa "ameaça de castração" é, na correta proporção com a valorização dessa parte do corpo, absoluta e extraordinariamente profundo e duradouro. As lendas e os mitos dão testemunho da agitação da vida afetiva infantil e do pavor ligado ao complexo de castração, que então também será lembrado mais tarde pela consciência com a correspondente relutância. Nessa ameaça está, então, contida a advertência sobre o genital da mulher percebido mais tarde e encarado como mutilado, e, por isso, ele desperta horror em vez de prazer no homossexual. Nessa reação nada mais pode ser alterado se o homossexual, através da ciência, vier a saber que a suposição infantil de que a mulher também possui um pênis não está assim tão errada. A anatomia reconheceu o clitóris no interior da vulva feminina como o órgão homólogo ao pênis, e a fisiologia dos processos sexuais pôde acrescentar que esse pequeno pênis que não cresce mais comporta-se, realmente, na infância da mulher, como um pênis legítimo e correto, que se torna a sede de excitações às quais se chega quando tocado; que sua capacidade de estímulo confere à atividade sexual da menininha um caráter masculino e que é necessário um impulso recalcante [*Verdrängungsschubes*] nos anos da puberdade para, através da remoção dessa sexualidade masculina, a mulher [*Weib*] poder surgir. Como muitas mulheres atrofiam-se em sua função sexual – seja por seu apego a essa excitabilidade do clitóris, de maneira que elas permanecem anestesiadas no coito, seja porque o recalcamento ocorre em excesso, a ponto de seu efeito ser parcialmente suspenso por uma formação histérica substitutiva –, nada disso refuta a teoria sexual infantil de que a mulher possui, tal como o homem, um pênis.

Na menininha, observa-se com facilidade que ela compartilha inteiramente da compreensão do irmão. Ela desenvolve grande interesse por essa parte do corpo do menino, interesse que logo é comandado pela inveja. Ela se sente prejudicada e faz tentativas de urinar na posição que é possível ao menino por possuir um grande pênis e, quando expressa o desejo: "Eu gostaria de ser um menino", então sabemos qual falta esse desejo deve remediar.

Se a criança pudesse seguir as pistas que partem da excitação do pênis, ela chegaria um pouco mais perto da solução do seu problema. Que a criança cresça no corpo da mãe não é obviamente uma explicação suficiente. Como ela entra lá? O que dá o ensejo para o seu desenvolvimento? É provável que o pai tenha algo a ver com isso; pois ele explica que a criança também é sua.[i] Por outro lado, o pênis também teve certamente sua participação nesses processos difíceis de intuir [*erraten*], o que ele comprova com sua coexcitação em todos esses processos de pensamento. A essa excitação estão ligados estímulos [*Antriebe*] que a criança não sabe explicar, impulsos obscuros a um ato violento, a penetrar ou a despedaçar, a abrir um buraco em algum lugar. Mas quando a criança parece assim estar no melhor caminho para postular a existência da vagina e atribuir ao pênis do pai essa penetração da mãe como aquele ato por meio do qual a criança nasce no corpo da mãe, ela interrompe, desnorteada, a investigação nesse ponto, pois em seu caminho está a teoria de que a mãe possui um pênis como o pai, e a existência da cavidade que acolhe o pênis permanece sem ser descoberta pela criança. Assumimos com prazer que a falta de sucesso de seus esforços de pensamento facilita a sua rejeição [*Verwerfung*] e o seu esquecimento. Mas esse ruminar e duvidar torna-se protótipo para todo o trabalho posterior de pensamento relativo a problemas, e o primeiro fracasso terá para sempre efeito paralisante.

O desconhecimento da vagina também possibilita à criança convencer-se da segunda de suas teorias sexuais. Se a criança cresce no corpo da mãe e é dali retirada, isso só pode acontecer pelo único caminho possível da abertura do intestino. *A criança precisa ser evacuada como um excremento, uma evacuação.* Se a mesma pergunta em anos posteriores é objeto de reflexão solitária ou da conversa entre duas crianças, podem ser convocadas as seguintes informações: a criança sai do umbigo que se abre, ou a

[i] Ver a análise do menino de 5 anos [*Analyse der Phobie eines fünfjährigen Knaben*], nos *GW*, v. VII, p. 243-377.

barriga é aberta e a criança é retirada, como acontece com o lobo na história da Chapeuzinho Vermelho. Essas teorias são ditas em voz alta e depois também lembradas conscientemente; elas não contêm mais nada de chocante. As mesmas crianças se esqueceram, então, completamente, de que em anos anteriores acreditavam em outra teoria sobre o nascimento, cujo caminho foi obstruído pelo recalcamento dos componentes sexuais anais, advindo nesse intervalo. Naquela época, a evacuação era algo do qual se podia falar sem temores durante a criação, não estando a criança tão distante das suas inclinações coprófilas constitucionais; não constituía uma degradação vir ao mundo dessa maneira como um monte de excrementos ainda não condenado pelo nojo. A teoria da cloaca, que afinal é válida para tantos animais, era a mais natural e a única que podia impor-se à criança como provável.

Então era apenas consequente que a criança não concedesse à mulher o doloroso privilégio de dar à luz. Se as crianças nascem pelo ânus, o homem pode tão bem parir quanto a mulher. Portanto, o menino também pode fantasiar que ele próprio pode ganhar filhos, sem que por isso precisemos atribuir-lhe inclinações femininas. Com isso, ele apenas aciona seu erotismo anal ainda estimulável.

Se a teoria cloacal do nascimento é preservada na consciência, o que ocorre ocasionalmente, ela traz consigo uma solução, que não é mais a originária, para a pergunta sobre a origem das crianças. Então, é como nos contos de fadas: come-se uma determinada coisa e disso concebe-se uma criança. A doente mental revive essa teoria infantil do nascimento repetidamente. A maníaca, por exemplo, conduz o médico visitante até um montinho de excrementos que fez num canto da sua cela e lhe diz sorrindo: “esta é a criança a quem eu dei à luz hoje”.

A terceira das típicas teorias sexuais surge nas crianças quando, por quaisquer das circunstâncias domésticas, elas testemunham a relação sexual dos pais, da qual só conseguem receber percepções muito incompletas. Não importa a parte dela que atraiu sua atenção, se a posição recíproca das duas pessoas, ou os ruídos, ou determinadas circunstâncias secundárias; elas acabam chegando, em todos os casos, ao que poderíamos chamar mesmo de *concepção sádica do coito*: veem nele algo que a parte mais forte impõe violentamente à parte mais fraca e o comparam, principalmente o menino, a uma briga como a que conhecem a partir de seu relacionamento infantil, à qual não falta uma mistura de excitação sexual. Não pude comprovar se as crianças teriam compreendido essa ocorrência observada por elas entre os pais como a peça que lhes faltava para a solução do problema acerca das crianças; com frequência pareceu que essa relação teria passado despercebida pelas crianças, justamente por interpretarem o ato de amor como violência. Mas essa mesma concepção dá a impressão de um retorno daquele impulso obscuro a um ato cruel que se ligou à excitação do pênis, quando da primeira reflexão sobre o enigma de onde vêm as crianças. Também não podemos excluir a possibilidade de que aquele impulso sádico precoce, que quase teria tornado possível intuir [*erraten*] o coito, emergiu sob a influência das mais sombrias lembranças da relaçao sexual dos pais, das quais a criança, quando ainda compartilhava o quarto dos pais nos primeiros anos de vida, havia recolhido o material sem utilizá-lo na ocasião.[i]

[i] Restif de la Brétonne, em sua obra autobiográfica publicada em 1794, *Senhor Nicolas* [Monsieur Nicolas], confirma esse mal-entendido sádico do coito, ao relatar uma impressão de seu quarto ano de vida.

A teoria sádica do coito que, tomada isoladamente, induz ao erro, quando poderia oferecer confirmação, é também a expressão de um dos componentes sexuais inatos que podem estar presentes com maior ou menor intensidade em cada criança – e por isso ela está até certo ponto correta – ela intui, em parte, a essência do ato sexual e a "guerra dos sexos" que o precede. Não é raro também a criança estar em condições de confirmar essa sua concepção por meio de percepções acidentais que compreende, em parte, de maneira correta, em parte, novamente de maneira errada e até mesmo no sentido contrário. Em muitos casamentos, é realmente frequente a esposa resistir ao enlace conjugal que lhe traz não o prazer, mas sim o perigo de uma nova gravidez, e, deste modo, a mãe pode passar uma impressão à criança, que ela julga adormecida (ou que finge que dorme), que só pode ser interpretada como uma defesa contra um ato violento. Outras vezes ainda, o casamento como um todo oferece à criança observadora o espetáculo de uma briga contínua, expressa em palavras duras e gestos inamistosos, em que ela não precisa se surpreender se esta se prolonga até a noite e finalmente é encerrada pelos mesmos métodos que a criança está acostumada a empregar na relação com seus irmãos ou companheiros de brincadeira.

E como uma confirmação para a sua concepção, a criança ainda descobre manchas de sangue na cama ou nas roupas da mãe. Essas são, para ela, provas de que durante a noite ocorreu novamente esse tipo de investida do pai contra a mãe, enquanto nós preferimos entender a mesma mancha fresca de sangue como indício de uma pausa na relação sexual. Alguns casos inexplicáveis de "horror a sangue" dos doentes de nervos [*Nervösen*] encontram esclarecimento nesse contexto. Uma vez mais, o erro da criança encobre um pequeno fragmento de verdade: em certas circunstâncias conhecidas, a mancha de sangue é tomada como sinal de relação sexual iniciada.

Numa relação mais frouxa com o problema insolúvel sobre de onde vêm as crianças, a criança se ocupa com a pergunta sobre a natureza e o conteúdo da situação de "estar casado", e responde essa pergunta de diversas maneiras, dependendo do encontro de percepções casuais que teve dos pais e suas próprias pulsões ainda marcadas com prazer. O que todas essas respostas parecem ter em comum é que estar casado promete uma satisfação prazerosa e permite a remoção do pudor. A concepção que encontrei com maior frequência foi: "urina-se na frente do outro"; uma variante que soa como se quisesse incluir simbolicamente um saber adicional: "que o marido urina no urinol da mulher". Outras vezes é assim colocado o sentido do casamento: "que um mostra o bumbum para o outro" (sem sentir vergonha). Em um caso em que a educação conseguiu postergar a averiguação sexual por bastante tempo, a menina de 14 anos, já menstruada, chegou à ideia, por incitação de suas leituras, de que estar casado consistia em uma "mistura do sangue", e como sua própria irmã ainda não havia tido as regras, a jovem lúbrica realizou um atentado em uma visitante, que havia confessado ter acabado de menstruar, para forçá-la a essa "mistura de sangue".

As opiniões infantis sobre a natureza do casamento, que não raramente são retidas na lembrança consciente, possuem grande importância para a sintomatologia dos adoecimentos neuróticos posteriores. Primeiro conseguem expressão nos jogos infantis, nos quais se faz com o outro o que constitui o estar casado, e então, mais tarde, o desejo de estar casado pode escolher a forma de expressão infantil, para aflorar em uma fobia de início irreconhecível ou em um sintoma correspondente.[i]

Essas seriam as mais importantes das teorias sexuais infantis típicas, produzidas espontaneamente nos primeiros anos da infância, apenas sob a influência dos componentes pulsionais sexuais. Sei que não consegui um material completo nem estabeleci uma apresentação sem lacunas com o restante da vida infantil. Posso ainda acrescentar alguns adendos que, do contrário, algum especialista teria sentido falta. Então, como exemplo, a importante teoria de que se tem um filho através de um beijo, que tão obviamente denuncia a predominância da zona erógena bucal. De acordo com a minha experiência, essa teoria é exclusivamente feminina, e às vezes torna-se patogênica em meninas, cuja investigação sexual sofreu as mais intensas inibições na infância. Uma de minhas pacientes chegou, através de uma percepção casual, à teoria da "couvade", que sabemos ser um costume generalizado entre alguns povos, e provavelmente tem a finalidade de desfazer a dúvida nunca completamente eliminada sobre a paternidade. Tendo em vista que um tio um tanto estranho, após o nascimento de seu filho, ficou dias a fio em casa de camisola [*Schlafrock*] recebendo as visitas, ela concluiu que os dois pais participavam de um nascimento e tinham de ficar repousando na cama.

Por volta do décimo ou décimo primeiro ano de vida inicia-se a comunicação [*Mitteilung*] acerca do sexual para as crianças. Uma criança que cresceu em condições sociais

---

[i] Os jogos infantis mais importantes para a neurose posterior são brincar de "médico" e de "papai e mamãe".

mais desinibidas ou que tenha encontrado uma oportunidade mais feliz de observar conta às outras o que sabe, pois assim pode se sentir madura e esclarecida. Aquilo que as crianças ficam sabendo dessa maneira é quase sempre o correto, isto é, é-lhes revelada a existência da vagina e sua finalidade, porém, no mais, esses esclarecimentos que elas trocam entre si são quase sempre mesclados com ideias falsas e impregnados com resíduos das teorias sexuais infantis mais antigas. Eles quase nunca são completos nem suficientes para a solução do problema primordial. Assim como foi antes o desconhecimento da vagina, o obstáculo agora é o do sêmen para a compreensão do contexto. A criança não consegue intuir que uma outra substância é excretada do órgão sexual masculino além da urina, e ocasionalmente uma "jovem inocente" ainda fica indignada na noite de núpcias pelo fato de o marido "urinar dentro dela". A essas comunicações nos anos da pré-puberdade segue-se um novo ímpeto da investigação sexual infantil; mas as teorias que as crianças agora concebem não possuem mais a marca típica e original que era característica das teorias sexuais primárias da tenra infância, quando os componentes sexuais infantis conseguiam sua expressão em teorias de maneira desinibida e inalterada. Os empenhos posteriores de pensamento para solucionar os enigmas sexuais não me pareceram dignos de compilação, e deixam a desejar na questão da importância patogênica. Sua variedade depende, sem dúvida, em primeira linha, da natureza do esclarecimento recebido; sua importância reside muito mais em voltar a despertar os traços que se tornaram inconscientes daquele primeiro período do interesse sexual, de maneira que não é raro que uma atividade sexual masturbatória e algum grau de afastamento emocional dos pais estejam ligados a eles. Daí o julgamento condenatório dos educadores, de que um esclarecimento como esse nessa idade "corromperia" as crianças.

Alguns poucos exemplos devem mostrar quais elementos entram frequentemente nessas especulações tardias das crianças sobre a vida sexual. Uma menina soube por suas colegas de escola que o marido dá à esposa um ovo que ela choca em seu corpo [*Leibe*]. Um menino, que também tinha ouvido falar de ovo, identifica esse "ovo" com o testículo, que vulgarmente também recebe o mesmo nome, e quebrou a cabeça pensando em como o conteúdo do testículo poderia ser constantemente renovado. Os esclarecimentos são raramente suficientes para prevenir inseguranças essenciais sobre os processos sexuais. É assim que as meninas chegam à expectativa de que a relação sexual só aconteceria uma única vez, mas duraria muito tempo, 24 horas, e que dessa única vez nasceriam as crianças, uma após a outra. É possível supor que essa criança teria conhecimento sobre o processo reprodutivo de certos insetos; mas essa suposição não se confirma; a teoria parece uma criação autônoma. Outras meninas ignoram a gestação, a vida no corpo da mãe, e supõem que a criança vem à luz imediatamente após a noite da primeira relação. Marcel Prévost transformou esse equívoco das virgens numa divertida história que aparece em suas *Lettres des femmes* [Cartas de mulheres]. Difícil de esgotar e talvez, em geral, interessante é o tema dessa investigação sexual tardia das crianças ou de adolescentes que permaneceram no estágio infantil, mas está muito longe do meu interesse e eu preciso ainda apenas destacar que, nesse caso, as crianças produzem muitas coisas erradas para o que está destinado a contradizer um conhecimento mais antigo, melhor, porém tornado inconsciente e recalcado.

Até mesmo o modo como as crianças se portam em relação às informações que lhes chegam tem sua importância. Em muitos, o recalcamento sexual cresceu de tal maneira que eles não querem escutar nada disso e esses também conseguem permanecer ignorantes até uma idade tardia, pelo menos aparentemente ignorantes, até que na psicanálise dos neuróticos o conhecimento da tenra infância vem à luz. Também sei de dois meninos de 10 e 13 anos que até chegaram a ouvir a explicação sobre o sexual, mas deram ao seu informante a seguinte resposta de recusa: "É possível que o teu pai e outras pessoas façam isso, mas o meu pai, tenho certeza de que ele nunca o faria". Por mais diversa que seja a conduta posterior das crianças em relação à satisfação da curiosidade sexual, podemos supor para os seus primeiros anos de infância uma conduta inteiramente uniforme e acreditar que nesse tempo elas tentaram ansiosamente descobrir o que os pais faziam um com o outro, e de onde, afinal, vêm as crianças.

Über infantile Sexualtheorien (1908)

1908 Primeira publicação: *Sexual-Probleme*, v. 4, n. 2, p. 763-779, Dec.

1924 *Gesammelte Schriften*, t. V, p. 168-185

1941 *Gesammelte Werke*, t. VII, p. 169-188

O presente artigo foi publicado pela primeira vez não em um periódico psicanalítico, mas na revista *Sexual-Probleme*, que originariamente se chamava *Mutterschutz* (*Revista de Proteção Materna*, em tradução livre). O periódico teve seu nome alterado, mas manteve a numeração dos volumes. Foi nesse mesmo periódico, aliás, que Freud publicou seu célebre estudo sobre a "Moral sexual 'civilizada' e doença nervosa".

Não custa lembrar que Freud acabara de publicar os *Três ensaios sobre a teoria sexual*, passando, assim, como muitos já notaram, da teoria da sexualidade infantil à teoria infantil da sexualidade. Esse pequeno mas decisivo artigo é contemporâneo à redação do caso que ficou conhecido como "Pequeno Hans", do qual podemos inferir que Freud extraiu parte considerável de seu material. Algumas das ideias seminais acerca dos processos de subjetivação da sexualidade pela criança foram sumariadas aqui. Também se trata da primeira ocorrência do conceito de complexo de castração.

As ideias contidas nesse pequeno artigo foram incorporadas à terceira edição dos *Três ensaios sobre a teoria sexual*, publicada em 1915 (Seção 5).

Acerca do curioso título desse artigo, vale ressaltar a ousadia freudiana de empregar o termo "teoria" – um termo usado geralmente para designar um conjunto estruturado de conceitos e/ou ideias de um campo de pesquisas específico – para as construções e hipóteses que as crianças fazem acerca dos enigmas da sexualidade. Isso indica claramente que o aparelho psíquico é, do ponto de vista freudiano, uma fábrica de teorias para dar conta do sexual – e, aqui, teorizar não exclui atividades análogas como fantasiar, ficcionalizar, inventar. A criança é vista como um *Forscher*, ou seja, um investigador, um pesquisador. O emprego de "teoria" é particularmente marcante na medida em que Freud costuma ser cuidadoso quanto ao estatuto epistemológico das ideias psicanalíticas. No capítulo dedicado às pulsões no *Compêndio de psicanálise*, por exemplo, ele faz questão de empregar "doutrina" (*Lehre*), reservando a palavra "teoria" (*Theorie*) para tramas conceituais mais bem acabadas. Sobre as ressonâncias duradouras da pesquisa sexual infantil, ver especialmente o texto de 1910 sobre Leonardo da Vinci ("Uma lembrança de infância de Leonardo da Vinci". Nesta coleção, no volume *Arte, literatura e os artistas*, p. 69-165).

***

Ao abordar o tema no registro do dispositivo analítico, Jacques Lacan detecta no constante remanejamento de narrativas próprio ao trabalho de elaboração de um analisante uma atividade análoga à descrita por Freud acerca da teorização sexual infantil. Por seu turno, Jean Laplanche conclui que a criança é um ser "autoteorizante", que traduz, ainda que não completamente, os enigmas que resultam da inevitável inoculação de elementos da sexualidade adulta. Em Freud, a sexualidade flui tanto na direção adulto-criança quanto na direção inversa. O que importa em todo caso é a assimetria: enquanto a sexualidade adulta, principalmente em sua forma neurótica, é predominantemente organizada e marcada pelo recalque, a sexualidade infantil é poliforma, parcial e perversa.

NOTAS

[1] Ver também "A cisão do Eu no processo de defesa", escrito em 1939 (nesta coleção, publicado no volume *Compêndio de psicanálise e outros escritos inacabados*). (N.E.)

[2] Trata-se, certamente, do caso conhecido como "Pequenos Hans". (N.E.)

[3] Ver o artigo "Fetichismo", publicado nesta coleção, no volume *Neurose, psicose, perversão*, em que Freud utiliza a expressão "percepção indesejada" (*unerwünschten Wahrnehmung*). (N.T.)

[4] É digno de nota como Freud se utiliza de dois substantivos alternadamente para se referir à noção de "mulher"; ora como *Weib*, ora como *Frau*. Ainda que aparentes sinônimos, *Weib* é o que se encontra no adjetivo *weiblich* (feminino), em *Weibchen* (fêmea) ou na palavra que dá nome ao penúltimo texto deste livro, *Weiblichkeit* (feminilidade). A famosa questão sobre "o que quer a *mulher*" formula-se "*Was will das* Weib?". *Frau*, por outro lado, como vemos em outros momentos, refere-se a mulher(es), principalmente, como pessoas específicas, portadoras de um nome e demais atributos culturais. *Frau* é a palavra utilizada para que alguém se refira a uma *senhora* ou à *esposa* de alguém, sendo *Fräulein* o diminutivo referente a *senhorita* (mulher solteira). Este último termo acabou por ser abolido da linguagem ao longo do século XX por força dos movimentos de emancipação feminina nos países de expressão alemã. (N.R.)

Contribuições para a psicologia da vida amorosa (1910-1918)

BEITRÄGE ZUR PSYCHOLOGIE DES LIEBESLEBENS (1910-1918)

Os três artigos que compõem esta série foram agrupados por Freud sob a rubrica genérica de "Contribuições para a psicologia da vida amorosa", apesar da distância de quase oito anos que separa o primeiro e o último ensaio, escritos entre 1910 e 1917. Foi o próprio Freud que os agrupou e publicou conjuntamente em 1918, no quarto volume *Coletânea de pequenos escritos sobre a doutrina da neurose* (*Sammlung kleiner Schriften zur Neurosenlehre*). Na edição de referência alemã, a célebre *Gesammelte Werke*, os três textos foram desagrupados e publicados segundo sua ordenação cronológica, separadamente, nos volumes VIII e XII.

Numa reunião da Sociedade Psicanalítica de Viena, ocorrida em novembro de 1906, ao comentar uma apresentação de Isidor Sadger, Freud já havia externado seu intuito de escrever sobre "a vida amorosa". Um ano depois, instalado no Hotel Milano, em Roma, cidade que Freud achava incomparável para a escrita, anuncia um plano mais ambicioso. Desde que "dominasse sua própria libido", escreveria a "A história sexual da humanidade" (carta a Jung, de 19 de setembro de 1907). Ao que tudo indica, esse projeto foi abandonado.

Mas o projeto de escrever sobre a "vida amorosa" só começa a se materializar quando redige em 1910 o primeiro artigo da série: "Sobre um tipo particular de escolha objetal no homem", em que anuncia logo de saída o projeto de "uma elaboração rigorosamente científica também da vida amorosa dos seres humanos". Em que medida esse projeto pode ser realizado não é uma questão fácil de responder, na medida do caráter desigual e claramente incompleto desse conjunto de textos. Também não é fácil perceber um fio condutor que pudesse atravessar ensaios temática e estilisticamente tão diversos. P.-L. Assoun (2009, p. 339) propõe que a questão da "subordinação da escolha de objeto à fantasia" poderia costurá-los. No hiato que separa os dois primeiros e o último ensaio, Freud introduziu importantes inovações teóricas, principalmente no que concerne ao conceito de narcisismo, que teve repercussões maiores para a doutrina pulsional e para a teoria das escolhas de objeto. Durante esse hiato, Freud não deixou de escrever sobre o amor, principalmente em *Para introduzir o narcisismo* (1914), em que distingue entre o amor anaclítico e o amor narcísico, e em *Observações sobre o amor transferencial* (1915 [1914]), em que trata dos impasses da forma de amor inerente ao tratamento psicanalítico, a transferência.

Freud costumava anotar suas ideias no suporte que estivesse disponível à mão. Na coleção de arquivos manuscritos da *Sigmund Freud Collection*, constam bilhetes, papéis pequenos, fragmentos de folhas rasgadas e depois coladas com fitas adesivas e as costumeiras folhas grandes e consistentes. As anotações menores, frequentemente, têm a forma de um aforismo. No presente texto, isso é especialmente nítido. Quando Ilse Grubrich-Simitis (1995, p. 153) buscou traçar a gênese destes escritos a partir das anotações manuscritas de Freud, forneceu alguns importantes exemplos dessas anotações aforismáticas: "o enigma do amor é o despertar do elemento infantil"; "a busca enigmática do primeiro amor é como a busca pelo parentesco de sangue, especialmente aquele entre mãe e filho"; "estar apaixonado é a psicose normal"; "passagem da mania de grandeza para a supervalorização sexual do homem. Fracasso do mesmo com a mulher"; "vaidade genital análoga ao narcisismo do pênis"; "estima recíproca dos sexos em diferentes períodos da vida"; "coqueteria como prolongamento do prazer preliminar"; "falta ainda a maior parte, mas não se pode sistematizar, deve-se procurá-la numa boa oportunidade".

SOBRE UM TIPO PARTICULAR DE ESCOLHA DE OBJETO NOS HOMENS (1910)

(CONTRIBUIÇÕES PARA A PSICOLOGIA DA VIDA AMOROSA – I)

Até agora deixamos que os poetas[1] [*Dichtern*] ilustrassem para nós as "condições amorosas" a partir das quais os homens encontram sua escolha de objeto e como conciliam as exigências de sua fantasia com a realidade. Os poetas também possuem certas qualidades que os habilitam a resolver uma tarefa como essa, sobretudo a sensibilidade para perceber moções psíquicas ocultas em outras pessoas e a coragem de deixar seu próprio inconsciente falar em voz alta.[2] Entretanto, o valor do conhecimento de suas comunicações é diminuído por uma circunstância. Os poetas estão ligados à condição de obter prazer intelectual e estético, bem como à de atingir determinados efeitos emocionais, e por isso não podem figurar o material da realidade a não ser de maneira alterada, ou seja, precisam isolar fragmentos, dissolver associações perturbadoras, amenizar o conjunto e substituir o que falta. Esses são os privilégios da assim chamada "licença poética". Eles também só podem demonstrar pouco interesse pela origem e pelo desenvolvimento dos estados psíquicos que descrevem como acabados. Com isso, é inevitável que a Ciência, com mãos mais grosseiras e muito pouco ganho de prazer, ocupe-se das mesmas matérias com que a elaboração literária tem deleitado os humanos há milênios. Esperamos que estas observações sirvam para justificar uma elaboração rigorosamente científica também da vida amorosa dos seres humanos. Pois a Ciência é, afinal, a mais perfeita renúncia ao princípio de prazer que é possível ao nosso trabalho psíquico.

Durante o tratamento psicanalítico, temos abundantes oportunidades de recolher impressões da vida amorosa dos neuróticos e nos lembramos de que observamos ou ouvimos falar de conduta semelhante também na média das pessoas sadias ou mesmo em seres humanos excepcionais. Através da acumulação das impressões, em consequência da vantagem casual do material, alguns tipos são mais claramente colocados em relevo. Quero primeiro descrever um tipo como esse de escolha de objeto masculina, porque ele se caracteriza por uma série de "condições amorosas", cuja combinação não é compreensível, na verdade, até causa estranheza, e porque permite um simples esclarecimento psicanalítico.

1) A primeira dessas condições amorosas deve ser caracterizada como francamente específica; assim que a encontramos, podemos procurar a presença de outras características desse tipo. Podemos chamá-la de condição do "terceiro prejudicado"; seu conteúdo indica que a pessoa em questão jamais escolhe como objeto amoroso uma mulher que ainda esteja livre, isto é, uma moça ou uma senhora que se encontre sozinha, mas apenas uma mulher sobre a qual outro homem possa reivindicar direitos de propriedade[3] em sua condição de marido, prometido ou amigo. Em alguns casos, essa condição se mostra tão implacável que a mesma mulher pode primeiro ser ignorada

ou mesmo desprezada, enquanto não pertencer a ninguém, ao passo que se torna imediatamente objeto de arrebatamento, assim que entra em uma das mencionadas relações com outro homem.

2) A segunda condição é talvez menos constante, embora não menos chamativa. O tipo só se completa em sua conjunção com a primeira, enquanto a primeira parece apresentar-se também por si só com grande frequência. Essa segunda condição coloca que a mulher casta e acima de qualquer suspeita nunca exerce o atrativo que pode elevá-la a objeto amoroso, só aquela mulher que tem, de certa maneira, má reputação sexual, cuja fidelidade e confiabilidade possam ser colocadas em dúvida. Esta última característica pode variar dentro de uma série significativa, desde a leve sombra sobre a fama de uma esposa casada não avessa ao flerte até a conduta de vida abertamente polígama de uma cocota ou cortesã; mas o homem que pertence a esse tipo não renunciará a algo dessa espécie. Podemos chamar essa condição, um pouco grosseiramente, de "amor por mulheres libertinas" [*Dirnenliebe*].

Assim como a primeira condição dá motivo para satisfazer moções de rivalidade e hostilidade contra o homem de quem a mulher amada é arrebatada, a segunda condição, a da libertinagem[4] [*Dirnenhaftigkeit*] da mulher, relaciona-se com a atuação do *ciúme*, que, para amantes desse tipo, parece ser uma necessidade. Só quando estes conseguem ser ciumentos é que a paixão atinge seu apogeu e a mulher adquire seu pleno valor, e eles nunca deixam de se apoderar de uma oportunidade como essa, que lhes permite vivenciar essas sensações tão intensas. Curiosamente, não é contra o possuidor legítimo da amada que esse ciúme se volta, mas contra estranhos recém-chegados, com os quais a amada possa ser colocada em suspeita. Em casos extremos, o amante não mostra nenhum desejo de possuir a mulher só para si, e parece sentir-se à vontade na relação triangular. Um de meus pacientes, que havia sofrido terrivelmente com as escapadas de sua dama, não tinha nada contra o seu casamento e, ao contrário, apoiou-o com todos os meios; do marido, ele nunca mostrou, durante anos, o menor vestígio de ciúme. Aliás, um outro caso típico havia tido, em suas primeiras relações amorosas, muito ciúme do marido e obrigou a dama a suspender a relação marital; mas em seus numerosos casos posteriores, comportou-se como os outros e já não mais considerava o marido como um estorvo.

Os pontos seguintes já não mais descrevem as condições exigidas do objeto amoroso, mas a conduta do amante em relação ao objeto de sua escolha.

3) Na vida amorosa normal, o valor da mulher é determinado por sua integridade sexual, e a aproximação à característica da libertinagem [*Dirnenhaftigkeit*] o rebaixa. Por isso, parece ser um notável desvio do normal o fato de as mulheres que trazem essa característica serem tratadas pelos amantes do tipo em questão como *objetos amorosos de supremo valor.* As relações amorosas com essas mulheres são praticadas com o mais alto dispêndio psíquico, até o esgotamento de quaisquer outros interesses; elas são as únicas pessoas que se pode amar, e a autoexigência de fidelidade é, a cada vez, novamente intensificada, não importa quantas vezes ela possa ser transgredida na realidade. Nesses traços das descritas relações amorosas manifesta-se, com extrema nitidez, o caráter *compulsivo* [*zwanghafte*], que, até certo ponto, é próprio de qualquer caso de enamoramento. Mas não podemos derivar da fidelidade e da intensidade dessa ligação a expectativa de que uma única relação amorosa como essa completaria a vida amorosa da

pessoa em questão, ou de que ocorra apenas uma vez na vida. Paixões dessa espécie repetem-se muito mais com as mesmas peculiaridades – cada qual uma cópia exata da outra – muitas vezes na vida de quem pertence a esse tipo; e os objetos de amor, devido a ocorrências externas, como mudança de residência e de ambiente, podem substituir-se uns aos outros tão frequentemente que se chega à *formação de uma extensa série.*

4) O mais surpreendente para o observador é a tendência, exteriorizada nos amantes desse tipo, de "salvar" a amada. O homem está convencido de que ela precisa dele, de que sem ele perderá todo o apoio moral e rapidamente sucumbirá a um nível lamentável. Ele a salva, portanto, não a abandonando. A intenção de salvamento pode justificar-se, em alguns casos, por alusão à inconstância sexual e à posição social ameaçada da amada; mas ela não se distingue com menos nitidez quando faltam esses apoios da realidade. Um dos homens pertencentes ao tipo descrito, que sabia como ganhar as suas damas por meio de hábil sedução e dialética engenhosa, não media esforços na relação amorosa, para manter a amada daquele momento no caminho da "virtude", com tratados que ele mesmo redigira.

Se examinarmos cada um dos traços do quadro aqui ilustrado – as condições de que a amada não possa estar desimpedida e de sua libertinagem, seu alto valor, a necessidade do ciúme, a fidelidade que, com a dissolução, é compatível com uma longa série, e a intenção de salvamento –, consideraremos pouco provável poder derivá-los de uma única fonte. E eis que surge facilmente essa única fonte no aprofundamento psicanalítico na história da vida das pessoas em questão. Essa escolha de objeto curiosamente determinada e a conduta tão singular têm a mesma origem psíquica que na vida amorosa das pessoas normais; brotam da fixação infantil do carinho pela mãe e representam uma das saídas dessa fixação. Na vida amorosa normal, restam apenas poucos traços que revelam inequivocamente o exemplo materno de escolha de objeto. Por exemplo, a preferência de homens mais jovens por mulheres mais maduras; a separação da libido da mãe completou-se relativamente rápido. Por outro lado, em nosso tipo, a libido permaneceu ligada à mãe por tanto tempo, mesmo depois da entrada na puberdade, que os objetos amorosos eleitos mais tarde estão impregnados pelas características maternas e todos eles se tornam substitutos facilmente reconhecíveis da mãe. Aqui se impõe a comparação com a formação do crânio do recém-nascido; se o parto é prolongado, o crânio da criança sempre vai figurar a pressão da abertura pélvica da mãe.

Agora vamos nos dedicar a tornar plausível que os traços característicos do nosso tipo, as condições amorosas, bem como a sua conduta amorosa, realmente decorrem da constelação materna. Isso seria mais fácil para a primeira condição, a de que a mulher não seja livre ou da presença de um terceiro prejudicado. Compreendemos, de imediato, que, para a criança que cresce em família, o fato de a mãe pertencer ao pai passa a ser uma parte inseparável da essência materna e que nenhum outro, a não ser o pai, é o terceiro prejudicado. Com a mesma facilidade acrescenta-se à trama infantil o traço supervalorizador de que a amada é única e insubstituível, pois ninguém tem mais do que uma mãe, e a relação com ela fundamenta-se em um acontecimento que não pode ser exposto a qualquer dúvida nem pode ser repetido.

Se os objetos amorosos do nosso tipo devem ser, sobretudo, os substitutos da mãe, podemos também entender a formação de série [*Reihenbildung*] que parece contradizer tão diretamente a condição da fidelidade. A psicanálise nos ensina, também através de outros exemplos, que o insubstituível que atua no inconsciente se manifesta com frequência através da dissolução em uma série infinita, e justamente infinita porque cada substituto deixa faltar a satisfação almejada. Assim, o insaciável prazer de perguntar das crianças em certa idade se explica pelo fato de que elas têm uma única pergunta a fazer, mas não a conseguem trazer para os lábios; explica-se também a tagarelice de pessoas que sofrem danos neuróticos pela pressão de um segredo que quer ser contado, mas que elas, apesar de todas as tentações, nunca revelam.

Por outro lado, a segunda condição, a da libertinagem do objeto escolhido, parece contrariar, energicamente, uma derivação do complexo materno. Para o pensamento consciente do adulto, a mãe aparece preferencialmente como uma personalidade de pureza moral inatacável, e nada tem efeito tão ofensivo, quando vem de fora, ou é sentido como tão penoso, quando vem de dentro, como uma dúvida sobre esse caráter da mãe. Mas é justamente essa relação de aguda oposição entre a "mãe" e a "libertina" [*Dirne*] que nos motivará a investigar a história do desenvolvimento e a relação inconsciente entre esses dois complexos, já que há muito tempo sabemos que no inconsciente muitas vezes coincide com um aquilo que na consciência se apresenta cindido em dois opostos. A investigação nos leva, então, de volta à época da vida em que o menino adquire, pela primeira vez, um conhecimento mais completo sobre as relações sexuais entre os adultos, por volta dos anos anteriores à puberdade. Comunicações brutais, de tendência francamente depreciativa e difamatória, familiarizam-no com o segredo da vida sexual, destroem a autoridade dos adultos, que se revela inconciliável com o descobrimento de sua atividade sexual. O que nessas revelações exerce a influência mais intensa sobre o recém-iniciado é a relação delas com teus próprios pais. Esta é muitas vezes diretamente rejeitada pelo ouvinte, com mais ou menos estas palavras: "É possível que os seus pais e outras pessoas façam algo assim entre si, mas meus pais é totalmente impossível".[5]

Como um corolário que raramente falta ao "esclarecimento sexual" [*sexuellen Aufklärung*], o menino adquire, ao mesmo tempo, notícia da existência de certas mulheres que praticam o ato sexual em troca de pagamento e que, por isso, são desprezadas por todos. Esse desprezo precisa se afastar dele próprio; o que ele nutre por essas infelizes é apenas uma mistura de anseio [*Sehnsucht*] e horror, até ficar sabendo que ele também pode ser introduzido por elas na vida sexual, coisa que até o momento valia como um privilégio exclusivo dos "maiores". Quando ele então não pode mais persistir nessa dúvida que reclama para seus pais uma exceção às medonhas normas da atividade sexual, ele diz a si mesmo com cínica correção que a diferença entre a mãe e a prostituta [*Hure*] não é, afinal, tão grande, pois no fundo elas fazem o mesmo. De fato, as comunicações esclarecedoras despertaram nele os vestígios de lembranças das impressões e dos desejos de sua tenra infância, e a partir delas tornaram a colocar em atividade certas moções psíquicas. Ele começa a ansiar por sua própria mãe, no sentido recém-adquirido, e a odiar o pai de forma nova, como um concorrente que lhe impede esse desejo; ele cai, como dizemos, sob o domínio do complexo de Édipo.[6] Ele não perdoa a mãe e considera como que uma infidelidade o fato de ela não ter concedido a ele, e sim ao pai, o privilégio da relação sexual. Essas moções, quando não passam rápido, não têm outra saída, a não ser se extravasar em fantasias, que têm como conteúdo a atividade sexual da mãe sob as mais diversas circunstâncias, e cuja tensão leva a se resolver também com relativa facilidade no ato onanista. Em consequência da permanente ação conjunta das duas motivações pulsionais, a cobiça e a sede de vingança, as fantasias de infidelidade da mãe são, de longe, as preferidas; o amante, com o qual a mãe comete a infidelidade, quase sempre porta os traços do próprio Eu, ou melhor, da própria personalidade idealizada e amadurecida para elevá-la ao nível do pai. O que descrevi em outro lugar como "romance familiar" contempla as diversas formações dessa atividade da fantasia e seu entretecimento com vários interesses egoístas dessa época da vida. Após examinarmos essa parte do desenvolvimento psíquico, não podemos achar contraditório e incompreensível que a condição de libertinagem da amada derive diretamente do complexo materno. O tipo de vida amorosa masculina que descrevemos carrega em si os vestígios dessa história de desenvolvimento e se deixa compreender facilmente como uma fixação nas fantasias da puberdade do menino, as quais, mais tarde, ainda encontraram, afinal, uma saída para a realidade da vida. Não é difícil supor que o onanismo assiduamente praticado nos anos da puberdade tenha contribuído para a fixação daquelas fantasias.

Com essas fantasias, que se decidiram por dominar a vida amorosa real, a tendência de salvar a amada parece estar em uma ligação apenas frouxa, superficial, e que se esgota com uma justificativa consciente. A amada se coloca em perigo por sua inclinação pela inconstância e infidelidade, portanto, é compreensível que o amante se esforce em poupá-la desses perigos, vigiando sua virtude e combatendo suas más tendências. Entretanto, o estudo das lembranças encobridoras [*Deckerinnerungen*], das fantasias e dos sonhos noturnos dos seres humanos mostra que estamos diante de uma "racionalização" perfeitamente bem-sucedida de uma motivação inconsciente, equiparável a uma boa elaboração secundária de um sonho. Na verdade, o tema do salvamento tem seu próprio significado e história, e é um derivado autônomo do complexo materno, ou, melhor dizendo, do complexo parental. Quando a criança ouve que *deve* sua vida aos pais, que a mãe lhe "presenteou com a vida", nela se reúnem moções ternas e as de uma mania de grandeza que lutam pela independência, para gerar o desejo de devolver esse presente aos pais e de compensá-los com outro de igual valor. É como se o desafio do menino quisesse dizer: "Não preciso de nada do meu pai, quero devolver-lhe tudo o que eu lhe custei". Forma-se então a fantasia de *salvar o pai de um perigo de vida*, através da qual ele fica quites com este, e essa fantasia desloca-se bastante frequentemente para o imperador, para o rei ou para outro grande homem e, depois dessa desfiguração, torna-se capaz de consciência e é aproveitável até para o poeta. Na aplicação ao pai prevalece, de longe, o sentido desafiador da fantasia de salvamento; à mãe quase sempre direciona o significado carinhoso. A mãe presenteou a criança com a vida, e não é fácil substituir esse presente singular por um de igual valor. Com uma ligeira transformação no significado, tal como lhe é facilitado no inconsciente – uma transformação equiparável à confluência consciente de um conceito a outro –, o salvamento da mãe ganha o significado de: dar-lhe uma criança de presente ou fazer-lhe, é claro, um filho como ele mesmo. A distância do sentido original do salvamento não é muito grande, nem é arbitrária a transformação do significado. A mãe presenteou alguém com a vida, a sua própria, e em troca nós lhe damos uma outra vida de presente, a de um filho, que tem consigo próprio a maior semelhança. O filho se mostra agradecido, desejando ter um filho da mãe, um filho igual a ele mesmo, isto é, na fantasia de salvamento ele se identifica totalmente com o pai. Todas as pulsões, as ternas, as de agradecimento, as lascivas, as de desafio, as de autonomia são satisfeitas através do único desejo, *de ser seu próprio pai*. Mesmo o fator do perigo não foi perdido na transformação do significado; o próprio ato do nascimento passa a ser o perigo do qual se foi salvo pelo esforço da mãe. O nascimento é tanto o primeiro de todos os perigos de vida quanto o modelo de todos os posteriores, dos quais sentimos angústia [*Angst*], e é provável que a vivência do nascimento nos tenha deixado a expressão afetiva que chamamos de medo. O *Macduff*[7] da lenda escocesa, que não foi parido por sua mãe, que foi arrancado de seu ventre, também não conheceu o medo por isso.

O velho Artemidoro,[8] intérprete de sonhos, certamente tinha razão quando afirmava que o sonho transforma seu sentido [*Sinn*] de acordo com a pessoa do sonhador. De acordo com as leis válidas para a expressão de pensamentos inconscientes, "salvar" pode mudar de significado [*Bedeutung*], dependendo de ser fantasiado por uma mulher ou por um homem. Ele pode igualmente significar: fazer um filho = causar seu nascimento (para o homem), ou: ela mesma dar à luz uma criança (para a mulher).

Particularmente em sua combinação com a água, esses diversos significados do salvamento são reconhecidos claramente em sonhos e fantasias. Quando um homem no sonho salva uma mulher da água, quer dizer: ele a torna mãe, o que, de acordo com as elucidações anteriores, tem o mesmo sentido que o conteúdo seguinte: ele faz dela sua mãe. Quando uma mulher salva uma outra pessoa da água (uma criança), ela se declara sua mãe, a que lhe deu à luz, tal como a filha do rei na lenda de Moisés.[i]

Ocasionalmente, também a fantasia de salvamento dirigida ao pai contém um sentido terno. Ela quer então expressar o desejo de ter o pai como filho, isto é, de ter um filho que seja como o pai. Por causa de todos esses vínculos do tema do salvamento com o complexo parental, a tendência de salvar a amada constitui um traço essencial do tipo amoroso aqui descrito.

Não considero necessário justificar meu modo de trabalho, que, tanto aqui como na apresentação do *erotismo anal*,[9] parte do material da observação para destacar alguns tipos, de início, extremos e claramente circunscritos. Em ambos os casos existe um número muito maior de indivíduos nos quais apenas algumas características desse tipo podem ser comprovadas, ou elas estão difusamente acentuadas, e é evidente que só a apresentação de todo o contexto do qual tomamos esses tipos vai possibilitar sua apreciação correta.

---

[i] Rank, 1909.

I – Über einen besonderen Typus der Objektwahl beim Manne (1910)

1910 *Jahrbuch der Psychoanalytischen und Psychopathologische Forschung*, v. 2, n. 2, p. 389-397

1918 *Sammlung kleiner Schriften zur Neurosenlehre*, 4, p. 200-212

1924 *Gesammelte Schriften*, t. V, p. 186-197

1943 *Gesammelte Werke*, t. VIII, p. 65-77

Os argumentos principais desse pequeno trabalho foram apresentados em 19 de maio de 1909 perante a Sociedade Psicanalítica de Viena e discutidos na sessão da semana seguinte. Contudo, o artigo só foi efetivamente redigido um ano depois. Em carta a Jung, então editor do *Jahrbuch*, datada de 2 de janeiro de 1910, Freud promete submeter em breve seu "minúsculo ensaio". Trata-se, diga-se de passagem, de uma carta importante também por outro motivo: é a primeira vez que Freud formula a ideia de que o verdadeiro fundamento da necessidade religiosa seria o *desamparo infantil*, ideia que será desdobrada muito anos mais tarde, em textos como "O futuro de uma ilusão". Poucos dias depois, em 13 de janeiro, Freud promete retomar o pequeno estudo sobre a vida amorosa, acrescentando tratar-se de "material clínico". Em 26 de maio, confessa não ter passado da primeira frase.

Na primeira versão manuscrita do texto, o título evocava um tipo "frequente" (*häufig*), substituído na versão final por um tipo "particular" (ou ainda "especial") (*besonderen*), indicando que o autor se preocupava menos com a prevalência estatística do que com a tipicidade. No presente ensaio, a compreensão do método tipológico é essencial para que o leitor possa matizar algumas afirmações claramente dependentes do contexto histórico no qual o texto foi escrito. Sobre a importante noção de "tipo" e o método tipológico que lhe corresponde, ver a nota do editor ao artigo "Sobre tipos libidinais" (neste volume, p. 282-283).

Vale ressaltar ainda que encontramos aqui a primeira ocorrência textual da expressão conceitual "complexo de Édipo" na obra publicada, embora menções ao "Édipo" remontem à correspondência com Fließ. Conforme notam Laplanche e Pontalis (1998, p. 77), a forma como a expressão é apresentada denota que ela não era desconhecida da comunidade psicanalítica. Em textos divulgados até então, destacam-se duas ocorrências de étimos dessas ideias veiculadas justamente em dois casos clínicos publicados em 1909, ou seja, apenas um ano antes da presente publicação. Neles, Freud chega a comparar o Pequeno Hans a um "Pequeno Édipo", que teria encontrado uma solução mais feliz do que a prescrita pelo destino ao Rei Édipo; no mesmo ano, em sua análise de

"O homem dos ratos", embora também não utilize a expressão "complexo de Édipo", apresenta uma descrição bastante semelhante do "complexo nuclear das neuroses", ao identificar o pai como agente efetivo da oposição à atividade autoerótica da criança. As cartas estavam na mesa.

***

"*Dirne*" significa, em geral, "prostituta", mas não necessariamente aquela que cobra por seus serviços, podendo significar uma gama enorme de sentidos, desde "mulher de vida fácil" até "mulher fácil", etc. Trata-se de uma palavra com uma longa história e que estabelece relações significativas com *Hure* e *Nutte* (putas), mas também com "cortesã", "hetaíra", "cocote". Na presente tradução, propusemos "libertina", pelas razões abaixo. A figura da *Dirne* na literatura, nas artes plásticas e nas canções de cabaré, em especial, era bastante divulgada e conhecida. A prostituta, apesar de carregar os significados depreciativos do termo, no naturalismo, no novo romantismo, no expressionismo e no dadaísmo, por exemplo, vai aparecer como uma espécie de símbolo da modernidade, figura indispensável na "grande cidade" moderna, da qual a Paris do Barão Haussmann foi o modelo.

Mas, ao contrário da "cocote" e da "cortesã", que transitam pelos salões das casas de tolerância ou que eram, preferencialmente, atrizes, a prostituta está na rua, iluminada nas esquinas pelos lampiões a gás, constituindo-se, assim, como uma imagem exemplar das transformações sociais, econômicas e políticas da segunda metade do século XIX. Se, por um lado, a prostituta está associada ao sexo pago, e na literatura naturalista aos mendigos e marginais, por outro lado ela é portadora de uma série de insígnias da nova mulher, em seu anseio por liberdade, por sair às ruas, por se livrar do peso que a condena ao casamento e à maternidade.

O texto de Freud alude a essa gama de significações: tanto o *Dirnenliebe* (amor à prostituta, amor à libertina) quanto a *Dirnehaftigkeit* (semelhante à prostituta; libertinagem, leviandade, facilidade; vadiagem) se referem a esses anseios, embora, quando Freud dá a entender ao contrário da mulher burguesa casada e mãe, a *Dirne* tenha a sexualidade "suja".

Assim, se o amor pelas prostitutas se refere à possibilidade que os homens têm de gozar fora do casamento e experimentar prazeres proibidos no casamento, por outro lado, quando Freud dá a entender que em toda mulher há algo de "prostituta" ou de "libertina", isso quer dizer que a sexualidade feminina clama sempre por se ver livre das injunções sociais, que limitavam o prazer da mulher e até mesmo o condenavam. Alguns casos relatados por Freud, tais como Dora ou a jovem homossexual, e a literatura da época vitoriana deixam claro que as mulheres que demonstravam alguma liberdade sexual eram consideradas atraentes, mas deveriam dissimular suas atitudes e sustentar a hipocrisia social.

A respeito desse termo e de suas significações, ver: STEIN, Roger. *Des deutsche Dirnenlied. Literarisches Kabarett von Bruant bis Brecht*. Kölm; Weimar; Wien: Böhlau Verlag, 2007.

NOTAS

1 A palavra *Dichter* está diretamente relacionada a *Dichtung*, "poesia" ou *Gedicht*, "poema", ainda que tenha um sentido mais amplo que aquele dado hoje em português aos poetas. Se em português tendemos a denotar escritor de estilo lírico, no alemão *Dichter* serve para referir os grandes artistas da escrita por suas qualidades literárias também na prosa. (N.R)

2 Ver "O poeta e o fantasiar", publicado nesta coleção no volume *Arte, literatura e os artistas*. (N.E.)

3 Em consonância com Código Civil de 1811 (*Allgemeines Bürgerliches Gesetzbuch*), que estabelecia o marido como representante legal da esposa e dos filhos. O referido código foi uma das mais longevas legislações, tendo durado por praticamente dois séculos, com diversas emendas e revisões. (N.E)

4 A relação entre *Dirne* e *Dirnenhaftigkeit* é constitutiva da construção argumentativa do texto. Por essa razão, escolhemos o par "libertina" e "libertinagem". Ver nota editorial acima. (N.E.)

5 Ver o último parágrafo de "Sobre teorias sexuais infantis", neste volume: "É possível que o teu pai e outras pessoas façam isso, mas o meu pai, tenho certeza de que ele nunca o faria". (N.T.)

6 Trata-se da primeira ocorrência textual dessa expressão na obra de Freud. (N.E.)

7 Macduff é ao mesmo tempo herói e antagonista da peça *Macbeth*, de William Shakespeare, inspirada, por sua vez, numa lenda escocesa segundo a qual Macduff teria sido expulso do útero materno fora do tempo. Freud retoma esse tema e essa mesma referência literária no início da XXV "Conferência introdutória à psicanálise" (1916-1917), dedicada à Angústia. (N.E.)

8 Nascido em Éfeso, no século II d.C., Artemidoro é autor de uma obra em cinco volumes intitulada *Oneirokritikon* (Sobre a interpretação dos sonhos). (N.E.)

9 Cf. "Caráter e erotismo anal" (1908). Nesta coleção, no volume *Histeria, neurose obsessiva e outras neuroses* (no prelo).

SOBRE A MAIS GERAL DEGRADAÇÃO DA VIDA AMOROSA (1912)

(CONTRIBUIÇÕES PARA A PSICOLOGIA DA VIDA AMOROSA – II)

1

Se o praticante da psicanálise se perguntar por qual sofrimento sua ajuda é solicitada com maior frequência, ele irá responder que – com exceção da angústia [*Angst*] em suas várias formas – é a impotência psíquica. Essa perturbação singular atinge homens de natureza fortemente libidinosa e se manifesta no fato de que os órgãos que executam a sexualidade se recusam ao cumprimento do ato sexual, apesar de se mostrarem, antes e depois, intactos e capazes de operar e apesar de haver uma forte propensão psíquica para o cumprimento do ato. O primeiro indício para a compreensão do seu estado é o próprio doente que detém, ao passar pela experiência de que um impedimento [*Versagung*] como esse só ocorre quando ele faz a tentativa com determinadas pessoas, pois com outras isso está fora de questão. Ele sabe, então, ser de uma característica do objeto que parte a inibição de sua potência masculina, e às vezes relata ter a sensação de haver um obstáculo dentro dele, a percepção de uma contravontade, que consegue perturbar a intenção consciente. No entanto, ele não consegue intuir o que seria esse obstáculo e qual característica do objeto sexual o acionaria. Se ele vivenciou esse impedimento mais de uma vez, fará o julgamento de acordo com uma conexão sabidamente equivocada de que a lembrança da primeira vez, sendo uma perturbadora representação de angústia [*Angstvorstellung*], teria provocado as repetições; a própria primeira vez, contudo, ele atribui a uma impressão "casual".

Estudos psicanalíticos sobre a impotência psíquica já foram empreendidos e publicados por vários autores.[i] Qualquer analista pode corroborar os esclarecimentos oferecidos por eles através de sua própria experiência clínica. Trata-se, realmente, do efeito inibidor de certos complexos psíquicos que se subtraem ao conhecimento do indivíduo. Como conteúdo mais geral desse material patogênico destaca-se a fixação incestuosa não superada na mãe e na irmã. Além disso, deve ser considerada a influência de impressões acidentais penosas que se ligam à atividade sexual infantil e aqueles fatores que, de uma maneira bem geral, reduzem a libido que deve ser direcionada para o objeto sexual feminino.[ii]

Se submetemos casos patentes de impotência psíquica a um estudo profundo pela psicanálise, obtemos a seguinte

---

[i] M. Steiner: "A impotência funcional do homem e seu tratamento", 1907 ["Die funktionelle Impotenz des Mannes und ihre Behandlung"]. W. Steckel: in: "Estados nervosos de angústia e seu tratamento", Viena, 1908 (II. Edição, 1912) ["Nervöse Angstzustände und ihre Behandlung"]. Ferenczi: "Interpretação analítica e tratamento da impotência sexual no homem" (*Psychiat. -neurol. Wochenschrift*, 1908) ["Analytische Deutung und Behandlung der psychosexuellen Impotenz beim Manne"].

[ii] W. Steckel, 1908, p. 191 em diante.

informação sobre os processos psicossexuais ali eficazes: o fundamento do sofrimento é, também neste caso – como muito provavelmente em todas as perturbações neuróticas –, uma inibição na história do desenvolvimento da libido até sua configuração final, que se pode chamar de normal. Aqui há duas correntes desencontradas, cuja união é fundamental para uma conduta amorosa plenamente normal; duas correntes que podem ser distinguidas como a *terna* e a *sensual*.

Dessas duas correntes, a terna é a mais antiga. Ela se constitui nos primeiros anos da infância, formou-se com base em interesses da pulsão de autoconservação e se dirige a pessoas da família e aos responsáveis por cuidar das crianças. Desde o início, ela trouxe consigo contribuições das pulsões sexuais, componentes de interesse erótico, que já na infância são mais ou menos evidentes, e que são descobertos no neurótico, em todos os casos, através de posterior psicanálise. Ela corresponde à *escolha infantil primária de objeto*. Dela aprendemos que as pulsões sexuais encontram seus primeiros objetos apoiando-se [*Anlehnung*] nas avaliações das pulsões do Eu, da mesma maneira que as primeiras satisfações sexuais se apoiam nas funções corporais necessárias para a conservação da vida. A "ternura" dos pais e de cuidadores, que raramente nega [*verleugnet*] seu caráter erótico ("a criança é um brinquedo erótico"), muito faz para aumentar as contribuições do erotismo aos investimentos das pulsões do Eu na criança e para conduzi-las até uma medida que deve ser levada em conta no desenvolvimento futuro, especialmente quando algumas outras circunstâncias prestam seu auxílio.

Essas fixações de ternura da criança seguem ao longo da infância e continuamente levam consigo mais erotismo, que, por essa via, vai sendo desviado de suas metas sexuais.

Na idade da puberdade acrescenta-se, então, a poderosa corrente "sensual", que já não ignora as suas metas. Parece que ela nunca deixa de passar pelos caminhos anteriores e de investir, agora com quantidades libidinais muito mais poderosas, os objetos da primeira escolha infantil. Mas, como lá ela encontra os obstáculos – erigidos nesse meio-tempo – da barreira do incesto, manifestará o anseio de encontrar, o mais rápido possível, a passagem desses objetos inadequados à realidade para outros objetos, estranhos, com os quais se possa levar uma vida sexual real. Esses objetos estranhos serão sempre escolhidos a partir do modelo (da *imago*) dos objetos infantis, mas, com o tempo, atrairão para si a ternura que estava encadeada aos mais antigos. O homem abandonará seu pai e sua mãe – segundo o preceito bíblico – para seguir sua esposa; ternura e sensualidade estão, então, reunidas. Os mais altos graus de enamoramento sensual trarão consigo a mais alta valorização psíquica (a supervalorização normal do objeto sexual por parte do homem).

Para o fracasso desse avanço no curso do desenvolvimento da libido, dois fatores serão decisivos. Em primeiro lugar, a medida do *impedimento real*, que se opõe à nova escolha de objeto e a desvaloriza para o indivíduo. Não há nenhum sentido em se voltar para a escolha de objeto se não é absolutamente permitido escolher ou não há perspectiva de se poder escolher algo conveniente. Em segundo lugar, a medida de atração que são capazes de exercer os objetos infantis a serem abandonados e que é proporcional ao investimento erótico que ainda lhes coube na infância. Se esses dois fatores forem fortes o suficiente, entra em ação o mecanismo geral da formação de neurose. A libido se afasta da realidade, é tomada pela atividade da fantasia (introversão), fortalece a imagem dos primeiros objetos sexuais e se fixa neles. No entanto, o obstáculo do incesto força a libido voltada para esses objetos a permanecer no inconsciente. A atividade da corrente sensual, que agora pertence ao inconsciente, faz sua contribuição em atos onanistas para reforçar essa fixação. Nada se altera nesse estado de coisas, se se completar na fantasia o avanço que fracassou na realidade, se, nas situações de fantasia que levam à satisfação masturbatória, os objetos sexuais originários forem substituídos por outros. As fantasias são capazes de chegar à consciência por meio desse substituto; nenhum avanço se consuma na acomodação real da libido.

Assim, pode acontecer que toda a sensualidade de um jovem permaneça no inconsciente ligada a objetos incestuosos ou, como também podemos dizer, fixada em fantasias incestuosas inconscientes. O resultado é, então, uma impotência absoluta, que talvez seja ainda confirmada pelo efetivo enfraquecimento simultaneamente adquirido dos órgãos que executam o ato sexual.

Para que se produza especificamente a assim chamada impotência psíquica são necessárias condições mais brandas. A corrente sensual não pode, em todo o seu montante [*Betrag*], sucumbir ao destino de ter de se ocultar atrás da corrente terna, ela precisa permanecer suficientemente forte ou não inibida, para forçar, em parte, o acesso para a realidade. Porém, a atividade sexual dessas pessoas deixa perceber, pelos mais claros indícios, que não estão respaldadas pela força pulsional psíquica: essa atividade é caprichosa, facilmente perturbável, frequentemente incorreta na execução, pouco rica em fruição. Mas, acima de tudo, ela precisa desviar da corrente terna. Portanto, produziu-se uma limitação na escolha de objeto. A corrente sensual, que permaneceu ativa, procura por objetos que não lembrem as pessoas incestuosas proibidas; se, de uma pessoa, parte uma impressão que possa levar a uma alta valorização psíquica, ela não desemboca numa excitação da sensualidade, mas em ternura eroticamente ineficaz. A vida amorosa desses seres humanos permanece cindida nas duas direções que são personificados pela arte como amor celestial e terreno (ou animal). Quando amam, não desejam [*begehren*], e quando desejam, não podem amar. Eles procuram objetos que não precisam amar, para manter afastada a sua sensualidade dos objetos amados; e o singular impedimento que ocorre na impotência psíquica apresenta-se, então, segundo as leis da "sensibilidade do complexo" e do "retorno do recalcado", quando, no objeto escolhido para evitar o incesto, um traço [*Zug*], muitas vezes imperceptível, lembra o objeto evitado.

A principal medida protetora contra essa perturbação, da qual o ser humano se serve nessa cisão amorosa, consiste na *degradação* psíquica do objeto sexual, sendo reservada a supervalorização, que normalmente se liga ao objeto sexual, para o objeto incestuoso e seus representantes. Assim que a condição da degradação se realiza, a sensualidade pode se expressar livremente, desenvolver operações sexuais significativas e elevado prazer. Um outro contexto contribui ainda para esse resultado. As pessoas, nas quais não houve a confluência apropriada da corrente terna e da sensual, possuem quase sempre uma vida amorosa pouco refinada; nelas se conservaram metas sexuais perversas, cuja não realização é percebida como sensível perda de prazer, mas cuja realização só parece possível no objeto sexual degradado, menosprezado.

As fantasias do menino, mencionadas no primeiro ensaio,[1] que rebaixam a mãe à condição de "mulher da vida" [*Dirne*] podem agora ser compreendidas por seus motivos. Trata-se de esforços para estender uma ponte, ao menos na fantasia, sobre o abismo entre as duas correntes da vida amorosa, para ganhar a mãe, através da degradação, como objeto para a sensualidade.

2

Até aqui, ocupamo-nos com uma investigação médico-psicológica da impotência psíquica, que não encontra nenhuma justificativa no título deste ensaio. Mas ficará claro que necessitávamos desta introdução para obter acesso ao nosso tema propriamente dito.

Reduzimos a impotência psíquica à não convergência da corrente terna e da sensual na vida amorosa e até mesmo explicamos essa inibição do desenvolvimento através das influências das intensas fixações infantis e pelo posterior impedimento da realidade, mediante a intervenção da barreira do incesto. Contra essa teoria há, sobretudo, uma objeção: ela parece excessiva, ela nos explica por que certas pessoas sofrem de impotência sexual, mas faz parecer enigmático que outras possam escapar desse sofrimento. Tendo em vista que todos os fatores relevantes considerados – a intensa fixação infantil, a barreira do incesto e o impedimento nos anos do desenvolvimento depois da puberdade – podem ser encontrados em quase todos os seres humanos civilizados, estaria justificada a expectativa de que a impotência psíquica fosse um sofrimento cultural geral e não a doença de somente alguns.

Seria fácil escapar dessa dedução, apontando para o fator quantitativo da causação da doença, para a contribuição maior ou menor de cada fator, do qual depende que se produza ou não um resultado patológico reconhecível. Porém, apesar de eu querer reconhecer essa resposta como correta, não tenho a intenção de, com isso, rejeitar a própria conclusão. Ao contrário, quero apresentar a afirmação de que a impotência psíquica está muito mais difundida do que se acredita, e que uma certa medida dessa conduta caracteriza, de fato, a vida amorosa do ser humano civilizado.

Se ampliarmos o conceito da impotência psíquica e não o limitarmos ao impedimento na ação do coito, apesar de a intenção de obter prazer estar presente e de o aparelho genital estar intacto, apresentam-se em primeiro lugar todos aqueles homens que são descritos como *psicanestésicos*, aos quais a ação nunca é impedida, mas que a realizam sem um especial ganho de prazer; acontecimentos que são mais frequentes do que se gostaria de acreditar. A investigação psicanalítica desses casos descobre os mesmos fatores etiológicos encontrados na impotência psíquica no sentido mais estrito, sem antes encontrar uma explicação para as diferenças sintomáticas. E dos homens anestésicos, uma analogia fácil de justificar leva-nos ao imenso número de mulheres frígidas,[2] cuja conduta amorosa não pode, de fato, ser melhor descrita ou entendida do que comparando-a com a impotência psíquica do homem,[i] mais chamativa.

Contudo, se não considerarmos uma ampliação do conceito de impotência psíquica, mas as gradações de sua sintomatologia, não podemos fechar os olhos para a compreensão de que a conduta amorosa do homem no nosso mundo atual civilizado carrega em si absolutamente o selo da impotência psíquica. A corrente terna e a sensual fundiram-se adequadamente em um número mínimo de pessoas entre as instruídas; quase sempre o homem se sente

[i] Ao mesmo tempo, admito de bom grado que a frigidez da mulher é um tema complexo e que pode ser abordado de outro ângulo.

limitado em sua atividade sexual pelo respeito à mulher e só desenvolve sua plena potência quando tem diante de si um objeto sexual degradado, o que novamente é justificado, entre outros motivos, pelo fato de entrarem em suas metas sexuais componentes perversos, os quais ele não ousa satisfazer na mulher respeitada. Só lhe é assegurado um gozo sexual pleno quando puder se dedicar à satisfação sem reservas, o que ele não se atreve a fazer, por exemplo, com sua bem-comportada esposa. A isso se deve sua necessidade de um objeto sexual degradado, de uma mulher eticamente inferior, a quem não precise conceder considerações estéticas, que não o conheça em seus outros relacionamentos sociais nem possa julgar. A uma mulher como essa, ele prefere dedicar sua potência sexual, mesmo que sua ternura pertença por inteiro a uma mulher superior. É possível que a inclinação, tão frequentemente observada nos homens das classes sociais mais altas, a escolher uma mulher de padrão inferior como amante permanente, ou mesmo como esposa, não seja mais do que a consequência da necessidade daquele objeto sexual degradado, com o qual está ligada psicologicamente a possibilidade da completa satisfação.

Não hesito em também responsabilizar por essa conduta frequente dos homens civilizados na vida amorosa os dois fatores atuantes na verdadeira impotência psíquica: a fixação incestuosa intensa na infância e o impedimento real na adolescência. Apesar de soar de forma pouco animadora e, além disso, paradoxal, precisa ser dito que quem tiver de ser realmente livre e, com isso, também feliz na vida amorosa precisa ter superado o respeito à mulher e estar apaziguado com a ideia [*Vorstellung*] do incesto com a mãe ou irmã. Aquele que se submeter a um sério autoexame a respeito dessa exigência descobrirá sem dúvida dentro de si que, no fundo, considera o ato sexual algo degradante, que mancha e polui não apenas o corporal [*leiblich*]. A origem dessa avaliação, que ele certamente não reconhece de boa vontade, só poderá ser procurada naquela época de sua juventude na qual sua corrente sensual estava intensamente desenvolvida, mas sua satisfação com o objeto estranho estava tão proibida quanto com um incestuoso.

Em nosso mundo civilizado, as mulheres se encontram sob um semelhante efeito posterior de sua educação e, além disso, sob o retroefeito da conduta dos homens. É claro que para elas é tão desvantajoso se o homem não as abordar com sua inteira potência quanto se a supervalorização inicial do enamoramento se dissolver em subvalorização depois de possuí-la. Quase não se percebe uma necessidade de degradação do objeto sexual na mulher; isso sem dúvida tem a ver com o fato de, em geral, ela não conseguir produzir algo semelhante à supervalorização sexual como no caso do homem. Mas a longa contenção da sexualidade e a permanência da sensualidade na fantasia tem para ela uma outra consequência significativa. Muitas vezes não consegue mais desfazer a conexão da atividade sensual com a proibição, e se mostra psiquicamente impotente, isto é, frígida, quando finalmente essa atividade lhe é permitida. Essa é a origem, para muitas mulheres, da ânsia de manter por um tempo em segredo inclusive as relações permitidas, e para outras, da capacidade de ter sensações normais, assim que se restabeleça a condição da proibição, em uma relação amorosa secreta; infiéis ao marido, são capazes de guardar para o amante uma fidelidade de segunda ordem.[3]

Acho que essa condição de proibição na vida amorosa feminina é equiparável à necessidade de degradação do objeto sexual no homem. Ambas são consequências do longo adiamento entre o amadurecimento sexual e a atividade sexual exigido pela educação por razões culturais. Ambas procuram suspender a impotência psíquica que resulta do desencontro das moções ternas e sensuais. Se o resultado das mesmas causas se mostra tão diferente na mulher e no homem, isso se deve, talvez, a uma outra diferença na conduta de ambos os sexos. A mulher civilizada procura não transgredir a proibição da atividade sexual durante o tempo de espera e assim obtém a compreensão da íntima conexão entre proibição e sexualidade. O homem infringe essa proibição, na maioria das vezes, sob a condição da degradação do objeto e, por isso, leva consigo essa condição para a sua futura vida amorosa.

Em vista dos empenhos tão animados por uma reforma da vida sexual no atual mundo civilizado, não será supérfluo relembrar que a investigação psicanalítica conhece tão poucas tendências quanto qualquer outra investigação. Ela não quer outra coisa senão descobrir correlações, depreendendo do manifesto o que é oculto. E ela estará de acordo se as reformas se servirem de suas descobertas para colocar o mais vantajoso no lugar do prejudicial. Mas ela não pode predizer se outras instituições não terão como consequências outros sacrifícios, talvez mais sérios.

3

O fato de o refreamento cultural da vida amorosa trazer consigo a mais generalizada degradação dos objetos sexuais pode nos levar a desviar nosso olhar dos objetos para as próprias pulsões. O prejuízo do impedimento inicial do gozo sexual [*Sexualgenusses*] se exterioriza de uma maneira que sua posterior liberação no casamento não mais produza efeito plenamente satisfatório. Mas a liberdade sexual ilimitada desde o começo também não leva a nenhum resultado melhor. É fácil constatar que o valor psíquico da necessidade amorosa diminui imediatamente, assim que satisfação lhe for facilitada. Ela precisa de um obstáculo para impelir a libido às alturas, e quando as resistências naturais contra a satisfação não foram suficientes, os seres humanos de todas as épocas inseriram resistências convencionais, para poder desfrutar [*geniessen*] do amor. Isso vale tanto para indivíduos quanto para os povos. Em épocas nas quais a satisfação amorosa não encontrou dificuldades, talvez como durante a decadência da cultura da Idade Antiga, o amor perdeu o valor, a vida ficou vazia, e foram necessárias intensas formações reativas para restabelecer os valores afetivos indispensáveis. Nesse contexto, podemos afirmar que a corrente ascética do cristianismo criou valores psíquicos para o amor que a Antiguidade pagã nunca lhe conseguiu emprestar. Ela alcançou sua maior importância com os monges ascéticos, cuja vida foi preenchida quase que exclusivamente pela luta contra a tentação libidinosa.

Estamos certamente inclinados a primeiro remontar às dificuldades que aqui surgem a propriedades gerais de nossas pulsões orgânicas [*organischen Triebe*]. Também é geralmente correto que a importância psíquica de uma pulsão aumenta com o seu impedimento. Tentemos expor um número dos mais diferentes seres humanos igualmente à fome. Com o aumento da necessidade imperiosa de alimentação, apagam-se todas as diferenças individuais, e em seu lugar surgem as manifestações uniformes de uma pulsão não apaziguada. Mas será verdade que, com a satisfação de uma pulsão, seu valor psíquico em geral também diminui tanto? Pensemos, por exemplo, na relação daquele que bebe com o vinho. Não é verdade que o vinho sempre oferece ao bebedor a mesma satisfação tóxica que na poesia tantas vezes foi comparada com a satisfação erótica e que também se pode comparar do ponto de vista da concepção científica? Alguma vez já se ouviu falar que o bebedor precisa constantemente trocar de bebida porque beber sempre a mesma logo não vai ter o mesmo sabor? Ao contrário, o hábito sempre estreita cada vez mais o laço entre o homem e o tipo de vinho que ele bebe. Acaso sabemos, sobre o bebedor, de uma necessidade de ir a um país no qual o vinho seja mais caro ou em que a fruição do vinho seja proibida, para que sua satisfação decrescente possa ser auxiliada pela interpolação dessas dificuldades? De maneira alguma. Se ouvirmos o que dizem os nossos grandes alcoólatras, por exemplo, Böcklin, sobre sua relação com o vinho,[i] ela soa como a mais pura harmonia, como o modelo de um casamento feliz. Por que será tão diferente a relação do amante com seu objeto sexual?

Creio, por mais estranho que possa soar, que devemos considerar a possibilidade de que alguma coisa na natureza da própria pulsão sexual não seja favorável à realização da plena satisfação. Da longa e difícil história do desenvolvimento da pulsão destacam-se imediatamente dois fatores, que poderíamos responsabilizar por essa dificuldade. Em primeiro lugar, em consequência da formação da escolha difásica de objeto, interrompida pela barreira do incesto, o objeto definitivo da pulsão sexual nunca mais será o objeto originário, mas apenas um substituto dele. Mas a psicanálise nos ensinou: quando o objeto originário de uma moção de

---

[i] G. Floerke: *Dez anos com Böcklin*, 2. ed., 1902, p. 16 [*Zehn Jahre mit Böcklin*].

desejo foi perdido em consequência de recalcamento, ele vai ser representado, com frequência, por uma série infindável de objetos substitutos, dos quais, entretanto, nenhum vai bastar completamente. Isso pode nos explicar a inconstância na escolha de objeto, a "fome de estímulo", que tantas vezes caracteriza a vida amorosa dos adultos.

Em segundo lugar, sabemos que a pulsão sexual divide-se, no início, em uma grande série de componentes – ou melhor, origina-se desta –, dos quais nem todos podem ser aceitos em sua configuração posterior, mas precisam ser antes reprimidos [*unterdrückt*] ou utilizados de outra maneira. São principalmente os componentes pulsionais coprófilos que se mostram intoleráveis com a nossa cultura estética, provavelmente desde que, através da postura ereta, nosso órgão olfativo se ergueu da terra; da mesma forma, boa parte dos impulsos [*Antriebe*] sádicos que pertencem à vida amorosa. Mas todos esses processos de desenvolvimento só dizem respeito às camadas superiores da estrutura. Os processos fundamentais, que geram a excitação amorosa, permanecem inalterados. O excrementício forma, com o sexual, uma unidade demasiadamente íntima e inseparável; o lugar dos genitais – *inter urinas et faeces* [entre urina e fezes] – permanece sendo o fator imutável determinante. Nesse ponto, poderíamos dizer, modificando as famosas palavras do grande Napoleão: a anatomia é o destino.[4] Os próprios genitais não acompanharam o desenvolvimento das formas do corpo humano até a beleza, eles permaneceram animalizados, e assim também é o amor hoje, no fundo, tão animalesco quanto o foi desde sempre. As pulsões amorosas são difíceis de educar, sua educação produz ora em demasia, ora muito pouco. O que a cultura quer fazer com elas não parece atingível sem perda sensível de prazer; a persistência das moções não fruídas se deixa conhecer como insatisfação na atividade sexual.

Sendo assim, talvez precisássemos nos familiarizar com o pensamento de que de nenhuma maneira é possível equiparar as exigências da pulsão sexual com as demandas da cultura, de que renúncia e sofrimento, bem como o perigo de extinção da espécie humana, não podem, no futuro mais remoto, ser evitados em consequência do desenvolvimento de sua cultura. Este sombrio prognóstico repousa, na verdade, em uma única suposição, a de que a insatisfação cultural é a consequência necessária de certas particularidades que a pulsão sexual adotou sob a pressão da cultura. A mesma incapacidade de a pulsão sexual produzir satisfação, tão logo for submetida aos primeiros requisitos da cultura, torna-se, no entanto, a fonte das mais grandiosas realizações culturais, que são obtidas através de uma sublimação sempre contínua dos seus componentes pulsionais. Pois que motivos teriam os seres humanos para colocar as forças pulsionais a outros serviços se em qualquer outra distribuição se poderia obter delas total satisfação prazerosa? Nunca deixariam esse prazer e não produziriam nenhum outro progresso. Parece, então, que através da diferença incomparável entre as exigências de ambas as pulsões – das sexuais e das egoístas – os homens se tornaram capazes das mais elevadas realizações [*Leistungen*], é verdade que sob uma ameaça permanente, à qual atualmente sucumbem os mais fracos na forma de neurose.

A ciência não tem a intenção de assustar nem de consolar. Mas eu mesmo estou pronto a admitir que conclusões de tão longo alcance como as acima desenvolvidas deveriam ser construídas em bases mais amplas, e que talvez o estabelecimento de outros desenvolvimentos da humanidade consiga corrigir o resultado daqueles que aqui foram tratados isoladamente.

II – Über die allgemeinste Erniedrigung des Liebeslebens (1912)

1912 *Jahrbuch der Psychoanalytischen und Psychopathologische Forschung*, v. 4, n. 1, p. 40-50

1918 *Sammlung kleiner Schriften zur Neurosenlehre*, 4, p. 213-228

1924 *Gesammelte Schriften*, t. V, p. 198-211

1943 *Gesammelte Werke*, t. VIII, p. 78-91

A intenção de submeter o artigo ao *Jahrbuch* é informada em carta a seu editor datada de 17 de dezembro de 1911, que o publica no ano seguinte.

Se o ensaio anterior se dedicava a um tipo especial, um tipo particular de escolha objetal, o presente artigo se interessa por uma característica geral da vida amorosa do homem. Paul-Laurent Assoun (2009, p. 950) nota essa passagem do *particular* ao *geral* como marca de um movimento de generalização entre o primeiro e o segundo ensaios dessa série. Salta aos olhos como Freud aborda um tema que normalmente suscita o louvor e o engrandecimento, a partir de sua degradação, de seu rebaixamento. A estratégia argumentativa também é digna de nota: Freud parte de um fenômeno patológico, a impotência psíquica, passa ao estudo de sua condição, a degradação do objeto sexual, generalizando-a, e conclui inserindo o fenômeno no âmbito da cultura, mostrando, mais uma vez, como os limites entre a psicologia individual e a psicologia social são tênues.

Trata-se de uma das contribuições mais importantes de Freud sobre a masculinidade, especialmente pela separação das correntes terna e sensual que afetariam sobremaneira indivíduos do sexo masculino.

Não se pode negar também como, a essa altura, a teoria pulsional se mostra cada vez mais sofisticada. Freud chega a aventar a hipótese de que haveria uma impossibilidade de satisfação plena que seria inerente à própria pulsão, e não apenas constrangida por restrições da realidade ou limitada por interditos socioculturais.

A famosa frase de Napoleão documentada por Goethe em 1808 – "A política é o destino" – é aqui transformada em "a anatomia é o destino". Freud voltaria a parodiar a frase napoleônica em "O declínio do complexo de Édipo" (1924). Mas o sentido, nas duas ocorrências, parece ser distinto. No presente caso, a referência imediatamente anterior, que provavelmente esclarece o sentido do trecho, parece ser o fato, neutro em termos de gênero, de que nascemos "*inter urinas et faeces*", ao passo que, em 1924, está em jogo precisamente a diferença anatômica entre os sexos (Ver N.E. a esse texto).

Este ensaio contém ainda uma breve passagem que foi tornada célebre nos estudos psicanalíticos sobre o alcoolismo, com repercussões até mesmo na clínica da toxicomania: o "casamento feliz".

Lacan, ao comentar brevemente uma passagem do presente artigo na lição de 16 de abril de 1958, afirma que o que o sujeito busca nas prostitutas "não é outra coisa senão o que a Antiguidade romana nos mostrava, claramente esculpido e representado na porta dos bordéis – o falo". Pouco depois, nos quadros de sua releitura do estatuto da sublimação, volta a esse texto, inserindo-o no contexto de uma modificação histórica de Eros, para dizer que, se olharmos mais de perto, não é tanto à vida amorosa que a degradação visa, mas ao objeto idealizado (lição de 13 de janeiro de 1960).

LACAN, J. *O seminário, livro 5: As formações do inconsciente.* Rio de Janeiro: Zahar, 1999 • LACAN, J. *O seminário, livro 7: A ética da psicanálise.* Rio de Janeiro: Zahar, 1988, p. 125.

NOTAS

[1] Cf. neste volume, "Contribuições para a psicologia da vida amorosa - I: Sobre um tipo especial de escolha objetal no homem" (1910). (N.T.)

[2] Cf. neste volume, "Contribuições para a psicologia da vida amorosa - III: O tabu da virgindade" (1918), onde esta questão é amplamente discutida. (N.T.)

[3] Cf. neste volume "O tabu da virgindade" (1918), onde se lê: "A mulher só reencontra sua sensibilidade para a ternura em uma relação ilícita que possa se manter em segredo, a única em que ela está segura de sua própria vontade, livre de influências". (N.T.)

[4] Esta frase reaparece em "O declínio do complexo de Édipo", embora com sentido distinto. (N.T.)

O TABU DA VIRGINDADE (1918)

(CONTRIBUIÇÕES PARA A PSICOLOGIA DA VIDA AMOROSA – III)

Poucas peculiaridades da vida sexual de povos primitivos causam um efeito tão estranho em nosso sentimento como sua avaliação da virgindade, da intocabilidade da mulher. A nós, a valorização da virgindade, por parte do homem pretendente, parece tão estabelecida e óbvia que quase caímos no embaraço se tivermos de justificar essa avaliação. A exigência de que a moça esteja proibida de levar, no casamento com um homem, a lembrança de uma relação sexual com um outro homem não é mais do que a persistente continuação do direito à posse exclusiva de uma mulher, o que constitui a essência da monogamia, a extensão desse monopólio ao passado.

Sendo assim, não nos parece difícil justificar o que antes parecia um preconceito com as nossas opiniões sobre a vida amorosa da mulher. Aquele que primeiro satisfaz o anseio amoroso de uma virgem, durante muito tempo contido com dificuldade, superando, assim, as resistências que nela foram construídas pelas influências do meio e da educação, este será conduzido por ela a um relacionamento duradouro, cuja possibilidade não se abrirá para nenhum outro. Por causa dessa vivência, estabelece-se na mulher um estado de sujeição que garante a continuação imperturbada de sua posse e a torna resistente contra novas impressões e tentações desconhecidas.

A expressão "sujeição sexual" [*geschlechtliche Hörigkeit*] foi escolhida por Krafft-Ebing,[i] em 1892, para caracterizar o fato de que uma pessoa pode adquirir um grau excepcionalmente alto de dependência e falta de autonomia em relação a uma outra pessoa, com quem mantém uma relação sexual. Essa servidão pode ocasionalmente chegar muito longe, até a perda de qualquer vontade autônoma e até a tolerância dos maiores sacrifícios de seu próprio interesse; porém, o autor não deixou de notar que uma certa medida dessa dependência "é absolutamente necessária, se a união tiver de durar algum tempo". Uma tal medida de sujeição sexual é, de fato, indispensável para a manutenção do casamento como produção cultural e para manter afastadas as tendências à poligamia que o ameaçam, e, em nossa comunidade social, esse fator é normalmente tomado em alta conta.

Um "grau excepcional de enamoramento e fraqueza de caráter", em uma das partes, egoísmo irrestrito, na outra: é desse encontro que Krafft-Ebing deriva o nascimento da sujeição sexual. No entanto, experiências analíticas não permitem que nos demos por satisfeitos com essa simples tentativa de explicação. Antes, podemos reconhecer que a magnitude da resistência sexual superada é o fator decisivo do processo de superação, que, além de ser concentrado, ocorre apenas uma vez. Consequentemente, a sujeição é incomparavelmente mais frequente e mais intensa na mulher do que no homem, embora neste último, pelo

---

[i] KRAFFT-EBING. Considerações sobre "sujeição sexual" e masoquismo [Bemerkungen über "geschlechtliche Hörigkeit" und Masochismus]. *Jahrbücher für Psychiatrie*, v. X, 1892.

menos atualmente, seja mais frequente do que na Idade Antiga. Sempre que pudemos estudar a sujeição sexual nos homens, ela se revelou o resultado da superação de uma impotência psíquica através de uma determinada mulher, à qual o homem em questão permaneceu ligado desde então. Muitos casamentos estranhos e um bom número de desfechos trágicos – mesmo aqueles de amplo interesse – parecem encontrar seu esclarecimento nessa origem.

Agora, quanto à mencionada conduta de povos primitivos, ela não será descrita corretamente se afirmarmos que eles não atribuem nenhum valor à virgindade e se oferecermos como prova disso o fato de que eles realizam a defloração das moças fora do casamento e antes da primeira relação conjugal. Parece, ao contrário, que para eles a defloração também é um ato significativo, mas ela se tornou objeto de um tabu, de uma proibição que chamaríamos de religiosa. Em vez de ser reservada para o noivo e futuro marido da moça, o costume exige que *este se esquive dessa operação.*

Não é minha intenção fazer uma compilação completa dos testemunhos literários da existência da proibição desse costume, rastrear sua difusão geográfica e enumerar todas as formas em que ela se manifesta. Dou-me por satisfeito, portanto, com a constatação de que essa ruptura e remoção do hímen, que acontece fora do futuro casamento, é algo muito difundido entre os povos primitivos que hoje ainda vivem. Assim se expressa Crawley[i]: "Essa

---

[i] Crawley. *A rosa mística, um estudo do casamento primitivo.* Londres, 1902 [*The mystic rose, a study of primitive marriage*]; *Bartels e Ploss*: *A mulher na história natural e na etnologia*, 1891 [*Das Weib in der Natur- und Völkerkunde*]; vários trechos em Frazer. *O tabu e os perigos da alma* [*Tabu and the perils of the soul*] e Havelock Ellis. *Estudos da psicologia do sexo* [*Studies in the psychology of sex*].

cerimônia de casamento consiste na perfuração do hímen por alguma pessoa indicada, que não seja o marido; ela é mais comum nos estágios mais inferiores da cultura, especialmente na Austrália".[1]

Se, entretanto, a defloração não deve resultar da primeira relação conjugal, então ela precisa ter sido realizada anteriormente – de alguma maneira e por algum dos lados. Citarei algumas passagens do livro de Crawley, acima mencionado, que fornecem informação sobre esses pontos, mas que também nos autorizam a tecer algumas observações críticas.

P. 191: "Entre os Dieri e algumas das tribos vizinhas (na Austrália), é costume geral romper o hímen quando a menina atinge a puberdade. Nas tribos Portland e Glenelg, isso é feito à noiva por uma mulher velha, e às vezes também são chamados homens brancos por essa razão, para desvirginar as moças".[i]

P. 307: "O rompimento intencional[2] do hímen ocorre às vezes na infância, mas habitualmente na época da puberdade [...] Ele é frequentemente combinado – como na Austrália – com um ato cerimonial de coito".[ii]

P. 348: (Em tribos australianas, nas quais vigoram as conhecidas restrições ao casamento exogâmico, segundo comunicação de Spencer e Gillen): "O hímen é perfurado artificialmente e então os homens participantes da

---

[i] "*Thus in the Dieri and neighbouring tribes it is the universal custom when a girl reaches puberty to rupture the hymen*". (*Journ. Anthrop. Inst.*, XXIV, 169)." *In the Portland and Glenelg tribes this is done to the bride by an old woman; and sometimes white men are asked for this reason to deflower maidens*" (Brough Smith, *op. cit.*, II, 319).

[ii] "*The artificial rupture of the hymen sometimes takes place in infancy, but generally at puberty [...] It is often combined, as in Australia, with a ceremonial act of intercourse*".

operação, em uma ordem estabelecida, realizam um coito (cerimonial, bem entendido) com a moça [...] O processo todo tem, digamos, duas partes, o rompimento do hímen e, em seguida, a relação sexual".[i]

P. 349: "Entre os Masai (na África Equatorial), a execução dessa operação constitui um dos preparativos mais importantes para o casamento. Entre os Sakais (Malásia), os Battas (Sumatra) e os Alfoers, das ilhas Celebes, a defloração é efetuada pelo pai da noiva. Nas Filipinas, havia determinados homens que tinham a profissão de deflorar noivas, caso o hímen não tivesse sido rompido já na infância por uma mulher velha, que às vezes era empregada para isso. Em algumas tribos esquimó, a desvirginização da noiva era confiada ao *angebok*, ou sacerdote".[ii]

As observações que anunciei dizem respeito a dois pontos. Em primeiro lugar, é lamentável que nesses dados não tenha sido distinguido com mais cuidado o simples rompimento do hímen sem coito, do coito com a finalidade desse rompimento. Apenas em uma passagem ficamos sabendo literalmente que o processo se divide em dois atos: na defloração (manual ou instrumental) e no ato sexual subsequente. O material de Bartels &

---

[i] "*The hymen is artificially perforated, and then assisting men have access (ceremonial, be it observed) to the girl in a stated order [...] The act is in two parts, perforation and intercourse*".

[ii] "*An important preliminary of marriage amongst the Masai is the performance of this operation on the girl*" (J. Thompson, *op. cit.*, 258). "*This defloration is performed by the father of the bride amongst the Sakais, Battas, and Alfoers of Celebes*" (Ploss u. Bartels, op. cit., II, 490). "*In the Philippines there were certain men whose profession it was to deflower brides, in case the hymen had not been ruptured in childhood by an old woman who was sometimes employed for this*" (Featherman, *op. cit.*, II, 474). "*The defloration of the bride was amongst some Eskimo tribes entrusted to the angekok, or priest*" (*id.* III, 406).

Ploss, tão rico em outros aspectos, é quase inutilizável para os nossos propósitos, porque, nessa apresentação, a importância psicológica do ato de defloração desaparece totalmente em favor de seu resultado anatômico. Em segundo lugar, gostaríamos de saber em que se diferencia o coito "cerimonial" (puramente formal, ritual, oficial) dessas ocasiões da relação sexual comum. Os autores, aos quais eu tive acesso, ou tiveram demasiado pudor para falar sobre isso ou, por outro lado, subestimaram a importância psicológica desses detalhes sexuais. Podemos ter esperança de que relatos originais de viajantes ou de missionários sejam mais detalhados e inequívocos, mas com a atual inacessibilidade[3] a essa literatura, em sua maior parte estrangeira, não posso afirmar nada seguro a esse respeito. Além do mais, podemos contornar as dúvidas sobre esse segundo ponto com a ponderação de que um pseudocoito cerimonial certamente estaria representando apenas o substituto e talvez ocupasse o lugar de um coito plenamente consumado em épocas anteriores.[i]

Para o esclarecimento desse tabu da virgindade, podemos acrescentar fatores variados, que examinarei em rápida exposição. Na defloração, a moça sangra; a primeira tentativa de explicação baseia-se, então, no horror ao sangue que sentem os primitivos, que o consideram a sede da vida. Esse tabu do sangue é provado através de inúmeros tipos de preceitos, que não têm nada a ver com a sexualidade; ele está claramente relacionado com a proibição de matar e constitui uma medida de defesa

[i] Em numerosos casos de cerimonial de casamento, não há nenhuma dúvida de que outras pessoas além do noivo, por exemplo, seus ajudantes e colegas (os "padrinhos", em nossa tradição), têm todo o direito de acesso sexual à noiva.

contra a sede de sangue originária, o prazer de matar do homem primevo [*Urmenschen*]. Nessa concepção, o tabu da virgindade está articulado com o tabu da menstruação, quase que conservado sem exceção. O primitivo não pode manter distante o fenômeno enigmático do fluxo mensal de sangue das representações sádicas. A menstruação, ao menos a primeira, ele interpreta como a mordida de um animal espiritual, talvez como sinal de relação sexual com esse espírito. Ocasionalmente, um informe permite reconhecer nesse espírito aquele de um antepassado, e então entendemos, apoiando-nos em outras compreensões,[i] que a moça que menstrua seja tabu, enquanto é propriedade desse espírito ancestral.

Mas somos advertidos, de outro lado, a não superestimar a influência de um fator como o horror ao sangue. É que esse fator não conseguiu reprimir [*unterdrücken*] costumes como a circuncisão dos meninos e os ainda mais cruéis infligidos às meninas (excisão do clitóris e dos pequenos lábios), que, em parte, são praticados entre os mesmos povos, nem suspender a observância de outro cerimonial que envolva derramamento de sangue. Portanto, também não seria surpreendente se esse horror fosse superado em benefício do marido na primeira coabitação.

Uma segunda explicação desconsidera igualmente o sexual, mas tem um alcance muito mais geral. Ela sugere que o primitivo está à mercê de uma disposição para a angústia [*Angstbereitschaft*] que o espreita constantemente, bem semelhante à que supomos na teoria psicanalítica das neuroses sobre os neuróticos de angústia [*Angstneurotiker*]. Essa disposição para a angústia mostrar-se-á mais intensa em todas as situações que desviem do habitual, que

---

[i] Cf. *Totem e tabu*, 1913.

tragam consigo algo novo, inesperado, incompreensível, inquietante [*Unheimliches*]. Daí também o cerimonial, que se estendeu pelas religiões posteriores, que está vinculado ao início de qualquer novo empreendimento, ao começo de qualquer nova fase, aos primeiros frutos do ser humano, dos animais e vegetais. Os perigos, pelos quais o angustiado se acredita ameaçado, nunca parecem tão grandes na expectativa como no início da situação perigosa, e então é também conveniente primeiro proteger-se contra eles. A primeira relação sexual no casamento, por causa de sua importância, tem certamente a prerrogativa de ser introduzida através dessas medidas de precaução. As duas tentativas de explicação, a do horror ao sangue e a da angústia diante do que é inaugural, não se contradizem, mas antes se reforçam. A primeira relação sexual é certamente um ato preocupante, e muito mais, se nele acontecer de verter sangue.

Uma terceira explicação – que é a preferida de Crawley – chama a atenção para o fato de que o tabu da virgindade pertence a um grande contexto que abrange a vida sexual inteira. Não apenas o primeiro coito com a mulher é tabu, mas também a relação sexual em geral; quase que poderíamos afirmar que a mulher [*Weib*] inteira constitui tabu. A mulher não é apenas tabu nas situações especiais decorrentes de sua vida sexual, como a menstruação, a gravidez, o parto e o puerpério, mas também fora delas, a relação com a mulher está submetida a limitações tão sérias e numerosas que temos todas as razões para duvidar da suposta liberdade sexual dos selvagens. É certo que a sexualidade dos primitivos sobrepuja todas as inibições em determinadas situações; mas, em geral, ela parece mais fortemente constrita por proibições do que nas camadas mais altas da cultura. Sempre que o homem empreende algo especial, uma expedição, uma caça, uma campanha de guerra, ele precisa afastar-se da mulher e, sobretudo, da relação sexual com ela; do contrário, ela imobilizaria sua força e lhe traria insucesso. Também nos costumes da vida cotidiana é inequívoco o empenho em separar os sexos. Mulheres ficam junto com mulheres e homens com homens; uma vida em família, em nosso sentido, parece quase não existir para muitas tribos primitivas. A separação vai às vezes tão longe que um dos sexos não pode pronunciar os nomes próprios daqueles do outro sexo, que as mulheres desenvolvem uma língua com um vocabulário especial. A necessidade sexual sempre pode derrubar novamente essas barreiras de separação, mas, em algumas tribos, mesmo os encontros dos que são casados precisam acontecer fora de casa e em segredo.

Lá onde o primitivo estabeleceu um tabu, é onde ele teme um perigo, e não se pode negar que em todas essas regras de evitação está expresso um horror fundamental à mulher. Talvez esse horror esteja justificado pelo fato de a mulher ser diferente do homem, eternamente incompreensível e misteriosa, estranha, e por isso parecer hostil. O homem teme ser enfraquecido pela mulher, ser contaminado por sua feminilidade e então mostrar-se incapaz. O efeito relaxante, diluidor das tensões relacionadas ao coito pode ser o modelo para esse temor, e a percepção da influência que a mulher ganha sobre o homem através da relação sexual, a consideração a que ela obriga por isso, justificam a ampliação desse medo [*Angst*]. Em tudo isso não há nada que teria caído em desuso, nada que não continue vivo entre nós.

Muitos observadores dos primitivos que hoje ainda vivem emitiram o julgamento de que seu anseio sexual é relativamente fraco e nunca alcança as intensidades que estamos acostumados a encontrar na humanidade civilizada. Outros contestaram essa avaliação, mas, em todo caso, as práticas de tabu que descrevemos testemunham a existência de uma força que se opõe ao amor, na medida em que ela rejeita a mulher como estranha e hostil.

Com expressões que diferem apenas ligeiramente da terminologia utilizada pela psicanálise, Crawley afirma que cada indivíduo se isola dos demais através de um "tabu de isolamento pessoal",[4] e que justamente as pequenas diferenças, em meio à semelhança em todo o resto, fundamentam os sentimentos de estranheza e hostilidade entre eles. Seria convidativo perseguir essa ideia e propor derivar desse "narcisismo das pequenas diferenças"[5] a hostilidade que vemos em todas as relações humanas lutar com sucesso contra os sentimentos de união e vencer o mandamento do amor generalizado aos seres humanos. Sobre o fundamento dessa rejeição narcísica da mulher pelo homem, bastante deslocada para o menosprezo, a psicanálise acredita ter descoberto uma parte crucial, ao remetê-la ao complexo de castração e sua influência no julgamento sobre a mulher.

Enquanto isso, percebemos que, com essas últimas considerações, ultrapassamos em muito o nosso tema. O tabu geral da mulher não lança nenhuma luz sobre as regras especiais para o primeiro ato sexual com o indivíduo virgem. Aqui ficamos reduzidos às duas primeiras explicações, a do horror ao sangue e à do horror inaugural, mas, mesmo sobre estas, precisamos dizer que elas não recobrem a essência do preceito de tabu em questão. O que claramente o fundamenta é a intenção de *impedir* [*versagen*] *ou de poupar justamente o futuro esposo de alguma coisa*, o que não pode ser separado do primeiro ato sexual, muito embora, segundo nossa observação feita no início, a partir dessa mesma relação, deveria se derivar um vínculo singular da mulher com esse homem específico.

Desta vez não é nossa tarefa discutir a origem e o último significado dos preceitos do tabu. Eu o fiz em meu livro *Totem e tabu*, onde examinei a condição de uma ambivalência originária para o tabu e defendi a sua origem nos processos pré-históricos que levaram à fundação da família humana. Das práticas de tabu dos primitivos hoje observadas já não se pode mais reconhecer uma significação preliminar como essa. Esquecemos muito facilmente, numa exigência como essa, que mesmo os povos mais primitivos vivem em uma cultura muito distante da dos tempos primevos, que é tão temporalmente antiga quanto a nossa, e que igualmente corresponde a um grau de desenvolvimento posterior, mesmo que diferente.

Encontramos hoje o tabu dos primitivos já difundido em um sistema artificial, bem semelhante ao que desenvolvem os nossos neuróticos em suas fobias, e velhos motivos substituídos por novos, que se correspondem harmoniosamente. Deixando de lado os problemas genéticos, queremos, então, voltar ao ponto de vista de que o primitivo institui um tabu lá onde teme um perigo. Esse perigo, tomado de maneira geral, é psíquico, pois o primitivo não é forçado, nessa situação, a estabelecer duas distinções, que a nós parecem inevitáveis. Ele não separa o perigo material do psíquico, nem o real do imaginário. Em sua concepção animista de mundo, persistentemente levada a cabo, cada perigo vem da intenção hostil de um ser animado como ele; tanto o perigo que o ameaça, como uma força da natureza, quanto o que vem de outros seres humanos ou de animais. Por outro lado, está acostumado a projetar no mundo externo suas próprias moções internas de hostilidade, portanto, nos objetos que sente como desagradáveis ou também como estranhos. A mulher é agora reconhecida como a fonte desses perigos, e o primeiro ato sexual com a mulher, como um perigo especialmente intenso.

Creio, agora, que iremos obter algum esclarecimento sobre qual é esse perigo intensificado e por que ele ameaça justamente o futuro marido, se examinarmos mais detidamente a conduta das mulheres que vivem em nosso atual estágio cultural, sob as mesmas circunstâncias. Antecipo, como resultado desta investigação, que realmente existe um perigo como esse, de modo que o primitivo se defende, com o tabu da virgindade, contra um perigo corretamente pressentido, mesmo que psíquico.

Consideramos como reação normal que a mulher, após o coito, no ápice da satisfação, abrace o homem, pressionando-o contra si, e vemos aí uma expressão de sua gratidão e uma promessa de sujeição duradoura. Sabemos, porém, não ser a regra, que também a primeira relação teria essa conduta como consequência; muitas vezes ela significa apenas desapontamento para a mulher, que permanece fria e insatisfeita, e necessita normalmente de um tempo mais longo e frequente repetição do ato sexual, até que neste aconteça a satisfação também para a mulher. Desses casos de frigidez apenas inicial e logo passageira, uma série contínua leva até o desagradável resultado de uma frigidez permanente, que não é superada por nenhum empenho terno do marido. Creio que essa frigidez da mulher ainda não foi suficientemente entendida e exige esclarecimento – salvo aqueles casos que devem ser atribuídos à potência insuficiente do homem –, se possível, através dos fenômenos a ela ligados.

Não quero recorrer aqui às tão frequentes tentativas de compreender a fuga anterior à primeira relação sexual, porque elas têm diversos sentidos e precisam ser compreendidas, em primeira linha, senão na totalidade, como expressão do comum anseio de defesa feminino. Em oposição a isso, acredito que certos casos patológicos iluminam o enigma da frigidez feminina, nos quais a mulher, após a primeira, e após cada nova relação, expressa abertamente sua hostilidade contra o homem, insultando-o, levantando sua mão contra ele ou batendo-lhe de fato. Num notável caso desse tipo, que me foi possível analisar a fundo, isso aconteceu, apesar de a mulher amar muito o marido, de costumar ela mesma exigir o coito e de nele encontrar, sem dúvida, alta satisfação. Penso que essa estranha reação contrária é o resultado das mesmas moções que comumente só podem expressar-se como frigidez, isto é, são capazes de deter a reação carinhosa, sem conseguirem se sobressair elas próprias. No caso patológico, por assim dizer, está dividido em seus dois componentes aquilo que na frigidez, muito mais frequente, une-se para produzir um efeito inibidor, bem semelhante aos chamados sintomas "difásicos" da neurose obsessiva, que há muito tempo reconhecemos. O perigo, que assim será despertado pela defloração da mulher, consistiria em atrair para si a sua hostilidade, e justamente seu futuro marido teria todas as razões para evitar uma inimizade como essa.

A análise nos permite intuir com facilidade quais moções da mulher fazem parte da realização dessa conduta paradoxal, na qual espero encontrar o esclarecimento para a frigidez. O primeiro coito mobiliza uma série dessas moções, as quais são inutilizáveis para a desejada posição feminina, das quais algumas não precisam também se repetir nas relações posteriores. Em primeira linha, pensamos na dor que é infligida à virgem durante a defloração, e talvez estejamos inclinados a considerar esse fator como decisivo e nos abster da procura de outros. Mas não podemos bem atribuir à dor uma importância como essa, e precisamos muito mais colocar em seu lugar a ofensa [*Kränkung*] narcísica, que nasce da destruição de um órgão, que encontra uma representação racional no próprio saber sobre a diminuição do valor sexual da deflorada. Mas os costumes do casamento dos primitivos contêm uma advertência contra essa supervalorização. Soubemos que, em alguns casos, o cerimonial é realizado em dois tempos; após a execução do rompimento do hímen (com a mão ou com um instrumento), segue um coito oficial ou uma relação simulada com os representantes do marido, e isso nos prova que o sentido da prescrição do tabu por meio da evitação da defloração anatômica não foi realizado, que ao marido deve ser poupada alguma coisa a mais do que a reação da mulher à dolorosa lesão.

Como outra razão para a decepção do primeiro coito, achamos que nele, ao menos para a mulher civilizada, a expectativa e a realização não podem coincidir. A relação sexual esteve até agora intensamente associada à proibição, e por isso mesmo a relação legal e permitida não será sentida como a mesma coisa. O quanto essa conexão pode ser íntima é esclarecido, de maneira quase cômica, pelo anseio de tantas noivas de manter em segredo, de todos os estranhos e mesmo dos pais, as novas relações amorosas, quando, para isso, não existe nenhuma necessidade efetiva e uma objeção não é esperada. As moças afirmam abertamente que, para elas, seu amor perde o valor quando outros ficam sabendo sobre ele. Ocasionalmente, esse motivo pode tornar-se sobrepujante e impedir absolutamente o desenvolvimento da capacidade de amar no casamento. A mulher só reencontra sua sensibilidade para a ternura em uma relação ilícita que possa se manter em segredo, a única em que ela está segura de sua própria vontade livre de influências.

No entanto, também esse motivo não leva suficientemente ao fundo; além disso, ligado a condições culturais, ele nos faz perder uma boa relação com as condições dos primitivos. Muito mais importante é o próximo fator, que se baseia na história do desenvolvimento da libido. Aprendemos, pelos esforços da análise, o quão regulares e quão poderosas são as primeiras acomodações da libido. Nesse caso, trata-se de persistentes desejos sexuais da infância; na mulher, é quase sempre a fixação da libido no pai ou em um irmão substituto, desejos que, com bastante frequência, estavam dirigidos a coisas diferentes do coito ou que o incluíam apenas como uma meta não nitidamente reconhecida. O marido é, por assim dizer, sempre apenas um substituto, nunca é o homem certo; o primeiro direito à capacidade amorosa da esposa quem tem é um outro, em casos típicos, o pai; o marido tem, no máximo, o segundo. Só depende de quão intensa seja essa fixação e de quão obstinadamente ela esteja sendo mantida, para que o substituto seja rejeitado como insatisfatório. Assim, a frigidez se encontra entre as condições genéticas da neurose. Quanto mais poderoso for o elemento psíquico na vida sexual da mulher, maior capacidade de resistência mostrará sua distribuição de libido em relação ao abalo do primeiro ato sexual, e menos avassalador será o efeito de sua possessão corporal. A frigidez pode, então, estabelecer-se como inibição neurótica ou fornecer a base para o desenvolvimento de outras neuroses, e mesmo ligeiras diminuições da potência masculina poderão contribuir como auxiliares nesse caso.

O costume dos primitivos parece levar em conta o motivo do desejo sexual dos primeiros tempos, pois encarrega um homem mais velho, um sacerdote, um homem santo, portanto, um substituto do pai (ver acima), da defloração. Daqui, parece que um caminho direto leva ao muito debatido *Jus primae noctis* [direito à primeira noite] do senhor feudal da Idade Média. A. J. Storfer[i] sustentou a mesma concepção e, além disso, interpretou a difundida tradição das "bodas de Tobias" (o costume da abstinência nas primeiras três noites) como um reconhecimento dos privilégios dos patriarcas, tal como o fizera C. G. Jung,[ii] antes dele. Isso só corresponde, então, à nossa expectativa se encontrarmos também, entre os substitutos do pai encarregados da defloração, a imagem dos deuses. Em algumas localidades da Índia, a recém-casada era obrigada a sacrificar o hímen ao *lingam* de madeira, e, segundo o relato de Santo Agostinho, na cerimônia de casamento romana (de sua época?) existia o mesmo costume, com a atenuação de que a noiva só tinha de se sentar sobre o gigantesco falo de pedra de Príapo.[iii]

Outro motivo que, de modo comprovável, recorre a camadas mais profundas carrega a culpa principal da reação paradoxal contra o homem, e sua influência se expressa ainda, em minha opinião, na frigidez da mulher. Através do primeiro coito são ativadas na mulher outras antigas moções, além das descritas, que se opõem absolutamente à função e ao papel femininos.

---

[i] Sobre a posição singular no assassinato do pai, 1911. [Zur Sonderstellung des Vatermordes] (*Schriften zur angewandten Seelenkunde*).

[ii] A importância do pai para o destino de cada um, 1909 [Die Bedeutung des Vaters für das Schicksal des Einzelnen] (*Jahrbuch für Psychoanalyse*, I, 1909).

[iii] *Ploss* e *Bartels*. *A mulher I*, XII [*Das Weib* I, XII] e *Dulaure*: *As divindades geradoras* [*Des Divinités génératrices*], Paris, 1885 (reimpresso pela edição de 1825), p. 142 e segs.

Sabemos, pela análise de muitas mulheres neuróticas, que muito cedo elas passam por um estágio no qual invejam no irmão o signo da masculinidade e, por causa de sua falta (na verdade, sua redução), sentem-se prejudicadas e preteridas. Nós inserimos essa "inveja do pênis" no "complexo de castração". Se compreendemos "masculino" como o querer-ser-masculino, então a designação "protesto masculino" adéqua-se a essa conduta, cunhada por Alfred Adler, para proclamar esse fator como o responsável pela neurose em geral. Nessa fase, as meninas geralmente não fazem segredo sobre sua inveja e sobre a hostilidade daí derivada contra o irmão favorecido: elas também tentam urinar em pé como o irmão, para representar sua suposta igualdade de direitos. No caso já mencionado de agressão incontida contra o marido após o coito, a quem, apesar disso, ela amava, pude constatar que essa fase existia antes da escolha de objeto. Só mais tarde é que a libido da menininha se voltou para o pai, e então desejou para si, em vez do pênis – um filho.[i]

Eu não ficaria surpreso se, em outros casos, a ordem dessas moções se encontrasse invertida e se essa porção do complexo de castração só produzisse efeito depois de a escolha de objeto ter sido bem-sucedida. Mas a fase masculina da mulher, na qual ela inveja o pênis do menino, é, de qualquer maneira, a que mais cedo ocorre na história do desenvolvimento e está mais próxima do narcisismo originário do que do amor de objeto.

Há algum tempo, o acaso deu-me a oportunidade de entender o sonho de uma recém-casada que podia

---

[i] Ver "*As transformações da pulsão, particularmente do erotismo anal*" [Über Triebumsetzungen insbesondere der Analerotik] . Intern. Zeitschr. für Psychoanalyse, 1916/17, [*Gesammelte Werke*, X].

ser reconhecido como reação à sua desvirginização. Ele delatava, sem coerção, o desejo da mulher de castrar o jovem esposo e de guardar para si o seu pênis. Por certo também havia espaço para a interpretação mais inofensiva, de que teria desejado o prolongamento e a repetição do ato, no entanto, alguns pormenores do sonho contrariavam esse significado, e tanto o caráter como a conduta posterior da sonhadora testemunhavam a favor da concepção mais séria. Por trás dessa inveja do pênis, agora vem à luz a amargura hostil da mulher contra o homem, nunca totalmente ausente nas relações entre os sexos, e da qual existem os mais claros indícios nos esforços e nas produções literárias das "emancipadas". Essa hostilidade da mulher Ferenczi reconduz – não sei se ele foi o primeiro –, em uma especulação paleobiológica, a uma época da diferenciação dos sexos. No início, diz ele, a cópula acontecia entre dois indivíduos semelhantes, dos quais, no entanto, um desenvolveu-se como mais forte e forçou o mais fraco a tolerar a união sexual. A amargura por essa sujeição persistiria ainda na disposição atual da mulher. Considero irrepreensível servir-me dessas especulações, desde que evitemos supervalorizá-las.

Após essa enumeração dos motivos para a continuada reação paradoxal da mulher à defloração, perceptível na frigidez, podemos resumidamente enunciar que a *sexualidade* inacabada da mulher se descarrega no homem que primeiro a faz conhecer o ato sexual. Assim sendo, o tabu da virgindade é bastante razoável, e compreendemos o preceito de que quem precisa evitar esses perigos é justamente o homem que vai ingressar numa convivência duradoura com essa mulher. Nos estágios culturais mais elevados a estimativa desse perigo da promessa de sujeição e certamente também de outros motivos e atrações foi recuada [*zurückgetreten*]; a virgindade é considerada uma posse à qual o homem não deve renunciar. Mas a análise das perturbações conjugais ensina que os motivos que podem levar a mulher a se vingar de sua defloração também não estão completamente extintos na vida psíquica da mulher civilizada. Creio que deva chamar a atenção do observador o fato de que, em um número quase que extraordinariamente elevado de casos, a mulher permanece frígida e se sente infeliz num primeiro casamento, ao passo que, após a dissolução desse casamento ela se torna uma mulher carinhosa e capaz de fazer feliz seu segundo marido. A reação arcaica esgotou-se, por assim dizer, no primeiro objeto.

Contudo, no mais, o tabu da virgindade também não se extinguiu em nossa vida civilizada [*Kulturleben*]. A alma popular o conhece, e os grandes autores se serviram desse material ocasionalmente. Anzengruber[6] apresenta, em uma comédia, um camponês simplório que deixa de se casar com a noiva prometida, porque ela é uma "vagabunda que custará a vida do primeiro". Por isso ele concorda que se case com outro e vai aceitá-la, então, como viúva, quando ela não for mais perigosa. O título da peça: *O veneno da virgem* [*Das Jungferngift*] nos lembra que encantadores de serpentes deixam que primeiro a cobra venenosa morda uma toalhinha, para depois manejarem-na sem perigo.[i]

---

[i] Uma novela magistralmente rara de Arthur Schnitzler (*O destino do Barão de Leisenbogh*) [*Das Schicksal des Freiherrn von Leisenbogh*] merece ser aqui incluída, apesar de se desviar do contexto. O amante de uma atriz muito experiente no amor sofreu um acidente. De certo modo, ele cria uma nova virgindade para ela, rogando uma praga de morte sobre o homem que primeiro a possuir depois dele. Durante algum tempo, a mulher com esse tabu sobre si não se arrisca a nenhuma aventura amorosa. No entanto, depois de se apaixonar por um cantor, encontra a solução de primeiro conceder uma noite ao Barão de

O tabu da virgindade e uma parte de sua motivação encontraram sua mais poderosa representação em uma figura dramática conhecida, a Judite, na tragédia *Judite e Holofernes*, de Hebbel.[7] Judite é uma daquelas mulheres cuja virgindade está protegida por um tabu. Seu primeiro marido foi paralisado, na noite de núpcias, por uma misteriosa angústia [*Angst*] e nunca mais se atreveu a tocá-la. "Minha beleza é a da beladona", diz ela; "Sua fruição [*Genuss*] traz loucura e morte". Quando o general assírio sitia a sua cidade, ela engendra o plano de seduzi-lo com sua beleza e de acabar com ele, utilizando assim um motivo patriótico para encobrir um de ordem sexual. Após a defloração pelo homem violento, que se gaba de seu poder e impiedade, ela encontra em sua indignação a força para lhe cortar a cabeça, e assim se torna a libertadora de seu povo. A decapitação nos é bem conhecida como substituto simbólico do castrar; por isso, Judite é a mulher que castra o homem por quem foi deflorada, tal como o queria também o sonho da recém-casada relatado por mim. Hebbel sexualizou, com clara intencionalidade, o relato patriótico do Apócrifo do Velho Testamento, pois lá Judite pode vangloriar-se, após seu retorno, de não ter sido maculada, e também falta no texto da Bíblia qualquer menção a sua estranha noite de núpcias. Mas talvez, com sua fina sensibilidade de poeta, ele tenha percebido o motivo arcaico que havia se perdido naquele relato tendencioso e tenha apenas restituído ao material seu conteúdo anterior.

Isidor Sadger, em uma excelente análise, pontuou como Hebbel, em sua escolha do material, foi determinado

---

Leisenbogh, que a vem perseguindo há anos, sem sucesso. E a maldição recai sobre ele: sofre um ataque logo que fica sabendo do motivo de sua inesperada sorte no amor.

por seu próprio complexo parental, e como, na luta entre os sexos, ele chegou tão sistematicamente a tomar o partido da mulher e a se colocar no lugar de suas mais recônditas moções psíquicas.[i] Ele também cita os motivos que o próprio poeta forneceu para a alteração do material e a considera, com razão, artificial, e como que destinada a justificar apenas exteriormente e, no fundo, a esconder algo que era inconsciente ao poeta. Não quero contestar a explicação de Sadger sobre por que, segundo o relato bíblico, a Judite que enviuvou teve de se tornar a viúva virgem. Ele menciona a intenção da fantasia infantil de negar o conhecimento [*verleugnen*[8]] da relação sexual dos pais e de fazer da mãe uma virgem intocada. Mas eu continuo: depois de o poeta estabelecer a virgindade de sua heroína, sua sensível fantasia permaneceu na reação hostil que é desencadeada pelo ferimento da virgindade.[9]

Portanto, podemos dizer, concluindo: a defloração não tem apenas uma consequência cultural de atar, de maneira duradoura, a mulher ao homem; ela também desata, contra o homem, uma reação arcaica de hostilidade que pode assumir formas patológicas, exteriorizando-se com bastante frequência no aparecimento de inibições na vida amorosa do casal, e às quais podemos atribuir o fato de que segundos casamentos tantas vezes dão mais certo que os primeiros. O estranho tabu da virgindade, o horror com que, entre os primitivos, o marido evita a defloração, encontram nessa reação hostil sua completa justificativa.

Mas é interessante que, como analistas, possamos encontrar mulheres nas quais ambas as reações opostas de sujeição e hostilidade encontraram expressão e

[i] Da patografia à psicografia [Von der Pathographie zur Psychographie]. *Imago*, I., 1912.

permaneceram em íntima conexão recíproca. Há certas mulheres que parecem totalmente em desacordo com seus maridos e que, mesmo assim, só conseguem fazer vãos esforços para deles se separar. Todas as vezes que tentam endereçar seu amor a um outro homem intervém a imagem do primeiro, mesmo que não mais amado, como inibidora. A análise ensina, então, que essas mulheres, de fato, ainda dependem da sujeição ao seu primeiro marido, mas não mais por ternura. Não se liberam deles porque não completaram sua vingança contra eles e, em casos mais acentuados, nem sequer tomaram consciência da sua moção vingativa.

III - Das Tabu der Virginität (1918 [1917])

1917 *Mitteilung: Wiener Psychoanalytischen Vereinigung* (12 dez. 1917)
1918 *Sammlung kleiner Schriften zur Neurosenlehre*, 4, p. 229-251
1924 *Gesammelte Schriften*, t. V, p. 212-231
1947 *Gesammelte Werke*, t. XII, p. 159-180

A terceira contribuição para a série sobre a psicologia da vida amorosa foi escrita durante a Primeira Guerra. Não são certos os motivos pelos quais Freud interpôs um hiato tão prolongado entre os dois primeiros ensaios e este último, mas não é muito arriscado dizer que a irrupção da guerra possa ter contribuído para isso.

Em 12 de setembro de 1917, Freud apresentou essa comunicação junto à Sociedade Psicanalítica de Viena. Um pouco antes, na mesma carta em que mostra desconfiança em relação às narrativas dos dois lados envolvidos na guerra, afirma que estava preparando esse terceiro artigo (carta a Ferenczi, de 1º de janeiro de 1917). A composição do texto ainda estava inacabada em 24 de setembro, conforme demonstra outra carta a Ferenczi. Nessa mesma carta, Freud refere-se ao texto com o seguinte título: "Tabu da virgindade e submissão sexual". A segunda parte do título não foi mantida na versão publicada, por sugestão de Ferenczi.

Diga-se de passagem que, nas duas cartas mencionadas, Freud refere-se à leitura de Lamarck, contemporânea à escrita desse escrito.

O ensaio propõe uma abordagem genealógica do tabu da virgindade nos povos primitivos e de suas repercussões na vida psíquica do homem civilizado. Nesse sentido, tem razão Jones ao caracterizar o texto como um "ensaio antropológico". Mas quem poderia duvidar da riqueza clínica e metapsicológica do ensaio? Não por acaso, trata-se de contribuição maior para a compreensão do complexo de castração e de temas polêmicos, como a inveja do pênis. De certo modo, o texto poderia ainda ser incluído entre as contribuições sobre a feminilidade, por conter afirmações bastante contundentes, como a de que "a mulher inteira constitui tabu". O que também nos lembra como as fronteiras entre metapsicologia, clínica e textos culturais são demasiado tênues.

Do ponto de vista da estrutura argumentativa do texto, o procedimento adotado é bastante elucidativo da maneira de escrever de Freud: começa por uma descrição de um problema de interesse amplo, aprofunda-se na abordagem a partir da leitura de autores contemporâneos, de áreas conexas, no caso a etnologia, identifica um impasse que a bibliografia existente não consegue elucidar e, a partir desse ponto obscuro, inverte a perspectiva inicial e conclui com uma contribuição original. O problema da virgindade feminina, na verdade, toca na angústia masculina, em suas diversas matizes.

NOTAS

[1] No original, "*This marriage ceremony consists in perforation of the hymen by some appointed person other than the husband; it is most common in the lowest stages of culture, especially in Australia*". (N.T.)

[2] No original citado por Freud consta "artificial", que ele traduziu para "intencional". (N.T.)

[3] O texto foi redigido durante a Primeira Guerra Mundial. (N.R.)

[4] Em inglês, "*taboo of personal isolation*". (N.T.)

[5] Primeira ocorrência dessa importante noção, que será retomada mais tarde em *Psicologia de massas e análise do eu* (1921). (N.E.)

[6] Ludwig Anzengruber (1839-1889). Dramaturgo vienense. (N.R.)

[7] Friedrich Hebbel (1813-1863). Dramaturgo alemão. (N.R.)

[8] O verbo alemão *verleugnen* tem o sentido de "desmentir" ou "recusar" uma informação à qual se teve acesso. A *Verleugnung*, substantivo derivado desse verbo, está diretamente ligada ao mecanismo de negação das perversões, ao lado da *Verwerfung* (rejeição), para as psicoses, e da *Verdrängung* (recalque), para as neuroses. (N.R.)

[9] Freud trabalha o tema da maneira como o poeta lida com a fantasia em seu "O poeta e o fantasiar", publicado nesta coleção no volume *Arte, literatura e os artistas.* (N.E.)

DUAS MENTIRAS INFANTIS[1] (1913)

É compreensível que as crianças mintam se, com isso, estiverem imitando as mentiras dos adultos. Mas algumas mentiras contadas por crianças bem-criadas possuem um significado especial e devem provocar a reflexão dos educadores, em vez de irritá-los. Elas ocorrem sob a influência de motivos amorosos superintensos e se tornam graves se provocarem um mal-entendido entre a criança e a pessoa por ela amada.

I

Uma menina de 7 anos (no segundo ano escolar) pediu dinheiro ao pai para comprar tintas de pintar ovos de Páscoa. O pai negou, justificando que não tinha dinheiro. Logo em seguida, ela pede dinheiro ao pai para contribuir na compra de uma coroa para a falecida princesa regente. Cada uma das crianças da escola devia levar 50 fênigues.[2] O pai lhe dá 10 marcos; ela paga a sua contribuição, deixa nove marcos sobre a escrivaninha do pai, e com os 50 fênigues restantes compra as tintas, que esconde no armário de brinquedos. À mesa, o pai, desconfiado, pergunta o que ela tinha feito com os 50 fênigues que estavam faltando, e se acaso ela não havia comprado as tintas com eles. Ela nega, mas o irmão dois anos mais velho, com quem ela ia pintar os ovos, denuncia-a; as tintas foram encontradas no armário. O pai, zangado, entrega a infratora à mãe para o castigo, que acabou sendo muito enérgico. Mais tarde, a própria mãe fica abalada, ao perceber o quanto a criança está desesperada. Ela a mima depois do castigo e sai com ela para passear, para consolá-la. Mas os efeitos dessa vivência, caracterizados pela própria paciente como o "ponto de viragem" de sua juventude, acabaram se revelando irrevogáveis. Até então, ela fora uma criança rebelde e confiante, e, a partir daí, tornou-se tímida e hesitante. Durante seu noivado, ela entra em uma fúria incompreensível para ela mesma, quando a mãe lhe providencia os móveis e o enxoval. Ela tem em mente que, afinal, esse é o seu dinheiro e a ninguém é permitido comprar algo com ele. Como recém-casada, acanha-se de pedir ao marido quantias para a sua necessidade pessoal e separa, desnecessariamente, o "seu" dinheiro do dele. Durante o tempo do tratamento, aconteceu algumas vezes de atrasarem as remessas de dinheiro de seu marido, de modo que ela ficou sem recursos na cidade estranha. Depois de ela ter me contado isso uma vez, fiz com que prometesse que, se a situação se repetisse, ela tomaria emprestada de mim a pequena soma de que precisasse. Ela fez a promessa, mas não a cumpriu na seguinte dificuldade financeira e preferiu empenhar suas joias. Explicou que não podia receber nenhum dinheiro de mim.

A apropriação dos 50 fênigues na infância teve um significado que o pai não pôde imaginar. Pouco antes de começar a ir para a escola, ela encenou um pequeno drama singular com o dinheiro. Uma vizinha amiga enviou-a até uma loja, como acompanhante de seu filho ainda mais novo, com uma pequena soma de dinheiro para comprar alguma coisa. Como mais velha, ela trouxe para casa o troco do dinheiro após a compra. Mas, ao encontrar pela rua a empregada da vizinha, ela atirou o dinheiro na calçada. Na análise dessa ação, inexplicável para ela mesma, ocorreu-lhe Judas, que jogou fora as moedas de prata que tinha recebido pela traição do Senhor. Ela declara ter certeza de já ter estado familiarizada com a história da Paixão antes de entrar para a escola. Mas até que ponto ela podia identificar-se com Judas?

Na idade de 3 anos e meio ela tivera uma babá à qual se apegou profundamente. Essa moça envolveu-se em relações eróticas com um médico, cujo consultório ela visitava com a criança. Parece que a criança foi testemunha de diversas práticas sexuais. Não é certo que ela tenha visto o médico dar dinheiro à moça; mas não há dúvida de que a moça, para se assegurar de seu silêncio, tenha dado moedinhas à criança, com as quais foram feitas compras no caminho de casa (de doces, por certo). Também é possível que o próprio médico, ocasionalmente, tenha presenteado a criança com dinheiro. Apesar disso, a criança, por ciúme, delatou sua babá à mãe. Ela ficou brincando de maneira tão suspeita com as moedas trazidas para casa que a mãe teve de perguntar: "Onde foi que você conseguiu esse dinheiro?". A moça foi despedida.

Aceitar dinheiro de alguém havia tido, muito cedo para ela, o significado de entrega corporal, de relação amorosa. Aceitar dinheiro do pai tinha o valor de uma declaração de amor. A fantasia de o pai ser seu amante era tão sedutora que, com seu auxílio, o desejo infantil pelas tintas para os ovos de Páscoa facilmente se estabeleceu contra a proibição. Mas ela não podia admitir a apropriação do dinheiro, via-se forçada a negar [*leugnen*], pois o motivo da ação, inconsciente para ela mesma, não era possível de ser admitido. A punição do pai era, portanto, uma recusa do carinho a ele oferecido, um desdém, e por isso quebrou seu ânimo. No tratamento, irrompeu um grave estado de desânimo, cuja resolução levou à lembrança do que aqui foi comunicado, e foi quando eu me vi obrigado a copiar o desdém, pedindo-lhe que não me trouxesse mais flores.

Para o psicanalista, quase não há necessidade de enfatizar que nessa pequena vivência da criança temos em mãos um daqueles casos extremamente comuns de continuidade do primeiro erotismo anal da infância na vida amorosa posterior. Mesmo o prazer de colorir os ovos provém da mesma fonte.

II

Uma mulher, que hoje está gravemente doente em consequência de um impedimento [*Versagung*] na vida, havia sido, antigamente, uma moça particularmente competente, amante da verdade, séria e bondosa, e posteriormente tornou-se uma esposa carinhosa. Porém, antigamente, nos primeiros anos de vida, ela havia sido uma criança teimosa e insatisfeita, e enquanto passara muito rapidamente por uma bondade e escrupulosidade excessivas, aconteceram coisas ainda em seu tempo de escola que nos tempos da doença lhe trouxeram graves recriminações e que foram por ela própria julgadas como provas de grande corrupção. Sua memória lhe dizia que naquela época ela se gabava e mentia com frequência. Certa vez, a caminho da escola, uma colega disse orgulhosamente: "Ontem tivemos *Eis*[3] [*sorvete/gelo*] na hora do almoço". Ela retrucou: "Ah, *gelo* nós temos todos os dias". Na verdade, ela não entendia o que significava ter *gelo* no almoço; ela só conhecia o gelo em blocos longos, tal como é transportado em carros, mas supôs que isso queria dizer algo requintado e por isso não quis ficar atrás da colega.

Uma vez, quando ela tinha 10 anos, a tarefa na aula de desenho era traçar um círculo à mão livre. Mas ela utilizou o compasso, produziu muito facilmente um círculo perfeito e, triunfante, mostrou seu trabalho à colega vizinha. O professor se aproximou, ouviu-a se vangloriando, descobriu as marcas do compasso na linha do círculo e pediu explicações à menina. Esta, porém, negou [*leugnete*] obstinadamente, não se deixou dobrar por nenhuma prova e refugiou-se num silêncio desafiador. O professor reuniu-se com o pai; para não dar à infração nenhuma outra consequência, ambos se deixaram orientar pela costumeira obediência exemplar da menina.

As duas mentiras da menina foram motivadas pelo mesmo complexo. Sendo a mais velha de cinco irmãos, a pequena desenvolveu muito cedo pelo pai uma afeição inusitadamente intensa, na qual malograria a sua felicidade na vida, posteriormente, em seus anos mais maduros. Mas logo ela acabou fazendo a descoberta de que não convinha ao pai querido a grandeza que ela estava pronta a lhe atribuir. Ele tinha de lutar com dificuldades financeiras e não era tão poderoso ou requintado quanto ela pensava. Mas ela não pôde se contentar com essa redução de seu ideal. Ao depositar toda a sua ambição sobre o homem amado, como fazem as mulheres, tornou-se para ela um motivo superintenso apoiar o pai contra o mundo. Portanto, ela se gabava diante das colegas para não ter de diminuir o pai. Mais tarde, quando aprendeu a traduzir o gelo no almoço por "*Glace*",[4] estava trilhado o caminho, por meio do qual a recriminação por causa dessa reminiscência pôde desembocar em um medo [*Angst*] de cacos de vidro [*Glasscherben*] e de estilhaços.

O pai era um exímio desenhista e, com bastante frequência, despertava o entusiasmo e a admiração das crianças com as provas do seu talento. Na identificação com o pai, ela desenhou na escola aquele círculo, que ela só conseguiu desenhar por *meios fraudulentos*. É como se quisesse se vangloriar: "Olha o que meu pai consegue fazer!". A consciência de culpa [*Schuldbewusstsein*] que estava ligada à inclinação superintensa pelo pai encontrou sua expressão na tentativa de fraudar; uma confissão, pelo mesmo motivo da observação anterior, era impossível, pois teria de ser a confissão do amor incestuoso escondido.

Não se deve menosprezar esses episódios da vida infantil. Seria um erro grave estabelecer, a partir desses delitos infantis, o prognóstico do desenvolvimento de um caráter imoral. Pois eles, sem dúvida, têm a ver com os motivos mais intensos da alma infantil e anunciam as predisposições para vicissitudes posteriores ou para futuras neuroses.

Zwei Kinderlügen (1913)

1913 Primeira publicação: *Internationale Zeitschrift für ärztliche Psychoanalyse*, v. I, n. 4, p. 359-362

1924 *Gesammelte Schriften*, t. V, p. 238-243

1943 *Gesammelte Werke*, t. VIII, p. 422-427

Trata-se da contribuição de Freud a uma obra coletiva sobre *A vida anímica das crianças*, que contou com artigos de Karl Abraham, Otto Rank, Hermine von Hug-Hellmuth, entre outros. Foi publicada originalmente em 1913.

Esse pequeno texto contém excertos de histórias clínicas que interessam sobretudo por mostrarem como a sobredeterminação de sintomas neuróticos pode remontar a episódios aparentemente insignificantes da infância. Não custa lembrar que, pelo menos desde o célebre "Projeto de uma psicologia" (1895), Freud havia mostrado que o sintoma se constitui como uma "*próton-pseudos*", ou seja, uma "primeira mentira" ou uma "premissa falsa". Nos dois casos relatados aqui, trata-se de mentiras contadas por meninas que deixam marcas psíquicas duradouras.

A paciente referida na segunda parte do artigo como "gravemente doente" foi identificada pelo historiador da psicanálise Ernst Falzeder como sendo Frau Elfriede Hirschfeld. Ela teria sido tratada por Freud principalmente entre 1908 e 1911, mas é possível que o caso tenha se estendido ainda mais longe. A paciente chegou a ser tratada também por Pfister e Binswanger. Seu caso deu margem a alguns breves relatos em outras ocasiões, com destaque para "A disposição para a neurose obsessiva: uma contribuição ao problema da escolha da neurose" (1913), "Um sonho como meio de comprovação" (1913) e "Algumas notas posteriores à totalidade da interpretação dos sonhos" (1925). Na versão manuscrita de "Psicanálise e telepatia" (1921), Freud confessa sua hesitação em aceitar o caso novamente, sobrepujada por sua curiosidade e seu momentâneo otimismo (Grubrich-Simitis, 1995, p. 214-215). Freud relata ainda que a paciente havia lhe presenteado com a explicação do papel de algumas mentiras infantis e com a ocasião de se certificar do caráter duvidoso de Jung, que havia tentado atrair a paciente para si.

Esse pequeno texto clínico não deixa de estar ligado a outros que também abordam os destinos tortuosos do Édipo feminino. Não por acaso, as duas mentiras coletadas por Freud referem-se às relações entre a menina e a instância paterna.

NOTAS

[1] O termo composto presente no título *Kinderlügen* diz respeito ao substantivo no plural *Lügen* (mentiras) qualificado pelo termo anterior *Kinder* (crianças), ou seja "mentiras infantis" ou "mentiras de crianças". Outra possibilidade de tradução, mais explicativa e menos literal, seria "mentiras contadas por crianças". (N.R.)

[2] Trata-se aqui de antigas unidades monetárias cuja relação é a seguinte: um fênigue (*pfennig*) constitui a centésima parte de um marco (*Mark*). (N.R.)

[3] A palavra *Eis* em alemão pode denotar tanto "gelo" quanto "sorvete". (N.R.)

[4] *Glace* tem o mesmo som de *Glass*, "vidro", em alemão. (N.T.)

A VIDA SEXUAL HUMANA (1916)

(CONFERÊNCIAS DE INTRODUÇÃO À PSICANÁLISE – CONFERÊNCIA XX)

Senhoras e senhores! Poderíamos pensar que não haveria dúvida sobre o que se deve entender por "sexual". É que, antes de tudo, o sexual é o indecente, é aquilo sobre o que não se deve falar. Contaram-me uma vez que os alunos de um famoso psiquiatra fizeram um esforço para convencer seu mestre de que muitas vezes os sintomas dos histéricos figuram [*darstellen*] conteúdos sexuais. Com esse propósito, conduziram-no ao leito de uma histérica, cujos ataques imitavam inconfundivelmente o processo de um parto. Mas ele respondeu, relutando: "Ora, um parto não tem nada de sexual". Certamente, um parto não precisa, em todas as circunstâncias, ser algo indecente.

Percebo que os senhores me recriminam por brincar com coisas tão sérias. Mas isso não é bem uma brincadeira. Falando sério, não é fácil indicar o que constitui o conteúdo do conceito de "sexual". Tudo o que tem a ver com a diferença entre os dois sexos seria, talvez, a única coisa pertinente, mas os senhores acharão isso demasiadamente sem graça e muito amplo. Se os senhores colocarem o fato do ato sexual no ponto central, talvez declarem que o sexual seria tudo aquilo com que o corpo se envolve na intenção de obter prazer, especialmente com as partes sexuais do outro sexo e que, em última instância, objetiva a união dos genitais e a execução do ato sexual. Mas então os senhores não estariam muito distantes da equivalência do sexual com o indecente, e o parto, de fato, não pertenceria ao sexual. Porém, se os senhores considerarem a função da reprodução como o núcleo da sexualidade, correrão o perigo de excluir toda uma série de coisas que não objetivam a reprodução e que, no entanto, certamente são sexuais, como a masturbação ou mesmo o beijar. Entretanto, já estamos preparados para entender que tentativas de definição levam a dificuldades; renunciemos a fazer melhor, justamente neste caso. Podemos vislumbrar que no desenvolvimento do conceito de "sexual" algo aconteceu que teve por consequência um "erro de sobreposição", de acordo com a feliz expressão de H. Silberer.[1] Se considerarmos todos os aspectos, não estamos, afinal, desorientados sobre aquilo que as pessoas chamam de sexual.

Seria suficiente para todas as necessidades práticas da vida dizer que é algo composto a partir da consideração da oposição entre os sexos, do ganho de prazer, da função de reprodução e do caráter indecente, a ser mantido em segredo. Mas para a ciência isso não é suficiente. Pois, através de cuidadosas investigações – que certamente só foram possíveis por meio de uma abnegada autossuperação –, viemos a saber de grupos de indivíduos humanos cuja "vida sexual" se desvia, da maneira mais notável, do quadro habitual da média. Alguns desses "perversos" riscaram do seu programa, por assim dizer, a diferença dos sexos. Apenas aquele de seu mesmo sexo pode excitar seus desejos sexuais; o outro, sobretudo suas partes sexuais, não constitui para eles um objeto sexual; em casos extremos, são um objeto de repulsa. Com isso, também renunciaram naturalmente a qualquer participação na reprodução. Chamamos essas pessoas de homossexuais ou invertidos. Trata-se de homens e mulheres que costumam ser muitas vezes – mas não sempre – impecavelmente educados, altamente desenvolvidos intelectual e eticamente, apenas acometidos por esse único desvio irreparável. Pela boca de seus porta-vozes científicos, apresentam-se como uma variedade especial da espécie humana, como um "terceiro sexo", que se situa com igualdade de direitos ao lado dos dois outros. Talvez tenhamos a oportunidade de examinar criticamente suas reivindicações. É claro que eles também não são, como gostam de afirmar, uma "elite" da humanidade, pois entre eles há pelo menos tantos indivíduos inferiores e nada úteis quanto os que existem na ordem sexual de outra variedade.

De qualquer modo, esses perversos realizam com seu objeto sexual aproximadamente o mesmo que os normais com os seus. Mas agora chegamos a uma longa série de anormais [*Abnormen*], cuja atividade sexual afasta-se cada vez mais daquilo que um homem dotado de razão considera desejável. Por sua multiplicidade e excepcionalidade, esses anormais só são comparáveis aos monstros grotescos que P. Bruegel pintou para *A tentação de Santo Antônio,*[2] ou aos deuses e fiéis esquecidos que G. Flaubert faz desfilar em longa procissão diante de seu piedoso penitente. Sua miscelânea requer uma espécie de organização para não confundir nossos sentidos. Nós os dividimos naqueles em que, tal como nos homossexuais, o objeto sexual foi transformado, e em outros, nos quais, em primeira linha, a meta sexual foi alterada.[3] Ao primeiro grupo pertencem aqueles que renunciaram à união dos dois genitais e que, no ato sexual, substituem no parceiro o genital por uma outra parte ou região do corpo; com isso, eles tanto desconsideram as insuficiências do dispositivo orgânico quanto o incômodo do asco. (Boca ou ânus no lugar da vagina.) Depois seguem-se outros, que ainda se apegam aos genitais, mas não por causa de suas funções sexuais e sim de outras, em que o genital desempenha um papel por razões anatômicas e circunstâncias de proximidade. Neles reconhecemos que as funções excretórias, que foram postas de lado como impróprias pela educação da criança, permanecem capazes de atrair para si o pleno interesse sexual. E ainda há outros que abandonaram absolutamente o genital como objeto, elegendo em seu lugar uma outra parte do corpo como objeto desejado: o seio de mulher, o pé, uma trança de cabelo. Em sequência, aqueles para os quais uma parte do corpo também não significa nada, mas uma peça de roupa, um sapato, uma peça de roupa íntima, realiza todos os desejos: os fetichistas. Continuando com o grupo, as pessoas que, na verdade, exigem o objeto inteiro, mas lhe fazem exigências bem definidas, estranhas ou horrendas, até a de que ele deve se tornar um cadáver indefeso e que, numa compulsão criminosa, transformam-no naquilo que for preciso, para poder desfrutá-lo. Mas basta dessa espécie de horror!

O outro grupo se constitui de perversos que estabeleceram como metas dos desejos sexuais o que normalmente é apenas uma ação preliminar e preparatória. Portanto, são os que anseiam por olhar ou tocar as outras pessoas ou observá-las satisfazendo suas necessidades íntimas, ou aqueles que expõem partes do corpo que deveriam estar cobertas, na obscura expectativa de serem premiados com uma idêntica retribuição. Depois seguem os enigmáticos sádicos, cujo anseio terno não conhece outra meta que não seja infligir dores e martirizar seu objeto, desde humilhação insinuada até graves danos corporais, e, como que para compensar em oposição, os masoquistas, cujo único prazer é sofrer todas as humilhações e martírios vindos de seu objeto amado, tanto na forma simbólica quanto na real. Outros ainda, nos quais várias dessas condições anormais se reúnem e se cruzam, e finalmente temos ainda de saber que cada um desses grupos existe de duas maneiras: ao lado daqueles que procuram sua satisfação sexual na realidade, há ainda outros que se contentam com apenas imaginar essa satisfação, que absolutamente não necessitam de um objeto de fato, mas podem substituí-lo pela fantasia.

Ao mesmo tempo, não pode haver a mínima dúvida de que nessas formas de loucuras, esquisitices e horrores está dada, realmente, a atividade sexual dessas pessoas. Não apenas elas mesmas assim o concebem e percebem a relação de substituição, mas nós também temos de admitir que isso tem em suas vidas o mesmo papel que tem a satisfação sexual normal na nossa; para obtê-la, eles fazem os mesmos sacrifícios, muitas vezes excessivos, e é possível acompanhar, tanto no aspecto mais grosseiro quanto no mais sutil, onde essas anormalidades se apoiam no normal e onde elas dele se apartam. Os senhores também não deixaram de notar que aqui tornamos a encontrar o caráter do indecente aderido à vida sexual; só que frequentemente intensificado até o abominável.

Agora, senhoras e senhores, como vamos nos posicionar frente a essas modalidades incomuns de satisfação sexual? Com indignação, com a expressão de nossa relutância pessoal e com a garantia de que não compartilhamos dessas paixões, não chegaremos a lugar algum. Não é para isso que somos solicitados. Afinal, trata-se de um campo de fenômenos como qualquer outro. Até mesmo uma recusa evasiva, de que seriam apenas raridades e curiosidades, seria fácil refutar. Ao contrário, trata-se de fenômenos bem frequentes e difundidos. Mas, se alguém nos dissesse que não temos de confundir nossas opiniões sobre a vida sexual por causa deles, porque cada um deles representa desvios e deslizes da pulsão sexual, então teríamos uma séria resposta à disposição. Se não compreendermos essas figuras doentias da sexualidade e não as pusermos em contato com a vida sexual normal, então justamente também não entenderemos a sexualidade normal. Em suma, resta uma tarefa inescapável, a de oferecer a possibilidade de uma explicação teórica completa sobre as chamadas perversões e de sua relação com a assim chamada sexualidade normal.

Para isso, vamos nos valer de um ponto de vista e de duas novas experiências. A primeira devemos a Iwan Bloch; ela retifica a concepção de que todas essas perversões seriam "sinais de degeneração", demonstrando que essas aberrações da meta sexual, esses afrouxamentos da relação com o objeto sexual, ocorreram desde sempre, em todas as épocas por nós conhecidas e entre todos os povos, tanto primitivos quanto altamente civilizados, e que, ocasionalmente, conquistaram a tolerância e vigência geral. As duas experiências foram realizadas com a investigação psicanalítica de neuróticos; elas necessariamente irão influenciar a nossa concepção das perversões sexuais de maneira decisiva.

Afirmamos que os sintomas neuróticos são substitutos da satisfação sexual e lhes indiquei que a confirmação dessa tese, por meio da análise dos sintomas, pode se deparar com algumas dificuldades. Mas ela só será válida se sob "satisfação sexual" considerarmos aquelas necessidades sexuais dos assim chamados perversos, pois uma interpretação como essa dos sintomas nos pressiona com surpreendente frequência. A pretensa noção de excepcionalidade dos homossexuais ou invertidos cai por terra quando ficamos sabendo que a evidência das moções homossexuais não falta em nenhum neurótico e que um bom número de sintomas expressa essa inversão latente. Aqueles que se autodenominam homossexuais são justamente apenas os invertidos conscientes e manifestos, cujo número torna-se pífio comparado com o dos homossexuais latentes. Entretanto, somos forçados a considerar a escolha de objeto do mesmo sexo como sendo francamente uma sistemática ramificação da vida amorosa, e aprendemos cada vez mais a lhe reconhecer uma importância particularmente grande. É certo que não será por isso que as diferenças entre a homossexualidade manifesta e a conduta normal estarão suspensas; seu significado prático permanece, mas seu valor teórico é enormemente reduzido. Supomos até mesmo que uma determinada afecção, a paranoia, que não podemos mais incluir entre as neuroses de transferência, nasce regularmente da tentativa de defesa contra moções homossexuais superintensas. Talvez os senhores ainda se lembrem de que uma de nossas pacientes que, em seu ato obsessivo [*Zwangshandlung*], agia como um homem, como seu próprio marido abandonado. Uma produção de sintomas como essa na personificação de um homem é muito comum em mulheres neuróticas. Ainda que não se possa imputá-la propriamente à homossexualidade, tem muito a ver com as suas premissas.

Como os senhores provavelmente sabem, a neurose histérica pode produzir seus sintomas em todos os sistemas de órgãos e com isso perturbar todas as funções. A análise mostra que aí se exteriorizam todas as moções chamadas de perversas, que querem substituir o genital por outros órgãos. Esses órgãos comportam-se como substitutos genitais; foi justamente através da sintomatologia da histeria que chegamos à concepção de que aos órgãos do corpo, além de seu papel funcional, devemos reconhecer uma importância sexual – erógena –, e que eles são perturbados no cumprimento dessa primeira tarefa se a última lhes fizer exigências demasiadas. Inúmeras sensações e inervações que encontramos como sintomas da histeria em órgãos que, aparentemente, não têm nada a ver com a sexualidade nos revelam, assim, sua natureza de realizações de moções sexuais perversas, em relação às quais outros órgãos atraíram para si a importância das partes sexuais. Então percebemos também a maneira abundante como justamente os órgãos de recepção de alimentos e de excreção se transformam em promotores de excitação sexual. É, portanto, o mesmo que as perversões nos mostraram, só que nestas isso podia ser visto sem esforço e de forma inconfundível, enquanto, para a histeria, temos de fazer um caminho indireto pela interpretação do sintoma e depois, em vez de atribuir as moções sexuais perversas à consciência dos indivíduos, tomá-las como deslocadas para o inconsciente destes.

Dos muitos quadros sintomáticos em que aparece a neurose obsessiva, os mais importantes se revelam como provocados pela pressão de moções sexuais sádicas superintensas, portanto perversas em sua meta, e, na verdade, os sintomas servem, de acordo com a estrutura de uma neurose obsessiva, predominantemente à defesa desses desejos, ou expressam a luta entre a satisfação e a defesa. Mas mesmo a própria satisfação não sai perdendo tanto assim; ela sabe se imiscuir por caminhos indiretos na conduta dos doentes e, de preferência, volta-se contra a própria pessoa, tornando-a um autotormento. Outras formas da neurose, as ditas cismáticas, correspondem a uma sexualização excessiva de atos que normalmente se inserem como preparações para a via da satisfação sexual normal, de querer ver e tocar e explorar. A grande importância do medo de tocar [*Berührungsangst*] e da compulsão por se lavar encontra aqui sua explicação. Das ações compulsivas, uma parte inimaginavelmente grande, enquanto repetição e modificação disfarçadas, remonta à masturbação, que, como se sabe, é a única ação uniforme que acompanha as mais diversas formas do fantasiar sexual.

Não me custaria muito apresentar-lhes mais detidamente as relações entre perversão e neurose, mas creio que o que foi dito até aqui é suficiente para os nossos propósitos. No entanto, precisamos nos precaver, após esses esclarecimentos sobre a importância do sintoma, para não supervalorizarmos a frequência e a intensidade das inclinações perversas. Os senhores já ouviram que se pode adoecer de neurose pelo impedimento [*Versagung*] da satisfação sexual normal. Entretanto, quando ocorre esse impedimento real, a necessidade se lança pelos caminhos anormais da excitação sexual. Mais adiante os senhores poderão compreender como isso acontece. Em todo caso, entendam que, em virtude de um represamento "colateral" retroativo,[4] as moções perversas têm de aparecer de forma mais intensa do que teria ocorrido se a satisfação sexual normal não tivesse se deparado com nenhum obstáculo real. Além disso, pode-se reconhecer uma influência semelhante também nas perversões manifestas. Em alguns casos, elas são provocadas ou ativadas porque uma satisfação normal da pulsão sexual encontrou dificuldades excessivas em consequência de circunstâncias passageiras ou de hábitos sociais permanentes. Em outros casos, as inclinações à perversão são, sem dúvida, completamente independentes desses favorecimentos; elas são, por assim dizer, a forma normal de vida sexual para esse indivíduo.

Talvez, neste momento, os senhores tenham a impressão de que mais confundimos do que aclaramos a relação entre a sexualidade normal e a perversa. Mas atenham-se à seguinte reflexão: se é correto que o real dificultador ou o privador de uma satisfação sexual normal traz à luz inclinações perversas em pessoas que comumente não as tenham manifestado, então deve haver algo a se supor nessas pessoas que vá de encontro às perversões; ou, se os senhores preferirem, as perversões devem ter estado presentes de forma latente nessas pessoas. Por essa via, chegamos então à segunda novidade, que lhes anunciei. A investigação psicanalítica se viu forçada a se ocupar também com a vida sexual das crianças, e isso porque as lembranças e as ocorrências repentinas de pensamentos [*Einfälle*] na análise dos sintomas remontaram, regularmente, até os primeiros anos da infância. O que daí inferimos foi então, ponto por ponto, confirmado pelas observações diretas de crianças. E daí resultou que todas as inclinações à perversão têm sua raiz na infância; que as crianças têm toda a predisposição a elas e as põem em prática em uma medida que corresponde à sua imaturidade; em suma, que a sexualidade perversa não é nada além do que a sexualidade infantil aumentada e compartimentada em suas moções isoladas.

Agora os senhores vão ver as perversões sob outra luz e não irão mais deixar de reconhecer sua relação com a vida sexual dos seres humanos, mas isso às custas de quantas surpresas e de penosas incongruências para a sensibilidade dos senhores! Certamente os senhores estarão inclinados a primeiro questionar tudo: o fato de que crianças tenham algo que se possa chamar de vida sexual, a justeza de nossas observações e a justificativa de encontrar na conduta das crianças uma relação com o que mais tarde vai ser julgado como perversão. Permitam, portanto, que eu primeiro esclareça os seus motivos de resistência e que depois lhes apresente a soma de nossas observações. Supor que as crianças não têm nenhuma vida sexual – excitações sexuais, necessidades e uma espécie de satisfação –, mas que deverão adquiri-la de repente, entre 12 e 14 anos, seria – independentemente de todas as observações – biologicamente tão improvável e, em verdade, tão inverossímil quanto afirmar que elas viriam ao mundo sem genitais e que estes só lhes nasceriam por volta da puberdade. O que nessa época desperta nelas é a função de reprodução, que se serve, para seus fins, de um material corporal e anímico já existente. Os senhores incorrem no erro de confundir sexualidade com reprodução, e com ele bloqueiam o caminho para o entendimento da sexualidade, das perversões e das neuroses. Esse erro, no entanto, é tendencioso. A fonte desse erro é, curiosamente, o fato de que os senhores mesmos já foram crianças e, como crianças, sofreram a influência da educação. De fato, a sociedade precisa assumir como uma de suas tarefas educacionais mais importantes domesticar [*bändigen*], limitar a pulsão sexual quando ela irrompe como ímpeto para a reprodução [*Fortpflanzungsdrang*] e submetê-la a uma vontade individual que seja idêntica à norma social. Ela também tem interesse em adiar o pleno desenvolvimento até que a criança tenha alcançado um determinado grau de amadurecimento intelectual, pois, com a irrupção total da pulsão sexual, a educabilidade também praticamente encontra um final. Do contrário, a pulsão romperia todos os diques e arrasaria o trabalho laboriosamente erigido pela cultura. A tarefa de domesticá-la nunca é fácil, ora dá muito pouco certo, ora dá certo de modo excessivo. O motivo da sociedade humana é, em última instância, econômico; como ela não possui provisões suficientes para manter seus membros sem trabalhar, precisa limitar seu número e dirigir suas energias da atividade sexual para o trabalho. Trata-se, portanto, da eterna, da primordial necessidade vital, que se estende até o presente.

A experiência deve ter mostrado aos educadores que a tarefa de tornar manipulável a vontade sexual da nova geração só pode ser resolvida quando se começa muito cedo com as influências, quando não se espera a tormenta da puberdade que a prepara, mas quando se intervém logo na vida sexual das crianças. Nesse sentido, quase todas as atividades sexuais infantis são proibidas e seu prazer é estragado; estabelece-se a meta ideal de configurar a vida da criança como assexual, e finalmente se consegue que seja realmente considerada assexual, o que, com o decorrer do tempo, a ciência proclama como doutrina. Para evitar a contradição entre as crenças e as intenções, ignora-se, então, a atividade sexual da criança, nada desprezível, ou nos damos por satisfeitos de a ciência entendê-la de outra forma. A criança é tida como pura, inocente, e quem a descrever de outra maneira vai ser acusado de ser um sacrílego infame dos ternos e sagrados sentimentos da humanidade.

As crianças são as únicas que não participam dessa convenção; com toda ingenuidade fazem valer seus direitos animais e não cessam de provar que acabaram de percorrer o caminho da pureza. É bastante curioso que aqueles que recusam [*verleugnen*] a existência da sexualidade infantil não cedem por isso na educação, mas perseguem, com o máximo rigor, as manifestações daquilo que recusam, chamando-as de "travessuras infantis". É também do maior interesse teórico o período de vida que contradiz mais gritantemente o preconceito de uma infância assexual, os anos da infância até os 5 ou 6, que depois é coberto, na maioria das pessoas, pelo véu da amnésia e que só uma investigação analítica descerra completamente, mas que já foi anteriormente permeável a formações oníricas isoladas.

Agora quero expor aos senhores o que mais claramente se conhece sobre a vida sexual da criança. Permitam-me também, por motivos de conveniência, introduzir o conceito de *libido*. Exatamente análoga à *fome*, libido deve nomear a força com a qual a pulsão se manifesta – nesse caso, a pulsão sexual, da mesma forma que, no caso da fome, a pulsão de nutrição [*Ernährungstrieb*]. Outros conceitos, tais como excitação sexual e satisfação, não necessitam de esclarecimento. Que as atividades sexuais dos lactantes quase sempre têm a ver com a interpretação os senhores mesmos perceberão com facilidade ou provavelmente o usarão como objeção. Essas interpretações são obtidas com base nas investigações analíticas por meio de rastreamento do sintoma. As primeiras moções de sexualidade aparecem no lactante apoiando-se [*Anlehnung*] em outras funções importantes para a vida. Seu interesse principal, como os senhores sabem, está voltado para a ingestão de alimentos; quando ele adormece saciado no peito, mostra uma satisfação bem-aventurada, que se repetirá, mais tarde, após a vivência do orgasmo sexual. Isso seria muito pouco para fundamentar uma conclusão. Observamos, entretanto, que o lactante repete a ação de receber o alimento sem pedir um novo alimento; portanto, nesse caso, ele não se encontra sob o ímpeto [*Antrieb*] da fome. Dizemos que ele chucha [*lutscht*], e o fato de que com essa ação ele também adormeça com expressão bem-aventurada nos mostra que a ação de *chuchar*, em si e por si, trouxe-lhe satisfação. Como é sabido, logo ele faz de tal maneira que não adormece sem ter chuchado. A natureza sexual dessa atividade foi primeiro sustentada pelo velho pediatra Dr. Lindner, de Budapeste.[5] As pessoas que cuidam da criança, que não têm a intenção de possuir uma posição teórica, parecem julgar o chuchar de maneira semelhante. Eles não duvidam de que isso sirva apenas a um ganho de prazer, tomam-no como uma travessura da criança e obrigam-na a renunciar a ela, através de impressões penosas, caso ela própria não queira desistir da travessura. Aprendemos, então, que os lactantes executam ações que não têm outra intenção além do ganho de prazer. Acreditamos que ele vivencie esse prazer primeiro na recepção do alimento, mas que logo vá ter aprendido a separá-lo dessa condição. Só podemos relacionar o ganho de prazer à excitação da zona da boca e da dos lábios; chamamos essas partes do corpo de *zonas erógenas* e caracterizamos como *sexual* o prazer alcançado por meio do chuchar. Certamente ainda teremos de discutir sobre a justificativa dessa nomeação.

Se o lactante pudesse se expressar, certamente reconheceria que o ato de mamar no seio da mãe é, de longe, o mais importante da vida. Ele não está de todo errado, pois, por meio desse ato, ele está satisfazendo, de uma só vez, duas grandes necessidades vitais. Aprendemos, então, com a psicanálise, não sem surpresa, o quanto da importância psíquica do ato perdura pela vida inteira. Mamar no seio da mãe passa a ser o ponto de partida da vida sexual inteira, o modelo inalcançado de toda e qualquer posterior satisfação sexual, ao qual a fantasia sexual retorna, muito frequentemente, em tempos de necessidade. Ele inclui o seio da mãe como primeiro objeto da pulsão sexual; não consigo dar-lhes uma ideia do quão importante é esse primeiro objeto para toda e qualquer posterior procura do objeto, do quão profundos são os efeitos que ele segue exercendo em suas transformações e substituições, sobre as mais remotas regiões de nossa vida anímica. Mas primeiro o lactante renuncia à atividade de chuchar e a substitui por uma parte do próprio corpo. A criança chupa o polegar ou a própria língua. Por essa via, ela se torna independente do consentimento do mundo exterior para obter prazer e, além disso, provoca a excitação de uma segunda zona do corpo como intensificação. As zonas erógenas não são igualmente generosas; por isso, acaba sendo uma vivência importante quando o lactante, tal como relata Lindner, descobre, em suas explorações do próprio corpo, as partes particularmente excitáveis de seus genitais, e assim encontra o caminho que leva do chuchar ao onanismo.

Através da apreciação do chuchar já passamos a conhecer duas características decisivas da sexualidade infantil. Esta surge apoiando-se na satisfação das grandes necessidades orgânicas e se comporta de maneira *autoerótica*, isto é, ela procura e encontra seus objetos no próprio corpo. O que se revelou mais nitidamente na ingestão de alimento repete-se, em parte, no caso dos excrementos. Concluímos que o lactante tem sensações de prazer quando esvazia a bexiga e os intestinos, e que ele logo se esforça para dispor essas ações de tal maneira que estas lhe tragam – por meio das correspondentes excitações da zona erógena da membrana mucosa – o máximo de ganho de prazer possível. É nesse ponto que, como assinalou a sensível Lou Andreas,[6] o mundo exterior se lhe apresenta, pela primeira vez, como um poder inibidor, hostil aos seus anseios de prazer, e lhe permite intuir futuras lutas externas e internas. Ele não deve expelir seus excrementos no momento de sua escolha, mas quando outras pessoas o determinarem. Para movê-lo a renunciar a essas fontes de prazer, explicam-lhe que tudo o que tem a ver com essas funções é indecente e deve ser mantido em segredo. É a primeira vez que vai ter de trocar prazer por respeitabilidade social. Sua relação com os próprios excrementos é, desde o início, bem diferente. Ele não sente nenhum nojo por suas fezes; considera-as uma parte de seu corpo, da qual não é fácil separar-se; e utiliza-as como primeiro "presente", para distinguir as pessoas que ele preza particularmente. Mesmo depois que a educação tenha logrado afastá-lo dessas tendências, ele estende o valor das fezes para o "presente" e para o "dinheiro". Por outro lado, ele parece ver com orgulho suas proezas urinárias.

Sei que os senhores estão querendo me interromper há algum tempo e gritar: "Chega de barbaridades! O senhor afirma que a defecação é uma fonte de satisfação sexual que o lactante já explora! As fezes, uma substância valiosa, o ânus uma espécie de genital! Não acreditamos nisso, mas compreendemos por que os pediatras e pedagogos repudiaram a psicanálise e seus resultados para longe de si". Não, meus senhores, apenas se esqueceram de que eu lhes quis apresentar os fatos da vida sexual infantil em conexão com os fatos das perversões sexuais. Por que os senhores não haveriam de saber que o ânus, para um grande número de adultos, tanto homossexuais como heterossexuais, realmente assume na relação sexual o papel da vagina? E que há muitos indivíduos que conservam, durante sua vida inteira, a sensação de voluptuosidade ao defecar, e que não a descrevem como sendo pouca coisa? O que diz respeito ao ato de defecar e ao deleite de observar outra pessoa defecando, os senhores podem comprová-lo ouvindo as próprias crianças, quando estiverem mais velhas e conseguirem falar a respeito. É claro que antes não podem tê-las amedrontado sistematicamente, do contrário elas entenderão muito bem que devem calar a respeito. E sobre as outras coisas nas quais os senhores não querem acreditar, remeto-os aos resultados da análise e à observação direta de crianças, e lhes digo que é realmente uma arte não ver nada disso ou vê-lo de outra maneira. Também não coloco objeção se lhes parecer notável o parentesco da atividade sexual infantil com as perversões sexuais. Na verdade, isso é evidente; se acaso a criança possui alguma vida sexual, ela só pode ser do tipo perverso, pois falta à criança – salvo alguns poucos indícios obscuros – aquilo que converte a sexualidade em função reprodutiva. Por outro lado, o caráter comum a todas as perversões é terem abandonado a meta da reprodução. No caso, chamamos uma atividade sexual justamente de perversa quando ela renunciou à meta da reprodução e busca o ganho de prazer como uma meta independente. Os senhores compreendem, portanto, que o ponto de ruptura e de viragem no desenvolvimento da vida sexual encontra-se na subordinação desta aos propósitos da reprodução. Tudo o que acontece antes dessa viragem e, igualmente, tudo o que dela se subtraiu que só serve ao ganho de prazer, é rotulado com o nome desonrado de "perverso" e proscrito como tal.

Por isso, permitam-me prosseguir com a minha breve descrição da sexualidade infantil. O que relatei sobre os dois sistemas de órgãos eu poderia completar considerando os outros. A vida sexual da criança esgota-se justamente na prática de uma série de pulsões parciais que, independentes umas das outras, procuram obter prazer, em parte no próprio corpo, em parte já no objeto exterior. Entre esses órgãos, os genitais logo se distinguem; há pessoas para as quais o ganho de prazer do próprio genital – sem a ajuda de outro genital ou objeto – se prolonga, sem interrupção, desde o onanismo do lactante até o onanismo por necessidade da puberdade,[7] e depois persiste durante um tempo indefinidamente longo. A propósito, não conseguiríamos encerrar o tema do onanismo tão rapidamente; é um assunto para ser considerado por muitos ângulos.[8]

Apesar de minha propensão a abreviar ainda mais o tema, preciso ainda lhes dizer algumas coisas a respeito da *investigação sexual* das crianças. Ela é muito característica da sexualidade infantil e muito importante para a sintomatologia das neuroses. A investigação sexual infantil começa muito cedo, às vezes antes do terceiro ano de vida. Ela não está ligada à diferença entre os sexos, que não significa nada para as crianças, pois elas – pelo menos os meninos – atribuem a ambos os sexos o mesmo genital masculino. Se os meninos fazem depois a descoberta da vagina em uma irmã mais nova ou em uma coleguinha, então eles tentam primeiro negar [*verleugnen*] o testemunho de seus sentidos, pois não conseguem imaginar uma pessoa semelhante a eles sem essa parte que tanto apreciam. Mais tarde, assustam-se com a possibilidade aberta a eles e passam a ter efeito posteriormente as possíveis ameaças anteriores por se ocuparem com muita intensidade com seus pequenos membros. Caem sob o domínio do complexo de castração, cuja configuração tem grande influência na formação do caráter, caso permaneça sadio, na neurose, se adoecerem, e em suas resistências, se empreenderem um tratamento analítico. Sobre as menininhas, sabemos que, por causa da falta de um grande pênis visível, consideram-se gravemente prejudicadas, que invejam os meninos por essa posse e que, basicamente por esse motivo, desenvolvem o desejo de ser um homem, desejo que vai ser novamente retomado mais tarde na neurose, que irrompe por causa do fracasso no seu papel feminino. Além disso, o clitóris da menina na infância desempenha inteiramente o papel do pênis; ele é o portador de uma excitabilidade particular, o lugar em que se obtém a satisfação autoerótica. Para o tornar-se mulher da menininha importa muito que o clitóris ceda essa sensibilidade, a tempo e completamente, ao orifício vaginal. Nos casos da assim chamada anestesia sexual das mulheres, o clitóris reteve obstinadamente essa sensibilidade.

O interesse sexual das crianças volta-se, muito mais, primeiro para o problema de saber de onde vêm as crianças, o mesmo que fundamenta o questionamento da Esfinge de Tebas e é despertado, na maioria das vezes, por temores egoístas pela chegada de uma nova criança. A resposta, que o ambiente familiar já tem, de que a cegonha traz as crianças esbarra – muito mais frequentemente do que sabemos – na descrença até mesmo de crianças pequenas. A sensação de estar sendo enganado pela verdade dos adultos contribui muito para a solidão da criança e para o desenvolvimento de sua independência. Entretanto, a criança não é capaz de resolver o problema por meios próprios. À sua capacidade de compreensão foram estabelecidas determinadas barreiras por sua constituição sexual não desenvolvida. Primeiro, elas supõem que as crianças nascem quando se ingeriu algo especial no alimento, e também não sabem que apenas as mulheres podem ter bebês. Depois, percebem essa limitação e desistem de ver a criança como derivada da comida, o que se conserva nos contos de fadas. A criança mais crescida logo percebe que o pai tem de desempenhar algum tipo de papel no nascimento das crianças, mas não consegue adivinhar qual. Se acaso é testemunha de um ato sexual, ela vê nele uma tentativa de dominação, uma briga, o mal-entendido do coito como sendo de ordem sádica. Mas elas não conectam esse ato, a princípio, com o nascimento das crianças. Mesmo quando descobrem manchas de sangue na cama e na roupa da mãe, elas tomam isso como prova de um ferimento infligido pelo pai. Em anos ainda posteriores da infância, sem dúvida, percebem que o órgão sexual masculino tem um papel essencial no nascimento das crianças, mas não conseguem atribuir a essa parte do corpo outra função a não ser a de urinar.

Desde o início, as crianças estão de acordo sobre o nascimento dos bebês ocorrer pelo intestino, portanto, a criança viria ao mundo como uma porção de excremento. Só após a desvalorização de todos os interesses anais essa teoria será abandonada e substituída pela suposição de que é o umbigo que se abre e de que a região do peito entre as mamas é o lugar do nascimento. É assim que a criança que investiga se aproxima do conhecimento dos fatos sexuais, ou passa por eles enganada por sua ignorância, até que, quase sempre nos anos anteriores à puberdade, recebe um esclarecimento normalmente depreciativo e incompleto que, não raramente, produz efeitos traumáticos.[9]

Certamente os senhores terão ouvido falar que o conceito de sexual na psicanálise sofre uma ampliação abusiva, com o propósito de sustentar as teses sobre a causação sexual das neuroses e sobre a significação sexual dos sintomas. Agora os senhores podem julgar por si próprios se essa ampliação é injustificada. Nós ampliamos o conceito de sexualidade apenas o bastante para que ele também possa abranger a vida sexual dos perversos e a das crianças. Ou seja, nós lhe devolvemos sua dimensão correta. O que se nomeia de sexualidade fora da psicanálise diz respeito apenas a uma vida sexual restrita, a serviço da reprodução e chamada de normal.

Das menschliche Sexualleben (1916) *[Vorlesung XX]*

1917 Primeira publicação: *Allgemeine Neurosenlehre*. Leipzig; Viena: Heller, terceira parte.

1924 *Gesammelte Schriften*, t. VII

1943 *Gesammelte Werke*, t. XI, p. 313-330

As *Conferências de introdução à psicanálise* foram apresentadas na Universidade de Viena durante a Primeira Guerra Mundial, sucessivamente nos invernos de 1915-1916 e 1916-1917. Freud, que havia obtido em 1902 o título de "professor-extraordinário", apresentava suas conferências aos sábados, para um público misto, composto de universitários e leigos, homens e mulheres. Assistiram a essas conferências nomes como Anna Freud, Helene Deutsch e Max Schur. A publicação das *Conferências* foi um dos maiores sucessos editoriais de Freud, vendendo mais de 50 mil exemplares, somente enquanto o autor ainda era vivo.

Geralmente, Freud não costumava ler suas palestras, o que certamente dava ao auditório a sensação de improviso, forjando uma atmosfera quase íntima. Esse conjunto de 28 conferências constitui o adeus de Freud de suas funções junto à universidade. De certa forma, elas prosseguem o objetivo almejado com os artigos de metapsicologia escritos no início da guerra, porém numa tonalidade mais didática.

Para o presente volume, por sua pertinência temática, separamos duas conferências, as de número XX e XXI, que fazem parte do segundo bloco. Elas foram esboçadas durante o verão de 1916, em Salzburgo.

Não há dúvidas, como aliás nota Strachey, de que a maior parte do material desta conferência e da seguinte foi extraída a partir das sucessivas reedições e revisões dos *Três ensaios sobre a teoria sexual*.

▲▲▲

A presente conferência é um dos melhores exemplos da estratégia retórica de Freud, que consiste muito frequentemente em cativar o leitor partindo de suas próprias convicções prévias e, aos poucos, ir desmontando seu sistema de crenças e invertendo suas opiniões acerca do assunto em questão. No caso em pauta, as primeiras páginas do texto parecem subscrever a separação nítida e marcante entre a sexualidade normal e a sexualidade perversa. O orador confessa aqui e ali sua própria ignorância, a incompletude de suas conclusões, etc. Quando o leitor finalmente se sente acolhido,

Freud passa a desativar, uma a uma, suas concepções prévias. Tal estratégia ou conjunto de estratégias visa, claramente, convencer não apenas por meio de argumentos sólidos e de fatos incontestes, mas também por meio de artifícios que atuam na sensibilidade e nas inclinações do leitor, fazendo-o reconhecer sua incongruência. Quando submete ao exame as crenças tácitas do leitor, convidando-o a participar da tessitura da argumentação, antecipando suas objeções e perguntas, estabelecendo um contato íntimo e amistoso, aos poucos Freud vai abrindo caminhos para suas próprias perspectivas. Ao lado disso, nesta e na próxima conferência, mobiliza exemplos literários e/ou mitológicos que mostram como a psicanálise apenas esclareceu algo já sabido desde há muito, embora encoberto por camadas de recalcamento e esquecimento. Assim, a "sexualidade normal" será convertida na "assim chamada sexualidade normal", e a linha que separa a sexualidade normal da sexualidade perversa será tornada cada vez mais tênue, até o ponto em que esta será reconhecida como "latente" naquela. Na metade do texto, o leitor é obrigado a reconhecer a infância como o paradigma da perversão, e a reconhecer em si mesmo a veracidade do exposto. Mais para o final de sua conferência, o valor da palavra "perverso" já é inteiramente subvertido: trata-se agora simplesmente de um "rótulo", um "nome desonrado" que aqueles que negam a sexualidade infantil e suas vicissitudes atribuem àquilo que lhes parece estranho. Não se trata apenas de introduzir a psicanálise ao leitor, mas também de introduzir no leitor a psicanálise.

Além de mostrar o estilo de Freud para a transmissão de sua teoria, a presente conferência, ao ampliar a noção leiga de sexualidade, ressalta dois aspectos importantes para a clínica psicanalítica: a insistência no fato de não haver inscrição da diferença sexual no inconsciente e a presença do autoerotismo na formação dos sintomas. Apresentada há um século, é impressionante a atualidade da perspectiva freudiana.

***

Para uma discussão das relações entre neurose e perversão, vale a pena retomar as indicações de Lacan em seu seminário *A relação de objeto*, principalmente as lições de 16 e 23 de janeiro de 1957.

SILBERER, H. *Hidden symbolism of alchemy and the occult arts (Formerly titled: Problems of mysticism and its symbolism)*. New York: Dover, 1971 • LACAN, J. *Le séminaire, livre IV, La relation d'objet*. Paris: Le Seuil, 1994.

NOTAS

1 Herbert Silberer (1882-1923) foi um psicanalista vienense, autor de *Problemas do misticismo e seu simbolismo* [*Probleme der Mystik und ihrer Symbolik*]. A "feliz expressão" a que Freud se refere é o conceito de "erro de sobreposição" [*Überdeckungsfehler*]. Ao estudar o problema do símbolo, Silberer critica os psicanalistas que pretendem estudar o desenvolvimento espiritual olhando somente para trás, o que revelaria apenas metade dos impulsos psíquicos, desconsiderando seu curso ulterior – o que exigiria acrescentar uma perspectiva sintética à analítica. Silberer propõe tomarmos "imagens" como "tipos com um certo grau de introdeterminação, tipos de algumas forças fundamentais da alma". Um símbolo, portanto, deve ser interpretado numa "dupla perspectiva", olhando para o passado e para o futuro. Silberer fornece um exemplo extraído de Jung: devido ao caráter progressivo da libido, o incesto é um efeito da regressão da libido, projetada a partir da sexualidade constituída do adulto em direção à infância. O mesmo valeria para o desejo de "assassinar" o pai no complexo de Édipo: como a criança não dispõe de uma ideia clara de "morte", falar de desejo de "assassinar" o pai só pode ser um erro de sobreposição. Silberer suicidou-se em 12 de janeiro de 1923, por enforcamento. (N.E.)

2 *A tentação de Santo Antônio* é o nome de numerosas obras de arte que tratam do tema das tentações de Antônio, o Grande, às vezes referido Santo Antão ou Antão do deserto, que viveu no Egito, entre os anos 251 e 356, muitas vezes confundido com Santo Antônio de Pádua, que viveu quase mil anos depois. Retirado no deserto do Egito, Antão é submetido a infindáveis tentações do diabo, representadas como visões de volúpias terrenas. Da Idade Média à Era Moderna, o tema inspirou pinturas importantes, de autores como Hieronymus Bosch, Veronese, Paul Cézanne, Max Ernst e Salvador Dalí, entre outros, além de inspirar a obra escultórica de Auguste Rodin e o poema em prosa de Gustave Flaubert, *La tentation de Saint Antoine*, de 1874. Freud alude provavelmente a Pieter Bruegel, o Velho (1525-1569), um dos mestres da escola flamenga de pintura. (N.E.)

3 "Objeto" e "meta" são dois dos quatro componentes do conceito de pulsão. Os outros dois são a "fonte" e a "pressão". Cf. *As pulsões e seus destinos* (na edição bilíngue da presente coleção, às p. 25-27). (N.E.)

4 Conforme apresentado por Freud no primeiro de seus *Três ensaios sobre a teoria sexual* (seção 6). (N.E.)

5 O pediatra húngaro Dr. Lindner descreveu, em 1879, características de 69 crianças que chupavam seus dedos ou outros objetos como atividade distinta das necessidades fisiológicas de alimentação, notando

ainda que se trata de conduta normal de crianças, ausente em crianças muito doentes. (N.E.)

[6] Lou Andreas-Salomé (1861-1937) – intelectual de expressão alemã nascida na Rússia. Pertenceu ao círculo de amizades de Freud, bem como de Nietzsche, Rilke, entre outros grandes nomes. Ocupou-se com filosofia, literatura e psicanálise. (N.R.)

[7] No original, *Notonanie*: palavra composta por *not* (necessidade) e *onanie* (onanismo, masturbação). (N.E.)

[8] Com efeito, a questão da masturbação foi discutida algumas vezes na Sociedade Psicanalítica de Viena. Destaque para as reuniões de 25 de maio, 1° e 8 de junho de 1910, que culminaram na publicação de um livro sobre o assunto, para o qual Freud contribuiu com notas introdutórias e finais (*Die Onanie: 14 Beitrage zu einer Diskussion der Wiener Psychoanalytischen Vereinigung* . Wiesbaden: Bergmann, 1912). Foucault, em sua *História da sexualidade*, chega a falar de uma "guerra contra o onanismo", que teria durado dois séculos. (N.E.)

[9] Sobre o esclarecimento sexual das crianças, ver neste volume, p. 81-90. (N.E.)

DESENVOLVIMENTO DA LIBIDO E AS ORGANIZAÇÕES SEXUAIS (1916)

(CONFERÊNCIAS DE INTRODUÇÃO À PSICANÁLISE – CONFERÊNCIA XXI)

Meus senhores! Estou com a impressão de que não fui muito bem-sucedido em familiarizá-los, de maneira convincente, com a importância das perversões para a nossa concepção da sexualidade. Por isso, gostaria de melhorar e complementar o que disse, até onde me for possível.

Não é que as perversões, por si só, tenham-nos obrigado a alterar o conceito de sexualidade, o que nos trouxe uma objeção tão violenta. O estudo da sexualidade infantil contribuiu ainda mais para isso, e a convergência de ambos tornou-se decisiva para nós. Mas as manifestações da sexualidade infantil, por mais inequívocas que possam ser nos últimos anos da infância, parecem, em seus inícios, volatizar-se no indeterminável. Quem não quiser considerar a história do desenvolvimento e o contexto analítico irá lhes contestar o caráter sexual e, em vez disso, atribuir-lhes um caráter indiferenciado qualquer. Não se esqueçam de que, por ora, não possuímos nenhuma marca distintiva geral que reconhecidamente caracterize a natureza sexual de um processo, a não ser, novamente, a pertença à função reprodutiva, que devemos recusar como muito limitada. Os critérios biológicos, como as periodicidades de 23 e de 28 dias estabelecidas por Wilhelm Fließ, são ainda inteiramente questionáveis; as características químicas dos processos sexuais, que podemos supor, continuam aguardando sua descoberta. Por outro lado, as perversões sexuais dos adultos constituem algo palpável e inequívoco. Como já o prova a nomeação que receberam de modo geral, elas são da ordem da sexualidade, sem sombra de dúvida. Sejam elas chamadas de sinais de degeneração ou de qualquer outra coisa, ninguém ainda teve coragem de colocá-las em outro lugar que não seja junto dos fenômenos da vida sexual. Apenas por causa delas podemos chegar à afirmação de que sexualidade e reprodução não coincidem, pois é evidente que todas elas ignoram [*verleugnen*] a meta da reprodução.

Vejo aí um paralelo que não deixa de ser interessante. Enquanto, para a maioria, "consciente" e "psíquico" são a mesma coisa, sentimo-nos obrigados a promover uma ampliação do conceito de "psíquico" e a reconhecer um âmbito psíquico que não é consciente. E é muito semelhante quando os outros tomam por idênticos "sexual" e "pertencente à reprodução" – ou, se preferem resumir ainda mais: "genital" – , enquanto nós não podemos deixar de postular um "sexual" que não é "genital", que não tem nada a ver com a reprodução. Trata-se apenas de uma semelhança formal, mas não sem um fundamento mais profundo.

No entanto, se a existência das perversões sexuais é um argumento tão premente nessa questão, por que já não produziu seu efeito há muito tempo e resolveu a questão? Realmente não sei dizer. Parece-me que se deve ao fato de estar reservada para essas perversões sexuais uma atenção bastante particular que se estende para a teoria e que também impede a sua apreciação científica. É como se ninguém conseguisse esquecer que elas não são apenas algo abominável, mas também algo monstruoso, perigoso; é como se fossem consideradas sedutoras e, no fundo, se tivesse de combater uma inveja secreta daqueles que as usufruem, tal como o confessa o punidor Landgrave[1] na famosa paródia de *Tannhäuser*:

> "No monte de Vênus ele esqueceu honra e dever!
> – Estranho, algo assim não acontece conosco." [2]

Na verdade, os perversos são antes pobres diabos, que precisam pagar extraordinariamente caro por sua satisfação tão difícil de conquistar.

O que torna a prática perversa tão inequivocamente sexual, apesar de toda a estranheza do objeto e das metas, é o fato de que o ato da satisfação perversa termina, na maioria das vezes, em um completo orgasmo e no esvaziamento dos produtos genitais. É claro que essa é apenas a consequência do amadurecimento das pessoas; na criança, orgasmo e excreção genital dificilmente são possíveis; são substituídos por indícios que, por sua vez, não são reconhecidos como seguramente sexuais.

Preciso ainda acrescentar algo para completar a consideração das perversões sexuais. Por mais desacreditadas que elas possam ser, por mais que se as contraponham nitidamente com a prática sexual normal, a reflexão tranquila mostrará que um ou outro traço perverso só raramente estará ausente da vida sexual dos normais. Até mesmo o beijo merece ser chamado de um ato perverso, pois ele consiste na união de duas zonas bucais erógenas em vez de dois genitais. Mas ninguém o condena como perverso; ao contrário, na apresentação teatral, ele é tolerado como alusão suavizada do ato sexual. Justamente o beijar pode facilmente terminar em completa perversão, a saber, quando se torna tão intenso que a descarga genital e o orgasmo a ele se seguem diretamente, o que não é tão raro. Além disso, pode-se verificar que, para uma pessoa, tocar e olhar o objeto são condições imprescindíveis do gozo sexual [*Sexualgenusses*]; outra, no auge da excitação sexual, belisca ou morde; que a maior excitação dos amantes nem sempre é causada pelos genitais, mas por uma outra região do corpo do objeto, além de outras condições semelhantes, de acordo com a escolha preferencial. Não faz o menor sentido separar pessoas, com traços isolados desse tipo, da série dos normais e colocá-las junto aos perversos; ao contrário, reconhece-se cada vez mais claramente que o essencial das perversões não está na transgressão da meta sexual, nem na substituição dos genitais, nem sequer na contínua variação do objeto, mas unicamente na exclusividade com a qual esses desvios se efetuam, e por meio da qual o ato sexual que serve à reprodução é deixado de lado. Na medida em que as ações perversas são contribuições preparatórias ou intensificadoras na execução do ato sexual normal, elas, na verdade, não são mais perversões. Certamente o abismo entre a sexualidade normal e a perversa é muito diminuído por fatos dessa espécie. Surge como natural o fato de que a sexualidade normal nasce de algo que existia antes dela, quando ela desfaz-se de traços isolados desse material como inutilizáveis enquanto reúne outros, para subordiná-los a uma nova meta, a da reprodução.

Antes de utilizarmos a nossa familiaridade com as perversões para nos aprofundarmos no estudo da sexualidade infantil com premissas mais claras, preciso chamar a atenção dos senhores para uma importante diferença entre ambas. A sexualidade perversa é, normalmente, muito centralizada; toda a sua ação pressiona na direção de uma meta – quase sempre única; uma pulsão parcial tem a primazia: ou ela é a única observável ou submeteu as outras a seus propósitos. Nesse sentido, não há nenhuma outra diferença entre a sexualidade perversa e a normal, a não ser a de que são outras as pulsões parciais dominantes e, portanto, também as metas sexuais. Trata-se, num caso ou no outro, de uma tirania bem organizada, por assim dizer, só que em cada caso uma família diferente tomou o poder. Por outro lado, a sexualidade infantil, de modo geral, constitui-se sem essa centralização e organização; cada uma de suas pulsões parciais tem direitos iguais, e cada uma busca o ganho de prazer por conta própria. A falta, bem como a presença de centralização, combina bem com o fato de que ambas, a sexualidade perversa e a normal, originam-se do infantil. Aliás, também há casos de sexualidade perversa que apresentam uma semelhança muito maior com a infantil, nos quais numerosas pulsões parciais, independentes umas das outras, firmaram-se com suas metas, ou melhor: persistiram nelas. Nesses casos, é mais correto falar de infantilismo da vida sexual do que de perversão.

Assim preparados, podemos passar para o esclarecimento de uma sugestão de que certamente não irão nos poupar. Alguém nos perguntará: "Por que o senhor se obstina em já chamar de sexualidade essas manifestações da infância, ainda indetermináveis segundo sua própria evidência, e a partir das quais se desenvolve posteriormente o que é sexual? Não é melhor o senhor se contentar com a descrição fisiológica e dizer simplesmente que, no caso do lactante, o que se observa são atividades como o chuchar ou a retenção dos excrementos, que nos mostram que ele anseia pelo *prazer do órgão*? Com isso, o senhor teria evitado a formulação, ofensiva a qualquer sentimento, de uma vida sexual para a criança da mais tenra idade". – Sim, meus senhores, não tenho nada contra o prazer do órgão; sei que o maior prazer da união sexual não deixa de ser também prazer do órgão, ligado à atividade dos genitais. No entanto, os senhores podem me dizer quando é que esse prazer do órgão, originalmente indiferente, adquire o caráter sexual que, sem dúvida, possui nas fases posteriores do desenvolvimento? Sabemos mais sobre o "prazer do órgão" do que sobre a sexualidade? Os senhores responderão que o caráter sexual seria acrescentado justamente quando os genitais começam a desempenhar o seu papel, coincidindo assim o sexual com o genital. Os senhores recusarão até mesmo a objeção às perversões, ao me repreenderem, afirmando que na maioria das perversões, se trata, afinal, de alcançar o orgasmo genital, mesmo que seja por um caminho diferente do da união dos genitais. Os senhores realmente conseguirão uma posição melhor se riscarem da caracterização do sexual a relação com a reprodução, insustentável em consequência das perversões, e, em seu lugar, colocarem a atividade sexual. E, então, não estaremos mais tão distantes; ficarão, simplesmente, órgãos genitais contra os outros órgãos. No entanto, o que os senhores irão fazer agora com as inúmeras experiências que lhes mostram que os genitais, no ganho de prazer, podem ser representados por outros órgãos, tal como no beijo normal, como nas práticas perversas dos libertinos, como na sintomatologia da histeria? Nessa neurose, é muito comum que fenômenos de estimulação, sensações e inervações, e mesmo os processos de ereção, que são próprios dos genitais, sejam deslocados para outras regiões remotas do corpo (por exemplo, quando são deslocados para cima, para a cabeça e para o rosto). Dessa forma, convencidos de que não têm nada em que se aferrar que caracterize o que seria o seu sexual, os senhores, sem dúvida, terão de se decidir por seguir o meu exemplo e por estender a designação de "sexual" também às atividades do início da infância que buscam o prazer do órgão.

E agora, queiram aceitar mais duas ponderações, para que eu me justifique. Como os senhores sabem, chamamos de sexuais as dúbias e indeterminadas atividades prazerosas do início da infância, porque no decorrer da análise, partindo dos sintomas, chegamos a elas através de material indiscutivelmente sexual. Concordo que nem por isso precisariam ser propriamente sexuais. Mas considerem um caso análogo. Imaginem que não tenhamos nenhum meio de observar, a partir de suas sementes, o desenvolvimento de duas plantas dicotiledôneas, a macieira e o pé de feijão, mas que em ambos os casos nos seria possível rastrear seu desenvolvimento retrospectivamente, desde a unidade vegetal inteiramente formada até o primeiro gérmen com dois cotilédones. Parece que as duas folhinhas não têm diferença; são bastante parecidas nos dois casos. Devo então supor que por isso elas são realmente iguais e que a diferença específica entre a macieira e o pé de feijão só vai aparecer mais tarde na vegetação dessas plantas? Ou seria biologicamente mais correto pensar que essa diferença já está presente no gérmen, apesar de eu não poder notar uma distinção nos cotilédones? O mesmo fazemos, entretanto, quando chamamos de sexual o prazer nas atividades do lactante. Se todo e qualquer prazer do órgão pode ser chamado de sexual, ou se além do prazer sexual houver outro que não mereça esse nome, isso eu não posso discutir aqui. Sei muito pouco sobre o prazer do órgão e sobre as suas condições e não posso absolutamente me espantar, dado o caráter retrospectivo da análise, se no final de tudo eu me deparar com fatores ainda indetermináveis.

E mais uma ponderação! Os senhores pouco lograram com tudo o que quiseram afirmar sobre a pureza sexual da criança, mesmo que consigam me convencer de que seria melhor que as atividades do lactante não fossem consideradas sexuais. Pois, já a partir do terceiro ano de vida, todas essas dúvidas são subtraídas da vida sexual da criança; por volta dessa época os genitais já começam a se excitar e talvez sobrevenha regularmente um período de masturbação infantil, portanto de satisfação genital. As manifestações anímicas e sociais da vida sexual não precisam mais estar ausentes; a escolha de objeto, a preferência carinhosa por algumas pessoas e mesmo a decisão por um dos dois sexos ou o ciúme foram comprovados por observações imparciais independentes e anteriores à época da psicanálise e podem ser confirmados por qualquer observador que queira vê-los. Os senhores objetarão que não duvidaram do despertar precoce da afeição, mas apenas de que essa afeição porte o caráter do "sexual". As crianças já aprenderam a ocultá-la entre 3 e 8 anos, mas se os senhores ficarem atentos, sempre poderão reunir provas suficientes das intenções "sensuais" dessa afeição, e o que depois disso ainda faltar aos senhores poderá ser facilmente fornecido em abundância pelas investigações psicanalíticas. As metas sexuais dessa época da vida estão em íntima conexão com as simultâneas investigações sexuais, das quais lhes apresentei alguns exemplos. O caráter perverso de algumas dessas metas depende naturalmente da imaturidade na constituição da criança, que ainda não descobriu a meta do ato da cópula.

Mais ou menos a partir do sexto até o oitavo ano de vida observa-se uma parada e um retrocesso no desenvolvimento sexual que, nos casos culturalmente mais favoráveis, recebe o nome de período de latência. O período de latência também pode faltar;[3] ele não precisa trazer consigo nenhuma interrupção da atividade sexual e dos interesses sexuais na série inteira. A maioria das vivências e moções anímicas anteriores ao início do período de latência cai, então, sob a amnésia infantil, sob o esquecimento já mencionado, que oculta a nossa primeira infância e a torna alheia a nós mesmos. Em toda e qualquer psicanálise, coloca-se a tarefa de reconduzir o período de vida esquecido à memória; não podemos evitar a suspeita de que os inícios da vida sexual contidos nela forneceram o motivo para esse esquecimento, portanto, que esse esquecimento seria um resultado do recalcamento.

A vida sexual da criança mostra, a partir do terceiro ano de vida, muita congruência com a do adulto; ela se distingue desta última, como já sabemos, pela falta de uma firme organização sob o primado dos genitais, pelos inevitáveis traços de perversão e naturalmente também pela intensidade muito menor dos anseios em seu conjunto. Mas as fases do desenvolvimento sexual – ou, como gostamos de dizer, do desenvolvimento da libido – interessantes para a teoria são as que precedem esse período temporal. Esse desenvolvimento passa tão rápido que a observação direta provavelmente nunca iria conseguir apreender suas imagens fugazes. Só com a ajuda da investigação psicanalítica das neuroses foi possível descobrir fases ainda anteriores do desenvolvimento da libido. Certamente estas não são nada além de construções [*Konstruktionen*], mas se os senhores exercerem a psicanálise na prática, descobrirão que se trata de construções necessárias e úteis. Os senhores logo entenderão como ocorre de a patologia poder nos revelar aqui conexões que inevitavelmente deixamos de perceber no objeto normal.

Agora podemos indicar como a vida sexual da criança toma forma antes que se instaure o primado dos genitais, que se prepara na primeira época infantil, antes do período de latência, e que permanentemente se organiza a partir da puberdade. Nessa pré-história existe uma espécie de organização mais frouxa, que resolvemos chamar de *pré-genital*. Mas no primeiro plano dessa fase não se encontram as pulsões parciais genitais, e sim as *sádicas* e as *anais*. A oposição entre *masculino* e *feminino* ainda não tem aqui nenhum papel; seu lugar é assumido pela oposição entre *ativo* e *passivo*, que se pode caracterizar como o precursor da polaridade sexual, com a qual ele também se funde mais tarde. O que nos parece masculino nas atividades dessa fase, se a considerarmos a partir da fase genital, vem a ser expressão de uma pulsão de apoderamento [*Bemächtigungstrieb*], que facilmente estende-se até a crueldade. Anseios de meta passiva ligam-se à zona erógena da saída do intestino, muito importante nesse período. As pulsões de olhar e de saber movem-se intensamente; o genital participa da vida sexual, na verdade, apenas em seu papel como órgão excretor da urina. Não faltam objetos às pulsões parciais dessa fase, mas esses objetos não coincidem necessariamente com um só objeto. A organização sádico-anal é a etapa mais próxima para a fase do primado genital.[4] Um estudo detalhado mostra o quanto dela é conservado na posterior conformação definitiva, e por quais caminhos são compelidas as suas pulsões parciais para serem admitidas na nova organização genital. Por detrás da fase sádico-anal do desenvolvimento da libido ganhamos ainda a visão de uma etapa de organização mais precoce, ainda mais primitiva, na qual a zona erógena da boca desempenha o papel principal. Os senhores podem intuir que a atividade sexual do chuchar pertence a ela, e podem admirar a sagacidade dos egípcios, cuja arte caracterizava a criança, bem como o deus Hórus, com o dedo na boca. Bem recentemente Abraham forneceu informações sobre quais vestígios essa fase oral primitiva deixa na vida sexual posterior.

Meus senhores! Posso supor que as últimas informações sobre as organizações sexuais lhes trouxeram mais sobrecarga do que ensinamento. Talvez eu tenha novamente entrado em muitos detalhes. Mas tenham paciência; o que os senhores ouviram se lhes tornará valioso para futura aplicação. Por agora, retenham a impressão de que a vida sexual – como dizemos: a função da libido – não surge como algo pronto, nem mesmo continua a se desenvolver dentro de sua própria semelhança, mas passa por uma sobreposição de fases sucessivas, que não se assemelham umas às outras; de que é, portanto, um desenvolvimento repetido várias vezes, como o da lagarta à borboleta. O ponto de viragem do desenvolvimento é a subordinação de todas as pulsões sexuais parciais ao primado dos genitais e, com isso, a sujeição da sexualidade à função de reprodução. Antes disso há, por assim dizer, uma vida sexual confusa, a atividade independente das pulsões parciais individualmente buscando o prazer do órgão. Essa anarquia, mitigada pelo surgimento de organizações "pré-genitais": primeiro a fase sádico-anal, e antes dela a oral, talvez a mais primitiva. A isso se somam os diversos e ainda não exatamente conhecidos processos que levam de uma etapa de organização à próxima e subsequente. Em uma próxima vez saberemos a importância que tem, para a compreensão das neuroses, o fato de a libido passar por um percurso de desenvolvimento tão longo e conturbado.

Hoje perseguiremos outro aspecto desse desenvolvimento, a saber, a relação das pulsões sexuais parciais com o objeto. Ou melhor, partiremos de um rápido apanhado sobre esse desenvolvimento, para nos determos mais longamente em um de seus resultados muito tardios. Pois bem, alguns dos componentes da pulsão sexual possuem, de início, um objeto e o retêm, tal como o fazem a pulsão de apoderamento (sadismo), as pulsões de olhar e de saber. Outras, mais claramente enlaçadas a determinadas zonas do corpo, possuem-no apenas no início, enquanto se apoiam nas funções não sexuais, e o abandonam quando delas se separam. Assim, o primeiro objeto do componente oral da pulsão sexual é o seio materno, que apazigua a necessidade de alimento do lactante. No ato do chuchar, o componente erótico que se satisfaz junto com o mamar torna-se independente, abandona o objeto estranho e o substitui por um lugar no próprio corpo. A pulsão oral se torna *autoerótica*, tal como o são, de início, as pulsões anais e as outras pulsões erógenas. A continuação do desenvolvimento tem, para expressá-lo da maneira mais sucinta, duas metas: primeiro, abandonar o autoerotismo, trocar novamente o objeto no próprio corpo por um objeto estranho, e segundo: unificar os diversos objetos de cada pulsão e substituí-los por um único objeto. Naturalmente isso só pode dar certo se esse dito objeto for novamente um corpo inteiro, semelhante ao próprio corpo. Aliás, ele não pode se completar sem que um número de moções pulsionais seja relegado como inútil.

Os processos da procura do objeto são bastante complexos e até agora não foram expostos de maneira nítida. Destaquemos, para os nossos propósitos, que se o processo, nos anos da infância anteriores ao período de latência, alcançou algum desfecho, o objeto encontrado vem a ser quase idêntico ao primeiro objeto da pulsão prazerosa oral, obtido por apoio [*Anlehnung*]. Se ele não é o seio materno, certamente é a mãe. Chamamos a mãe de primeiro objeto *amoroso*. De fato, falamos de amor quando passamos para o primeiro plano o lado anímico dos anseios sexuais e quando fazemos recuar as subjacentes exigências pulsionais corporais ou "sensuais", ou quando queremos esquecê-las por um momento. Por volta da época em que a mãe se torna objeto amoroso, também já se iniciou na criança o trabalho psíquico do recalcamento, que subtrai de seu saber o conhecimento de uma parte de suas metas sexuais. A essa escolha da mãe como objeto amoroso vincula-se agora tudo o que adquiriu tão grande importância no esclarecimento psicanalítico das neuroses, sob o nome de "complexo de Édipo", e talvez não tenha pouca participação na resistência contra a psicanálise.

Ouçam este curto episódio que aconteceu no decorrer desta guerra[5]: um dos valorosos jovens praticantes da psicanálise encontra-se como médico no *front* alemão, em algum lugar da Polônia, e desperta a atenção dos colegas pelo fato de ocasionalmente exercer inesperada influência sobre um paciente. Ao ser perguntado, confessa que trabalha com os meios da psicanálise e declara-se disposto a comunicar seu saber aos colegas. Assim, todas as noites reúnem-se então os médicos da tropa, colegas e superiores, para ouvir com atenção as doutrinas secretas da análise. Tudo corre bem por algum tempo, mas depois que ele falou aos ouvintes sobre o complexo de Édipo, levantou-se um dos superiores e declarou que não acreditava nisso, que considerava uma baixeza do conferencista trazer esse tipo de coisas a eles, homens valentes que lutavam por sua pátria e pais de família, e proibiu a continuação das palestras. Com isso encerrou-se o caso. O analista foi transferido para outra parte do *front*. No entanto, acredito que as coisas não vão nada bem se a vitória alemã requer uma tal "organização" da ciência, e se a ciência alemã suportará bem essa organização.

Agora os senhores devem estar curiosos para saber o que contém esse terrível complexo de Édipo. O nome já o diz. Certamente todos conhecem a lenda grega do rei Édipo, que foi determinado pelo destino a matar seu pai e a tomar sua mãe por esposa, que fez tudo para escapar da sentença do oráculo, e que depois se pune, cegando-se, após descobrir que cometeu esses dois crimes sem sabê-lo. Espero que muitos dos senhores tenham vivenciado em si mesmos o efeito avassalador da tragédia na qual Sófocles trata desse assunto. A obra do dramaturgo ateniense representa o modo como o ato de Édipo, acontecido há tanto tempo, é desvelado lentamente por uma estimulante investigação criativamente postergada através de sempre novos indícios; nesse aspecto, ela tem certa semelhança com o andamento de uma psicanálise. No decorrer do diálogo, ocorre que a enceguecida mãe-esposa Jocasta opõe-se ao prosseguimento da investigação. Ela apela para o fato de que muitos homens em sonho dormiram com a mãe, mas que sonhos não devem ser dignos de atenção. Nós não menosprezamos os sonhos, ao menos os sonhos típicos que acontecem a muitas pessoas, e não duvidamos de que o sonho mencionado por Jocasta relaciona-se intimamente com o conteúdo estranho e terrível da lenda.

É admirável que a tragédia de Sófocles não provoque no espectador uma recusa muito mais indignada, uma reação semelhante e muito mais justificada como a de nosso simples médico militar. Pois ela é, no fundo, uma peça imoral, ela aniquila a responsabilidade moral do ser humano, mostra as forças divinas como promotoras do crime e a impotência das moções éticas do ser humano que se revoltam contra o crime. Seria fácil acreditar que o conteúdo da lenda teria a intenção de acusar os deuses e o destino, e nas mãos de Eurípides, o crítico e inconformado com os deuses, ela provavelmente teria se tornado uma acusação desse tipo. Mas com o devoto Sófocles não há lugar para uma intervenção como essa; um sofisma piedoso supera a dificuldade: a suprema moral consiste em curvar-se à vontade dos deuses, mesmo que ela ordene algo criminoso. Não consigo achar que essa moral faça parte da potência da peça, aliás ela é indiferente para o efeito desta. O espectador não reage a ela, mas ao sentido secreto e ao conteúdo da lenda. Ele reage como se tivesse reconhecido o Édipo em si, através de autoanálise, e desmascarasse a vontade divina e o oráculo como disfarces enaltecidos de seu próprio inconsciente. É como se ele se lembrasse do desejo de eliminar o pai e de, ocupando seu lugar, tomar a mãe como esposa, e tivesse de se horrorizar com isso. Ele também entende a voz do poeta, como se ela quisesse dizer-lhe: "Você se defende em vão da sua responsabilidade e expõe o que você fez contra essas intenções criminosas. Você certamente é culpado, pois não conseguiu destruí-las; elas ainda persistem inconscientemente em você". Está contida aí uma verdade psicológica. Mesmo que o ser humano tenha recalcado no inconsciente suas moções malignas e depois queira dizer a si mesmo não ser responsável por elas, ele vai ser obrigado a sofrer essa responsabilidade como um sentimento de culpa, cujo fundamento ele desconhece.

Não há a menor dúvida de que se pode considerar o complexo de Édipo uma das fontes mais importantes da consciência de culpa, da qual sofrem os neuróticos com frequência. E mais do que isso: em um estudo sobre os inícios da religião e da moralidade humanas, que publiquei em 1913 com o título de *Totem e tabu*, aproximei-me da suposição de que talvez a humanidade como um todo, no início de sua história, tenha adquirido no complexo de Édipo seu sentimento de culpa, a última fonte da religião e da ética. Eu gostaria muito de lhes falar mais a esse respeito, mas prefiro me abster. É difícil interromper esse tema depois de ter começado a falar dele, mas precisamos retornar à psicologia individual.

O que se pode reconhecer do complexo de Édipo na observação direta de crianças na época da escolha de objeto, anterior ao período de latência? Bem, é fácil perceber que o homenzinho quer ter a mãe só para ele, que sente a presença do pai como incômoda, que fica indignado quando este se permite fazer carinhos na mãe, que expressa sua satisfação quando o pai viaja ou está ausente. Muitas vezes expressa seus sentimentos diretamente com palavras, promete à mãe que vai se casar com ela. Pode-se pensar que isso é pouco, em comparação com os atos de Édipo, mas realmente é o suficiente, é o mesmo em sua forma embrionária. A observação é frequentemente obscurecida pela circunstância de que a mesma criança, simultaneamente em outras situações, dá mostras de uma grande ternura pelo pai; só que essas posturas afetivas contraditórias – melhor dizendo: *ambivalentes* –, que no caso do adulto levariam ao conflito, convivem muito bem na criança durante muito tempo, como também, mais tarde, encontram um lugar permanente no inconsciente, uma ao lado da outra. É possível que também se responda que a conduta do menininho se origina de motivos egoístas e não oferece nenhuma justificativa para a formação de um complexo erótico. A mãe se ocupa de todas as necessidades da criança, e por isso a criança tem interesse em que ela não cuide de nenhuma outra pessoa. Isso também está correto, mas logo ficará claro que tanto nessa como em outras situações o interesse egoísta só oferece o apoio ao qual se vincular o anseio erótico. Se o menino mostra a mais franca curiosidade sexual por sua mãe, se exige dormir com ela de noite, se pressiona para estar presente quando ela faz sua toalete, ou mesmo se tenta seduzi-la, como a mãe tantas vezes o comprova e o relata sorrindo, então a natureza erótica da ligação com a mãe está, indubitavelmente, comprovada. Também não se pode esquecer que a mãe dedica o mesmo cuidado à sua filhinha, sem produzir o mesmo efeito, e que o pai, com muita frequência, compete com ela em seus cuidados com o menino, sem conseguir ganhar a mesma importância que a mãe. Em suma: o fator da preferência sexual não pode ser eliminado da situação por nenhuma crítica. Do ponto de vista do interesse egoístico, seria uma tolice o homenzinho não preferir tolerar duas pessoas a seu serviço em vez de só uma delas.

Como os senhores percebem, só descrevi a relação do menino com o pai e a mãe. Para a menininha, ela se configura, com as necessárias modificações, de maneira bem parecida. A ligação carinhosa com o pai, a necessidade de eliminar a mãe como supérflua e assumir seu lugar, um coquetismo já elaborado com os meios da posterior feminilidade, oferecem, justamente na menininha, um quadro gracioso, que nos faz esquecer a seriedade e as possíveis consequências graves que se escondem por trás dessa situação infantil. Não deixemos de acrescentar que muitas vezes os próprios pais exercem uma influência decisiva no despertar da posição da criança no Édipo, ao seguirem, eles mesmos, suas preferências sexuais e, no caso de mais crianças e da forma mais nítida possível, eles oferecem seu carinho de acordo com sua preferência: o pai à filhinha e a mãe ao filho. Mas a natureza espontânea do complexo de Édipo infantil nem sequer pode ser abalada seriamente por esse fator. O complexo de Édipo se estende a um complexo familiar quando outras crianças surgem no contexto. Agora, com um novo apoio no prejuízo egoísta, ele serve de base para que esses irmãos e irmãs sejam recebidos com antipatia e, em desejo, eliminados sem misericórdia. Em geral, esses sentimentos de ódio ganham maior expressão verbal nas crianças do que aqueles provenientes do complexo parental. Caso um desejo como esse se realize e a morte leve em curto prazo o irmão indesejado, podemos descobrir numa análise posterior o quanto a vivência desse caso de morte foi importante para a criança, embora ele não precise ter ficado gravado em sua memória. A criança que foi empurrada para o segundo plano pelo nascimento de um irmãozinho e quase isolada pela mãe nos primeiros tempos dificilmente a perdoa por ter sido deixada de lado; sentimentos, que no adulto seriam descritos como profunda amargura, instalam-se na criança e quase sempre se tornam a base de um estranhamento duradouro. Já mencionamos que geralmente a investigação sexual, com todas as suas consequências, liga-se a essa experiência de vida da criança. Com o crescimento desses irmãos, a postura em relação a eles sofre as mais importantes transformações. O menino pode tomar como objeto amoroso a irmã, como substituta da mãe infiel; entre vários irmãos que disputam uma irmã mais nova, já ocorrem durante a criação as mais significativas situações de rivalidade hostil para a vida futura. Uma menininha encontra no irmão mais velho um substituto para o pai, que não mais cuida dela com o carinho dos anos anteriores, ou ela toma uma irmã mais nova como substituta da criança que ela em vão desejou obter do pai.

Isso, e muito mais da mesma natureza, vai-lhes ser mostrado pela observação direta das crianças e pela consideração de suas recordações da infância conservadas com clareza e não influenciadas pela análise. Os senhores concluirão, entre outras coisas, que a posição de uma criança na série dos filhos é um fator de extrema importância para a configuração de sua vida futura, fator que deve encontrar consideração em toda e qualquer descrição de vida. Porém, o que é mais importante em vista desses esclarecimentos que podem ser obtidos sem dificuldade é que os senhores não poderão se lembrar sem rir das declarações da ciência para explicar a proibição do incesto. O que ela já não inventou! A inclinação sexual foi desviada de membros do sexo oposto da mesma família em virtude da convivência desde a infância, ou uma tendência biológica de evitar a consanguinidade encontra seu representante psíquico no horror inato ao incesto! Nisso fica inteiramente esquecido que não haveria necessidade de uma proibição tão inexorável através da lei e da ética, se houvesse barreiras naturais seguras contra a tentação do incesto. É no oposto que está a verdade. A primeira escolha de objeto do ser humano é regularmente incestuosa; no caso do homem, é dirigida à mãe e à irmã, e é preciso que haja as mais severas proibições para manter essa persistente tendência infantil afastada da realidade. Para os primitivos que ainda vivem atualmente, os povos selvagens, as proibições do incesto são ainda mais rigorosas do que para nós, e recentemente Theodor Reik,[6] em um brilhante trabalho, mostrou que os ritos de puberdade dos selvagens, que encenam um renascimento, têm o sentido de suspender a ligação incestuosa do menino com sua mãe e estabelecer a reconciliação da mãe com o pai.

A mitologia ensina aos senhores que o incesto, supostamente tão rechaçado pelos seres humanos, é inequivocamente permitido aos deuses, e na história antiga os senhores podem constatar que o casamento incestuoso com a irmã era um preceito sagrado para a pessoa do soberano (entre os antigos faraós e os incas do Peru). Trata-se, portanto, de um privilégio negado ao homem comum.

O incesto com a mãe é um dos crimes de Édipo, o assassinato do pai, o outro. Mencionemos, de passagem, que eles são também os dois grandes crimes proibidos pelo totemismo, a primeira instituição sociorreligiosa dos homens. Voltemo-nos agora da observação direta da criança para a investigação analítica do adulto que se tornou neurótico. Em que a análise contribui para um melhor conhecimento do complexo de Édipo? Isso pode ser dito resumidamente. Ela o confirma, tal como a lenda o relata; ela mostra que cada um desses neuróticos foi propriamente um Édipo, ou, o que vem a ser o mesmo, em reação ao complexo, tornou-se um Hamlet.[7] É claro que a apresentação analítica do complexo de Édipo é uma ampliação e uma versão mais grosseira do esboço infantil. O ódio ao pai, os desejos de morte contra ele, não são mais insinuados timidamente, a ternura pela mãe tem como meta possuí-la como mulher. Será que devemos realmente atribuir essas flagrantes e extremas moções afetivas àqueles ternos anos da infância, ou a análise nos confunde colocando um fator novo? Não é difícil encontrar um fator como esse. Toda vez que um homem relata sobre algo passado, mesmo que seja um historiador, devemos levar em conta aquilo que ele inadvertidamente retira do presente, ou de épocas intermediárias, levando para o passado, falseando, assim, o quadro do presente. No caso do neurótico, é até mesmo duvidoso se essa substituição em recuo é efetivamente não intencional; conheceremos alguns motivos para ela e teremos, sobretudo, de considerar corretamente o fato do "fantasiar retrospectivo" do passado remoto. Também descobrimos facilmente que o ódio ao pai é reforçado por um número de fatores que se originam de épocas e ligações tardias, que os desejos sexuais voltados à mãe assumem formas que ainda seriam estranhas para a criança. Entretanto, seria um esforço inútil explicar todo o complexo de Édipo pelo fantasiar retrospectivo e querer relacioná-lo a épocas tardias. O núcleo infantil e também um pouco mais ou um pouco menos de acessório permanece tal como o confirma a observação direta da criança.

Pois bem, o fato clínico que se nos apresenta por detrás da forma do complexo de Édipo estabelecida pela análise é da mais alta importância prática. Constatamos que na época da puberdade, quando a pulsão sexual faz, pela primeira vez, suas exigências com toda a sua força, são retomados os antigos objetos familiares e incestuosos e eles são novamente investidos libidinalmente. A escolha infantil de objeto foi apenas um débil prelúdio orientador da escolha de objeto da puberdade. Aqui entram em ação processos afetivos muito intensos na direção do complexo de Édipo ou em reação a ele, que, no entanto, porque suas premissas se tornaram intoleráveis, precisam se manter, em sua maioria, afastados da consciência. A partir dessa época, o indivíduo humano tem de se dedicar à grande tarefa do descolamento dos pais, e somente a partir desse descolamento ele pode deixar de ser criança, para se tornar um membro da comunidade social. Para o menino, essa tarefa consiste em abandonar seus desejos libidinais pela mãe, para empregá-los na escolha de um real objeto de amor exterior, e em se reconciliar com o pai, caso tenha permanecido em oposição a ele, ou em se liberar de sua pressão, se, em reação à rebeldia infantil, tenha acabado submisso a ele. Essas tarefas apresentam-se para qualquer pessoa; é notável quão raramente elas são resolvidas de maneira ideal, isto é, de maneira correta, tanto psicológica quanto socialmente. Para os neuróticos, entretanto, essa solução absolutamente não dá certo; o filho permanece a sua vida inteira curvado sob a autoridade do pai e não é capaz de transferir sua libido para um objeto sexual exterior. Esse mesmo pode ser o destino da filha, com a alteração da relação. É nesse sentido que o complexo de Édipo é tido, com razão, como o núcleo das neuroses.

Os senhores percebem o quão apressadamente passei por cima de um grande número de relações práticas e teóricas importantes, que têm a ver com o complexo de Édipo. Também não entrei em suas variações e em sua possível inversão. Sobre suas repercussões mais distantes, só gostaria ainda de lhes apontar que ele se revelou determinante para a produção literária. Otto Rank[8] mostrou, em um valioso livro, que os dramaturgos de todos os tempos extraíram seus conteúdos principalmente dos complexos de Édipo e do incesto, de suas variações e seus disfarces. Também não pode deixar de ser mencionado que os dois desejos criminosos do complexo de Édipo, muito antes do tempo da psicanálise, foram reconhecidos como os justos representantes da vida pulsional não inibida. Entre os escritos do enciclopedista Diderot, os senhores encontram um famoso diálogo, "Le neveu de Rameau" ["O sobrinho de Rameau"], que foi transposto para o alemão por ninguém menos do que Goethe. Lá, os senhores podem ler esta frase notável: "*Si le petit sauvage était abandonné à lui-même, qu'il conservât toute son imbécilité et qu'il réunît au peu de raison de l'enfant au berceau la violence des passions de l'homme de trente ans, il tordrait le col à son père et coucherait avec sa mère*" [Se o pequeno selvagem tivesse sido abandonado a si mesmo, conservando toda a sua imbecilidade, e reunisse a escassa razão de criança de berço às violentas paixões do homem de 30 anos, ele torceria o pescoço de seu pai e se deitaria com sua mãe].[9]

Há, porém, outra coisa que não posso omitir. A mãe-esposa de Édipo não nos deve ter advertido em vão sobre o sonho. Os senhores ainda estão lembrados do resultado de nossas análises de sonhos, em que os desejos formadores do sonho são muito frequentemente de natureza perversa e incestuosa, ou revelam uma insuspeita hostilidade para com os próximos e caros parentes do sonhador? Na época, deixamos sem explicação a origem dessas moções malignas. Agora, os senhores mesmos podem dizê-lo. São acomodações da libido e investimentos de objeto do início da infância, perdidos há muito tempo para a vida consciente, que durante a noite ainda demonstram estar presentes e ser capazes de operar em certo sentido. Mas como todos os seres humanos têm esses sonhos perversos, incestuosos e assassinos, e não apenas os neuróticos, podemos chegar à conclusão de que também os que hoje são normais deixaram para trás um caminho de desenvolvimento que passou pelas perversões e pelos investimentos de objeto do complexo de Édipo, que esse é o caminho do desenvolvimento normal, que os neuróticos apenas nos mostram de maneira ampliada e mais grosseira o que a análise dos sonhos nos revela também nas pessoas sadias. E esse é um dos motivos pelos quais fizemos o estudo dos sonhos preceder o estudo dos sintomas neuróticos.

Libidoentwicklung und Sexualorganisationen (1916) [Vorlesung XX]

1916 Primeira publicação: *Allgemeine Neurosenlehre*. Leipzig; Viena: Heller, terceira parte

1924 *Gesammelte Schriften*, t. VII

1943 *Gesammelte Werke*, t. XI, p. 331-350

Esta conferência constitui uma continuação e um prolongamento da anterior, que discute inicialmente o problema da perversão e da sexualidade infantil. Sobre o contexto de redação e publicação, ver nota editorial anterior, às p. 207-208. Destaca-se a discussão acerca do emprego do termo "sexual", que responde a objeções bastante comuns ainda hoje.

A segunda parte da conferência é uma das mais completas e didáticas apresentações do tema do complexo de Édipo.

NOTAS

1 *Landgraf*, título de nobreza da antiga aristocracia alemã. Espécie de conde (*Graf*) regional (*Land*). (N.R.)

2 Citação retirada de uma versão satírica de *Tannhäuser*, célebre obra de Richard Wagner, feita por Johann Nestroy (1801-1862). No original: "*Im Venusberg vergaß er Ehr' und Pflicht! – Merkwürdig, unser einem passiert so etwas nicht*". (N.T.; N.R.)

3 Note-se como o autor é bastante flexível quanto a esses aspectos, mais do que a doutrina posterior faz crer. (N.E.)

4 Em 1923, Freud interpõe entre as fases anal e genital a fase fálica, como nota aliás James Strachey. Cf. "Organização genital infantil", neste volume, nas p. 237-242. (N.E.)

5 Certamente Freud se refere aqui à então contemporânea Primeira Guerra Mundial. (N.R.)

6 Formado em Letras e Filosofia, Theodor Reik (1888-1969) juntou-se à Sociedade Psicanalítica de Viena em 1911. Esteve no centro da celeuma em torno da análise leiga, tendo sido processado por "charlatanismo" em 1925. O importante artigo de Freud intitulado "A questão da análise leiga" foi inspirado no caso (ver nota do editor, nesta coleção, no volume *Fundamentos da clínica psicanalítica*).

Reik passou por vários países até chegar a Nova York, onde se instalou, em 1938, sem conseguir se integrar à Sociedade Psicanalítica da cidade. (N.E.)

7 Uma longa nota de rodapé na *Traumdeutung* associa pela primeira vez Édipo a Hamlet. Em edições ulteriores, a nota emerge e é incorporada ao corpo do texto. O mesmo material (o drama edípico), tratado de diferentes maneiras, revelaria "o progresso secular do recalcamento na vida afetiva da humanidade". As diferenças entre a tragédia grega e a tragédia moderna explicam-se por esse fator. Mais tarde, Freud acrescenta ainda uma terceira referência literária à série: o romance de Dostoiévski *Os irmãos Karamázov*. (N.E.)

8 Otto Rank (1884-1939), psicanalista, foi secretário da Sociedade Psicanalítica de Viena e editor da revista *Imago*. Por muitos anos, foi próximo de Freud e chegou a figurar como colaborador em reedições da *Interpretação dos sonhos* publicadas entre 1914 e 1930. Interessou-se sobretudo por temas estéticos e antropológicos. Com a publicação, em 1926, de seu *O trauma do nascimento*, o rompimento com Freud acabou sendo inevitável. (N.E.)

9 Freud citou essa mesma passagem no final da Parte II de sua obra inacabada: *Compêndio de psicanálise* (*Abriss der Psychoanalyse*, 1940), publicada nesta coleção, em 2014. (N.T.)

ORGANIZAÇÃO GENITAL INFANTIL (1923)

(UMA INTERPOLAÇÃO NA TEORIA DA SEXUALIDADE)

É bem característico da dificuldade do trabalho de investigação na psicanálise, a despeito da observação ininterrupta por décadas, ser possível deixar de perceber traços gerais e relações características, até que finalmente estes se lhe vêm de encontro de maneira inequívoca; através das observações que se seguem eu gostaria de reparar uma negligência dessa ordem no campo do desenvolvimento sexual infantil.

Os leitores dos meus *Três ensaios sobre a teoria sexual* (1905) perceberão que, nas edições posteriores desse escrito, nunca empreendi nenhuma reelaboração, mas mantive a ordenação original e acompanhei os progressos do nosso entendimento, através de interpolações e modificações do texto. Com isso, pode ter acontecido muitas vezes que o novo e o mais recente não puderam ser fundidos em uma unidade isenta de contradição. No início, a ênfase recaía sobre a apresentação da distinção fundamental na vida sexual das crianças e dos adultos; depois, as *organizações pré-genitais* da libido passaram para o primeiro plano, bem como o fato notável e pleno de consequências da *formação bifásica* do desenvolvimento sexual. Por fim, a *investigação sexual* infantil ocupou nosso interesse, e, a partir dela, pudemos reconhecer a ampla *aproximação do desfecho da sexualidade infantil* (por volta do quinto ano de vida) com a forma definitiva no adulto. Foi aí que parei na última edição da *Teoria sexual* (1922).

À página 63 daquele volume,[i] escrevo que "com frequência ou regularmente, já na infância, consuma-se uma escolha de objeto, tal como mostramos ser característico da fase de desenvolvimento da puberdade, de maneira que todos os anseios sexuais se direcionam a uma única pessoa, na qual eles procuram alcançar as suas metas. Essa é, então, a maior aproximação possível, nos anos da infância, da forma definitiva da vida sexual após a puberdade. A diferença desta última reside apenas no fato de que a reunião das pulsões parciais e sua subordinação ao primado dos genitais não sejam estabelecidas na infância ou o sejam de maneira incompleta. A instauração desse primado a serviço da reprodução é, portanto, a última fase pela qual passa a organização sexual".

Hoje, eu não me daria mais por satisfeito com a afirmação de que o primado dos genitais não se consuma no primeiro período da infância, ou que se consumaria apenas de maneira incompleta. A aproximação da vida sexual infantil à do adulto vai muito além e não tem a ver apenas com o surgimento de uma escolha de objeto. Mesmo não ocorrendo uma unificação adequada das pulsões parciais sob o primado dos genitais, no auge do curso do desenvolvimento da sexualidade infantil, o interesse pelos genitais e a atividade genital ganham uma importância dominante, que fica pouco atrás daquela

---

[i] *Gesammelte Werke*, v. V.

alcançada na maturidade. A principal característica dessa "organização genital infantil" é, ao mesmo tempo, sua diferença da organização genital definitiva do adulto. Ela reside no fato de que, para ambos os sexos, apenas *um genital*, o masculino, possui um papel. Portanto, não há um primado genital, mas um primado do *falo* [*Phallus*].

Infelizmente, só podemos descrever essas relações para o menino; falta-nos o conhecimento para os processos correspondentes na menininha. O menininho percebe certamente a diferença entre homens e mulheres, mas, de início, não tem motivo para relacioná-la com uma distinção entre os seus genitais. Para ele, é natural supor um genital semelhante ao que ele próprio possui em todos os outros seres vivos, humanos ou animais; sabemos que ele também investiga nas coisas inanimadas um órgão análogo ao seu membro.[i] Essa parte do corpo facilmente excitável, alterável, tão rica em sensações, ocupa em alto grau o interesse do menino e incessantemente coloca novas tarefas à sua pulsão de investigação. Ele quer vê-lo também em outras pessoas, para compará-lo com o seu próprio, e comporta-se como se tivesse uma vaga ideia de que esse órgão poderia e deveria ser maior; a força impulsora que essa parte masculina desenvolverá mais tarde na puberdade expressa-se nessa época da vida essencialmente como pressão para a investigação [*Forschungsdrang*], como curiosidade sexual. Muitas das exibições e agressões que a criança empreende e que, numa idade posterior, seriam julgadas como inequívocas exteriorizações de lascívia,

---

[i] Além disso, é notável quão pouca atenção atrai sobre si, na criança, a outra parte do genital masculino, o pequeno saco com seus conteúdos. Pelas análises, não seria possível intuir que outra coisa além do pênis pertença ao genital.

revelam-se na análise como experimentos a serviço da investigação sexual.

No curso dessas investigações, a criança chega à descoberta de que o pênis não é um bem comum a todos os seres a ela semelhantes. A visão casual dos genitais de uma irmã mais nova ou de uma coleguinha é a ocasião para isso; crianças inteligentes já tiveram antes a suspeita – a partir de suas percepções de meninas urinando, pois observam outra posição e ouvem um barulho diferente – de que se trata aí de algo diferente, e logo tentaram repetir essas observações para obter maiores esclarecimentos. Sabemos como elas reagem às primeiras impressões da falta de pênis. Elas negam essa falta, acreditam realmente ver um membro, atenuam a contradição entre a observação e o preconceito por meio da informação de que ele ainda é pequeno, mas que ainda irá crescer, e depois, lentamente, chegam à conclusão afetivamente importante de que ele pelo menos esteve presente e que depois foi removido. A falta de pênis será considerada consequência da castração, e a criança encontra-se agora diante da tarefa de se haver com a relação da castração com a sua própria pessoa. Os desenvolvimentos posteriores são suficientemente conhecidos para que seja necessário repeti-los aqui. Só me parece que *a importância do complexo de castração só pode ser corretamente apreciada se considerarmos sua origem na fase do primado do falo.*[i]

Também é sabido o quanto a depreciação da mulher,[1] o horror à mulher e a disposição à homossexualidade

[i] Foi corretamente apontado que a criança chega à representação de um dano narcísico através de uma perda corporal, seja a perda do seio da mãe depois da amamentação, seja a entrega diária das fezes, ou mesmo a separação do corpo da mãe no nascimento. Entretanto, só se deveria falar de complexo de castração quando essa representação da perda tivesse se vinculado ao genital masculino.

derivam da convicção final sobre a falta de pênis da mulher. Ferenczi recentemente reconduziu, com toda razão, o símbolo mitológico do horror – a cabeça da Medusa – à impressão do genital feminino sem pênis.[i,2]

Não se deve acreditar que a criança generalize sua observação – de que pessoas do sexo feminino não possuem pênis – tão rapidamente e de boa vontade; já lhe pesa a suposição de que a falta de pênis como consequência da castração seja um castigo. Ao contrário, a criança acha que teriam perdido o genital apenas as pessoas indignas do sexo feminino, que provavelmente se tornaram culpadas como ela pelas mesmas moções proibidas. Porém, pessoas respeitáveis como a sua mãe conservariam o pênis por mais tempo. Para a criança, ser mulher ainda não coincide com a falta de pênis.[ii] Só mais tarde, quando a criança aborda os problemas da origem e do nascimento das crianças, e intui que só as mulheres podem dar à luz as crianças, é que a mãe será aquela que perdeu o pênis, e às vezes são construídas teorias bem complicadas que vêm para explicar a troca do pênis pelo filho. Parece que, nesse caso, o genital feminino nunca é descoberto. Como se sabe, a criança fica no ventre [*Leib*] (intestino) da mãe e nasce pela saída do intestino. Com essas últimas teorias, ultrapassamos o tempo de duração do período sexual infantil.

---

[i] *Internationale Zeitschrift für Psychoanalyse*, IX, 1923, caderno 1. Gostaria de acrescentar que no mito é pensado o genital da mae. Atena, que carrega a cabeça da Medusa em sua armadura, torna-se, justamente por isso, a mulher inacessível, cuja visão afugenta qualquer pensamento de aproximação sexual.

[ii] Fiquei sabendo, pela análise de uma jovem senhora, que ela, que não teve pai, mas várias tias, aferrava-se, até muito tarde no período de latência, ao pênis da mãe e de algumas tias. No entanto, uma tia com debilidade mental a considerava castrada, como ela própria se sentia.

Não é irrelevante ter em conta as transformações que experimenta a familiar polaridade sexual durante o desenvolvimento sexual infantil. Uma primeira antítese é introduzida com a escolha de objeto, que pressupõe sujeito e objeto. Na fase da organização pré-genital sádico-anal, ainda não cabe falar de masculino e feminino; a oposição entre *ativo* e *passivo* é a dominante.[i] Na fase seguinte da organização genital infantil há, na verdade, um *masculino*, mas nenhum feminino; a antítese aqui é entre *genital masculino* ou *castrado*. Só com o término do desenvolvimento, na época da puberdade, é que a polaridade sexual coincide com *masculino* e *feminino*. O masculino reúne o sujeito, a atividade e a posse do pênis; o feminino estende-se ao objeto e à passividade. A vagina agora é considerada o albergue do pênis; ela assume a herança do ventre materno [*Mutterleibes*].

[i] Cf. *Três ensaios sobre a teoria sexual*, 5. ed., p. 62, *Ges. Werke*, v. V.

Die infantile Genitalorganisation (eine Einschaltung in die Sexualtheorie) (1923)

1923 Primeira publicação: *Internationale Zeitschrift für ärztliche Psychoanalyse*, v. IX, n. 2, p. 168-171

1924 *Gesammelte Schriften*, t. V, p. 232-237

1940 *Gesammelte Werke*, t. XIII, p. 291-298

Segundo Jones, este artigo foi escrito em fevereiro de 1923 e publicado dois meses depois, no mesmo momento em que também é publicado seu célebre "O Eu e o Isso". Concomitantemente, Freud receberia o primeiro diagnóstico de sua doença, um tumor leucoplásico no maxilar e no palato direitos, retirados em 20 de abril.

O essencial do conteúdo deste ensaio foi acrescentado na edição de 1924 dos *Três ensaios sobre a teoria sexual*, que é a edição considerada definitiva, e que permaneceu inalterada desde então. Strachey acrescenta que o assunto remonta, na verdade, às seções 5 e 6 do segundo dos *Três ensaios*, que, por sua vez, foram acrescentadas a partir da versão de 1915. O presente artigo insere-se, portanto, na esteira dos prolongamentos e remanejamentos de um dos textos que teve mais acréscimos e revisões ao longo de suas diversas edições, encerrando uma espécie de história da reescrita e das reelaborações dos *Três ensaios*, o que demonstra como o pensamento de Freud sempre foi um pensamento em movimento.

Vale lembrar que, no texto publicado em 1905, a sexualidade infantil define-se por seu caráter "pré-genital" em relação à sexualidade adulta, caracterizada pelo primado do "genital". Nos *Três ensaios*, a atividade autoerótica infantil é idêntica em ambos os sexos, o que explica por que no inconsciente, cujo modelo é a infância, não se inscreve a diferença sexual. No presente artigo, trata-se de introduzir, na descrição dos complexos processos de subjetivação da sexualidade, uma "organização genital" já na sexualidade infantil. O resultado dessa importante inovação conceitual refere-se à incorporação, portanto, de uma "fase fálica" (*phallische Stufe*), que vem se somar às fases pré-genitais (oral, anal). A introdução dessa nova organização implicará também uma nova abordagem do complexo de castração e problematização da articulação entre o falo e o pênis. Como consequência, o estatuto da masculinidade e da feminilidade tal como concebidos até então é reavaliado sob nova perspectiva, o que talvez ajude a explicar a importância que esse texto teve para psicanalistas mulheres, como Karen Horney ou Helene Deutsch.

Em 1928, Ernest Jones publicou um importante artigo sobre o "Desenvolvimento precoce da sexualidade feminina", no qual busca refutar justamente os argumentos ora apresentados por Freud. Para Jones, o estado fálico é uma construção secundária e tem um caráter defensivo. A contenda no Congresso da IPA de 1927 girava em torno disso. Na visão de Jones, a verdadeira ameaça não seria, portanto, a castração, mas o que chama de *aphanisis*, ou desaparecimento da capacidade e do prazer sexual, mecanismo que se manifestaria de maneira heterogênea nos dois sexos. O objetivo maior de Jones é, na esteira das intensas discussões acerca da sexualidade feminina dos anos 1920-1930, criticar o papel exageradamente falocêntrico da psicanálise freudiana, mesmo ao preço de uma naturalização da diferença sexual.

***

A respeito da articulação entre falo e pênis, há pelo menos duas leituras divergentes na história da recepção dessas ideias. Talvez possamos sumariar essas leituras do seguinte modo: em um polo, uma hipótese continuísta, que insiste na equivalência entre falo e pênis, em outro polo, uma hipótese descontinuísta, que acentua a discordância entre falo e pênis. Além disso, destacam-se leituras que justamente trabalham os paradoxos inerentes a tais hipóteses. As evidências textuais na obra de Freud parecem insuficientes para endossar uma ou outra perspectiva.

Nos anos 1960, apoiando-se em trabalhos sobre a necessária desidentificação com o objeto materno para a aquisição da identificação masculina no menino, Robert Stoller, autor pioneiro nos estudos de gênero, contraria a hipótese freudiana da masculinidade como uma posição subjetiva mais simples, direta e desejável para o desenvolvimento psíquico e sexual das crianças, questionando a primazia do falo com a noção de *imprinting* materno.

Jacques Lacan, por seu turno, principalmente em sua conferência apresentada em alemão em 9 de maio de 1956 em Munique, "A significação do falo", propõe um verdadeiro retorno a Freud, caracterizado aqui por uma releitura estrutural do falo como significante, promovendo uma radical descontinuidade entre pênis e falo. Nos seminários da mesma época, Lacan retoma a questão do estatuto do falo em diversas ocasiões, com destaque para a lição de 9 de janeiro de 1957 e as seguintes. Na década de 1970, formaliza a lógica da sexuação, partindo da função fálica, radicalmente desnaturalizada, e das possibilidades lógicas de sua negação, ressaltando os paradoxos inerentes aos processos de sexuação do real do corpo, desativando, portanto, tanto a hipótese continuísta quanto a descontinuísta, no gesto mesmo de desativar uma distinção demasiado estreita da articulação entre natureza e cultura.

Para Jean Laplanche, a lógica fálica binária participa do processo de recalcamento-simbolização de uma sexualidade infantil marcada pelo polimorfismo das moções pulsionais, incompatível tanto com a lógica restritiva da presença/ausência quanto com o enquadramento edípico do desejo. Mais tardiamente, estende essa perspectiva ao gênero.

A leitura continuísta, ao sobrepor falo e pênis, abriria a porta para muitas críticas à hipótese da primazia do falo. Feministas como Judith Butler, Drucilla Cornell e Jane Gallop discutiram o que consideram a impossibilidade de separação entre falo e pênis, não apenas como mecanismo de interrogar o que poderia ser considerado uma certa adesão ao determinismo anátomo-biológico, como também um reforço discursivo a normas sociais que atribuem ao homem (e aos elementos identificados como masculinos) qualidades superiores às das mulheres (e aos elementos classificados como femininos).

Não custa lembrar, contudo, que a palavra "falo", derivada do latim, designa aspectos simbólicos do órgão genital masculino. Diversas religiões pagãs, helênicas ou orientais cultuaram o falo, posteriormente rejeitado "pela religião monoteísta, que considerava que eles remetiam a um período bárbaro da humanidade, caracterizado por práticas orgíacas" (Roudinesco; Plon, 1998, p. 221). Não por acaso, o falo foi reivindicado por Sade e Nietzsche, no contexto de suas respectivas críticas à moral cristã.

BUTLER, J. *Problemas de gênero: feminismo e subversão da identidade.* Rio de Janeiro: Civilização Brasileira, 2003 • CORNELL, D. *Between women and generations: legacies of dignity.* Boston: Rowman & Littlefield Publishers, 2005 • DERRIDA, J. Le facteur de la vérité. *Poétique*, n. 21, 1975 • GALLOP, J. Sobre o falo. In: *Lendo Lacan.* Rio de Janeira: Imago, 1992 • JONES, E. Die erste Entwicklung der weiblichen Sexualität. *Internationale Zeitschrift für Psychoanalyse*, XIV, 1928 • LACAN, J. A significação do falo. In: *Escritos.* • LAPLANCHE, J. Le genre, le sexe, le sexual. In: *Sexual: la sexualité élargie au sens freudien.* Paris: PUF, 2003/2007.

NOTAS

1 Ver, neste volume, os dois primeiros artigos sobre a psicologia da vida amorosa, p. 17-153. (N.E.)

2 O próprio Freud escreveu sobre o assunto em um curtíssimo texto publicado postumamente. Cf. "A cabeça de medusa" ("Das Medusenhaupt"), cujo manuscrito data de 14 de maio de 1922. (N.E.)

O DECLÍNIO DO COMPLEXO DE ÉDIPO (1924)

Cada vez mais o complexo de Édipo revela sua importância como fenômeno central do período sexual da primeira infância. Depois ele declina, sucumbe ao recalcamento, como costumamos dizer, e a ele se segue o período de latência. Mas ainda não ficou claro como ele se desfaz; as análises parecem demonstrar que isso ocorre devido a dolorosas decepções. A menininha, que quer se considerar a amada predileta do pai, vai ter um dia de sofrer um severo castigo da parte dele e se ver lançada para fora do paraíso. O menino, que vê a mãe como sua propriedade, passa pela experiência de vê-la retirar seu amor e seus cuidados e dirigi-los a um recém-chegado. Quando a reflexão enfatiza serem inevitáveis essas experiências dolorosas, que contradizem o conteúdo do complexo, ela reforça o valor dessas influências. Mesmo não ocorrendo acontecimentos especiais, como os mencionados a título de exemplo, é preciso que a ausência da satisfação esperada e a continuada privação [*Versagung*][1] do filho desejado demovam o pequeno apaixonado de sua inclinação sem esperança. Assim, por seu fracasso, como resultado de sua impossibilidade interna, o complexo de Édipo seria dissolvido [*ginge so zugrunde*].

Outra concepção dirá que o complexo de Édipo precisa cair, porque chegou a hora de sua dissolução

[*Auflösung*], assim como caem os dentes de leite quando os permanentes começam a empurrá-los. Ainda que o complexo de Édipo também seja vivenciado de maneira individual pela maioria dos humanos, ele não deixa de ser um fenômeno determinado pela hereditariedade e por ela organizado, que deve transcorrer de acordo com o programa, quando começar a seguinte e predeterminada fase do desenvolvimento. Então, pouco importa saber por quais motivos isso acontece ou se eles não são de modo algum encontrados.

Não se pode negar razão a ambas as concepções. Além disso, elas são conciliáveis entre si; há espaço para a ontogenética ao lado da filogenética, mais abrangente. Também o indivíduo como um todo, já no nascimento, está destinado a morrer, e sua disposição orgânica talvez já contenha o indício de como irá morrer. Portanto, há interesse em acompanhar como esse programa inato é executado e de que maneira danos acidentais exploram a predisposição.

Nosso sentido foi ultimamente aguçado pela percepção de que o desenvolvimento sexual da criança avança até uma fase na qual o que é genital já assumiu o papel principal. Mas esse genital é apenas o masculino, mais precisamente, o pênis; o feminino permaneceu não descoberto. Essa fase fálica, simultânea à do complexo de Édipo, não continua se desenvolvendo até a organização genital definitiva, mas submerge [*versinkt*] e é dissolvida [*abgelöst*][2] pelo período de latência. Seu desfecho, porém, consuma-se de maneira típica, e apoiando-se em acontecimentos sistematicamente recorrentes.

Quando a criança (o menino) voltou seu interesse ao genital, é traída também pela reiterada manipulação deste, e então precisa passar pela experiência de que os adultos não estão de acordo com essa ação. Apresenta-se a ameaça – mais ou menos clara, mais ou menos brutal – de que lhe será tirada essa parte por ela tão valorizada. Geralmente é de mulheres que parte a ameaça de castração; elas procuram com frequência reforçar sua autoridade, referindo-se ao pai ou ao médico, que, para a sua garantia, irá consumar o castigo. Em um número de casos, as próprias mulheres assumem um abrandamento simbólico da ameaça, anunciando não a eliminação do genital, a bem da verdade, passivo [*des eigentlich passiven*], mas sim a da mão ativamente pecaminosa. Com particular frequência acontece de o menininho não ser afetado pela ameaça de castração por brincar com a mão no pênis, mas por molhar a cama todas as noites e não conseguir ficar limpo. As pessoas que cuidam da criança comportam-se como se essa incontinência noturna fosse a consequência e a prova da entusiasmada atividade com o pênis, e provavelmente elas têm razão. De qualquer forma, molhar a cama por tempo prolongado, que pode ser equiparado com a polução do adulto, é uma expressão da mesma excitação genital que nessa época impeliu a criança à masturbação.

Agora afirmo que a organização genital fálica da criança perece por essa ameaça de castração. Porém, não imediatamente e não sem que outras influências se somem a isso. Pois, de início, o menino não acredita na ameaça nem lhe obedece. A psicanálise revalorizou dois tipos de experiência, dos quais nenhuma criança é poupada e através dos quais ela deve estar preparada para a perda de partes muito estimadas do corpo: a retirada do seio materno, de início temporariamente e depois definitivamente, e a separação diariamente exigida do conteúdo do intestino. Mas nada é percebido sobre essas experiências se efetivarem devido à ameaça de castração. Só depois que foi feita uma nova experiência é que a criança começa a contar com a possibilidade de uma castração, mas, então, ainda hesitante, de má vontade, e não sem o esforço para diminuir o alcance da própria observação.

A observação que finalmente rompe a sua descrença é a do genital feminino. Em algum momento a criança, orgulhosa de ser possuidora de um pênis, defronta-se com a região genital de uma menininha e tem de se convencer da falta de um pênis num ser tão semelhante a ela. Assim, a perda do próprio pênis se torna imaginável, e a ameaça de castração obtém seu efeito *a posteriori* [*nachträglich*].

Não podemos fazer vistas grossas como a pessoa cuidadora que ameaça com a castração nem devemos ignorar que, de forma alguma, a vida sexual da criança nessa época se esgota na masturbação. Ela está, comprovadamente, na posição edípica em relação aos pais, e a masturbação é apenas a descarga genital da excitação sexual relativa ao complexo e, em todas as épocas posteriores, irá dever sua importância a essa relação. O complexo de Édipo ofereceu à criança duas possibilidades de satisfação, uma ativa e uma passiva. Ela poderia se colocar, masculinamente, no lugar do pai e, como ele, relacionar-se com a mãe, de forma que logo o pai seria sentido como um obstáculo, ou substituir a mãe e ser amada pelo pai, de maneira que a mãe se tornaria supérflua. Sobre o que constitui essa satisfatória relação amorosa a criança deve ter apenas noções [*Vorstellungen*] imprecisas; mas é certo que o pênis teve aí um papel, pois as sensações no órgão o testemunham. Ainda não houve ocasião para duvidar do pênis na mulher. A aceitação da possibilidade de castração, a compreensão de que a mulher é castrada poria fim às duas possibilidades de satisfação a partir do complexo de Édipo. Ambas trariam consigo a perda do pênis, a masculina como efeito da punição e a feminina como precondição. Se a satisfação amorosa, no terreno do complexo de Édipo, deve custar o pênis, então vai haver um conflito entre o interesse narcísico nessa parte do corpo e o investimento libidinal dos objetos parentais. Nesse conflito vence normalmente a primeira força; o Eu da criança se afasta do complexo de Édipo.

Expus em outro lugar a maneira como isso acontece. Os investimentos de objeto são abandonados e substituídos por identificação. A autoridade parental ou paterna introduzida no Eu forma aí o núcleo do Supereu, que toma emprestado do pai sua severidade, perpetua a sua proibição do incesto e assim assegura o Eu contra o retorno dos investimentos libidinais de objeto. Os anseios libidinais pertencentes ao complexo de Édipo serão em parte dessexualizados e sublimados, o que provavelmente ocorre em cada transformação em identificação, e em parte inibidos quanto às metas [*zielgehemmt*] e transformados em moções de ternura. O processo salvou, por um lado, o genital, afastou dele o perigo de sua perda, e, por outro, paralisou-o, suspendeu sua função. Com ele se inicia o período de latência, que agora interrompe o desenvolvimento sexual da criança.

Não vejo nenhuma razão para negar [*versagen*] o nome de "recalcamento" ao afastamento do Eu[3] do complexo de Édipo, embora recalcamentos posteriores, em sua maioria, acontecerão com a participação do Supereu [*Über-Ich*], que aqui está apenas sendo formado. Mas o processo descrito é mais do que um recalcamento, ele equivale, se executado de maneira ideal, a uma destruição e uma suspensão do complexo. Podemos supor que aqui chegamos a uma linha fronteiriça, nunca inteiramente nítida, entre o normal e o patológico. Se o Eu realmente não conseguiu muito mais do que um recalcamento do complexo, então ele subsistirá inconsciente no Isso [*Es*] e manifestará posteriormente seu efeito patogênico.

A observação analítica permite reconhecer ou intuir essas correlações entre organização fálica, complexo de Édipo, ameaça de castração, formação do Supereu e período de latência. Elas justificam a suposição de que o complexo de Édipo sucumbe à ameaça de castração. Mas com isso o problema não está resolvido, e há espaço para uma especulação teórica que pode mudar radicalmente o resultado obtido, ou colocá-lo sob uma nova luz. Antes de entrarmos por esse novo caminho, precisamos nos voltar para uma pergunta que surgiu durante nossos esclarecimentos até aqui e que todo esse tempo foi deixada de lado. O processo descrito refere-se, tal como foi expressamente dito, apenas ao menino. Como se realiza o desenvolvimento correspondente na menininha?

Nesse caso, o nosso material se torna – incompreensivelmente – muito mais obscuro e lacunar. O sexo feminino também desenvolve um complexo de Édipo, um Supereu e um período de latência. Podemos atribuir-lhe também uma organização fálica e um complexo de castração? A resposta é afirmativa, isso não se dá como no menino. A exigência feminista por igualdade entre os sexos não nos leva muito longe, pois a diferença morfológica vai se expressar em distinções no desenvolvimento psíquico. A anatomia é o destino, parodiando a expressão de Napoleão.[4] O clitóris da menina se comporta, de início, exatamente como um pênis, mas a criança percebe, através da comparação com um coleguinha menino, que ele "ficou muito pequeno" e sente esse fato como um prejuízo e como motivo de inferioridade. Ela ainda se consola durante algum tempo com a expectativa de que mais tarde, quando crescer, ela receberá um apêndice tão grande quanto o do menino. É nesse ponto, então, que se bifurca o complexo de masculinidade da mulher.

Porém, a menininha não entende a sua falta atual como sendo de natureza sexual, mas a explica com a suposição de que já possuiu um membro igualmente grande, e que depois perdeu pela castração. Ela parece não estender essa conclusão sobre si mesma a outras mulheres adultas, mas atribui a elas, exatamente no sentido da fase fálica, um genital grande e completo, portanto, masculino. Assim se produz a diferença essencial de que a menina aceita a castração como um fato consumado, enquanto o menino teme pela possibilidade de sua consumação.

Com a exclusão da angústia da castração [*Kastrationsangst*], cai também um motivo poderoso para o estabelecimento do Supereu e para a interrupção da organização genital infantil. Essas alterações parecem ser, muito mais do que no menino, resultado da educação, da intimidação do mundo externo, que ameaçam com a perda do amor. O complexo de Édipo da menina é muito mais inequívoco do que o do pequeno portador de pênis; de acordo com a minha experiência, só raramente ele vai além da substituição da mãe e da posição feminina em relação ao pai. A renúncia ao pênis não é tolerada sem uma tentativa de compensação. Ela desliza – poderíamos dizer: ao longo de uma equação simbólica – do pênis para o bebê; seu complexo de Édipo culmina no desejo, mantido por muito tempo, de receber um filho do pai como presente, de lhe dar um filho. Temos a impressão de que o complexo de Édipo é então lentamente abandonado, porque esse desejo nunca se realiza. Ambos os desejos, de possuir um pênis e um filho, permanecem fortemente investidos no inconsciente e ajudam a preparar o ser feminino para seu futuro papel sexual. A intensidade menor da contribuição sádica para a pulsão sexual, que sem dúvida podemos juntar com o atrofiamento do pênis, facilita a transformação dos anseios diretamente sexuais em anseios afetuosos com meta inibida. De modo geral, no entanto, precisamos admitir que nossa compreensão desses processos de desenvolvimento na menina é insatisfatória, lacunar e vaga.

Não tenho dúvida de que as aqui descritas relações temporais e causais entre complexo de Édipo, intimidação sexual (ameaça de castração), formação do Supereu e entrada no período de latência têm uma natureza indiscutivelmente típica; mas não quero afirmar que essa tipicidade seja a única possível. Variações na sequência temporal e no encadeamento desses processos terão de ser muito importantes para o desenvolvimento do indivíduo.

Por outro lado, desde a publicação do interessante estudo de Otto Rank, *Trauma do nascimento*, não se pode aceitar sem discussão o próprio resultado dessa pequena investigação, de que o complexo de Édipo do menino perece pela angústia de castração. No entanto, parece-me prematuro entrar hoje nessa discussão, e talvez também inadequado iniciar a crítica ou apreciação da concepção de Rank neste ponto.

Der Untergang des Ödipuskomplexes (1924)

1923 Primeira publicação: *Internationale Zeitschrift für Psychoanalyse*, t. 10, n. 3, p. 245-252

1924 *Gesammelte Schriften*, t. V, p. 423-430

1940 *Gesammelte Werke*, t. XIII, p. 395-402

Em carta a Lou Andreas-Salomé de 14 de março de 1924, Freud diz esperar que o título do artigo ressoe tão tragicamente quanto o título do livro de Spengler. A alusão diz respeito ao recém-publicado *Der Untergang des Abendlandes* (*O declínio do Ocidente*). Com efeito, o substantivo que dá título a este escrito (*Untergang*) forma-se do prefixo, também usado como preposição, *unter* (em baixo, para baixo) e *Gang*, associado ao verbo *gehen* (ir, deslocar-se). Seus usos, portanto, abarcam noções como declínio, ocaso, naufrágio, queda, dissolução. *Sonnenuntergang* é o pôr do sol, *Der Untergang des Römischen Reiches* é o declínio do império romano, *Der Untergang der Titanic*, o naufrágio do Titanic. No contexto empregado por Freud, vemos a ideia de algo que encontra uma espécie de ocaso, de fim, mas cuja queda deixa consequências.

Do ponto de vista da história do movimento analítico, o artigo de Freud pode ser visto como uma vigorosa contestação da tese de Otto Rank segundo a qual o evento psíquico central na vida de um ser humano seria o traumatismo do nascimento, principal eixo de seu *O trauma do nascimento* (1924). Contudo, a ruptura com Rank não foi imediata. Assim que termina de redigir o presente artigo, Freud escreve a Rank, em 23 de março de 1924, convidando-o a presidir a Associação Psicanalítica de Viena. Qual o estatuto desse convite? Freud já não conhecia os planos de Rank de deixar Viena?

Diversas vezes, Freud reafirma que não considerava as teses de Rank heréticas. Pouco antes, em carta de 1° de dezembro de 1923, chega a felicitá-lo por sua produtividade e acrescenta que via seu trabalho como uma continuação do seu próprio: "*Non omnis moriar*" ("não morri completamente"). Vale lembrar que Rank gozava de um carinho especial junto ao professor. Algumas edições da *Traumdeutung* incorporaram tantas contribuições de Rank que este chegou a figurar como coautor na folha de rosto. Foi um caso único entre seus discípulos. De todo modo, as tensões no interior do comitê eram indisfarçáveis. Depois da publicação conjunta da obra de Ferenczi e Rank sobre as relações entre teoria e técnica – *Perspectivas da psicanálise* (1923) –, uma espécie de cisão interna não pôde mais ser mascarada. Abraham via nessas duas obras uma "regressão científica", como afirma a Freud em 26 de fevereiro de 1924. Jones também não poupou críticas. As missivas circulavam entre os membros do comitê num ritmo vertiginoso. Freud demorou cerca de dois anos para decidir pela recusa da tese de Rank. E sua resposta é justamente recolocar o complexo de Édipo, aqui visto do ponto de vista de seu declínio e de suas consequências, como um dos pilares da psicanálise.

Trata-se aqui do esforço de Freud de repensar o complexo de Édipo no contexto de sua recém-formulada teoria das instâncias psíquicas, publicada um ano antes em "O Eu e o Isso". Para Freud, o complexo de Édipo tem um papel fundamental na constituição do sujeito e do desejo.

Por essas razões, o declínio do Édipo é determinante para a psicopatologia psicanalítica. Além disso, os destinos da sexualidade masculina e feminina definem-se a partir desse declínio. Ao final do artigo, Freud alude ao movimento feminista de seu tempo e logo em seguida parodia uma sentença de Napoleão: "A política é o destino" ("*Le destin, c'est la politique*"). Essa declaração foi documentada por Goethe, que relata seu encontro com o imperador francês em outubro de 1808, quando Napoleão expõe sua convicção de que a política ocupa para o homem moderno o lugar que a tragédia ocupava para o homem antigo. A versão de Freud – "a anatomia é o destino" – não deixa de dizer que para o homem contemporâneo a sexualidade é o destino, sem que isso signifique que a relação entre anatomia e sexualidade se deixe reduzir ao campo da biologia. No entanto, não há como esquecer que, para a psicanálise, nenhuma substituição metafórica realmente logra eliminar aquilo que foi substituído. Não é difícil perceber como o trágico retorna no político, assim como o político retorna no sexual.

Esse artigo foi uma referência importante na reformulação kleiniana da teoria do complexo de Édipo.

RANK, O. *Das Trauma der Geburt*, 1924 • KLEIN, M. The Oedipus Complex in the Light of Early Anxieties. *International Journal of Psycho-Analysis*, 1945.

NOTAS

[1] A palavra *Versagung* tem em "frustração" sua principal acepção nos usos correntes da língua, ainda que Freud geralmente empregue o termo para designar um "impedimento" ou uma "privação", mais do que um estado de ânimo marcado pela decepção diante de algo esperado e não ocorrido. (N.R.)

[2] Aqui remetemos o leitor à nota associada ao título deste escrito. Como vimos, o hiperônimo *Untergang*, aqui traduzido como "declínio", instala uma rede associativa da qual retiramos a ideia de *naufragar* (*sinken*, *versinken*) e *dissolver* (*lösen*, *ablösen*), termos aqui empregados num sentido menos ambíguo. (N.R.)

[3] Como provavelmente é de conhecimento do leitor assíduo de Freud, há uma grande polêmica envolvendo a tradução dos termos da segunda organização tópica do aparelho psíquico elaborada por Freud. Os termos *Es*, *Ich* e *Über-Ich* foram traduzidos por *Id*, *Ego* e *Superego*, na célebre *Standard Edition* inglesa. O pano de fundo daquela escolha era empregar termos latinos, a fim de emprestar uma pretensa respeitabilidade científica ao aparelho psíquico freudiano. Um dos argumentos em favor da manutenção da solução proposta pela *Standard Edition* seria o fato da relativa institucionalização daquele vocabulário na comunidade psicanalítica brasileira. Se isso foi verdade um dia, com certeza esse argumento não se sustenta mais. Nesta coleção, preferimos uma tradução a partir do que os termos designam na linguagem corrente: "Isso", "Eu" e "Supereu", respectivamente. Afinal, Freud fez uso de pronomes simples, apenas transformando-os em substantivos ao grafá-los com inicial maiúscula (regra da língua alemã). (N.R.)

[4] Referência ao célebre dito napoleônico: "A política é o destino" ("*Le destin, c'est la politique*"). (N.R.)

ALGUMAS CONSEQUÊNCIAS PSÍQUICAS DA DISTINÇÃO ANATÔMICA ENTRE OS SEXOS (1925)

Meus trabalhos e os de meus alunos sustentam, com cada vez mais firmeza, a exigência de que a análise dos neuróticos precisaria penetrar também no primeiro período da infância, a época do primeiro florescimento da vida sexual. Só quando investigamos as primeiras manifestações da constituição pulsional inata e os efeitos das mais precoces impressões vitais é que podemos conhecer devidamente as forças pulsionais das neuroses posteriores e estar seguros contra os equívocos a que nos levariam as reconfigurações e sobreposições da idade madura. Essa exigência não é de importância apenas teórica, mas também prática, pois ela distingue nossos esforços do trabalho daqueles médicos que, apenas terapeuticamente orientados, servem-se, até certo ponto, dos métodos analíticos. Uma análise da primeira infância como essa é lenta, trabalhosa e coloca exigências ao médico e ao paciente, cujo cumprimento nem sempre a prática satisfaz. Além disso, ela nos leva a regiões escuras, dentro das quais sempre nos faltam os indicadores de caminho. Penso mesmo que podemos garantir aos analistas que, nas próximas décadas, seu trabalho científico não correrá o risco de ser mecanizado e sem interesse.

No que se segue, comunico um resultado da investigação analítica, do qual seria muito importante poder demonstrar a validez geral. Por que não prorrogo a publicação até que uma experiência mais robusta me apresente essa prova, se é que ela pode ser apresentada? Porque ocorreu uma mudança em minhas condições de trabalho, cujas consequências não posso negar. Antigamente eu não me incluía entre aqueles que não conseguiam guardar para si por algum tempo uma suposta novidade, até que ela encontrasse confirmação e retificação. *A interpretação dos sonhos* e *Fragmento da análise de um caso de histeria* (o caso Dora), foram retidos [*unterdrückt*][1] por mim, se não durante nove anos, de acordo com a recomendação de Horácio, pelo menos por quatro ou cinco anos, antes de eu entregá-los para publicação. É que, naquela época, o tempo se estendia infinitamente diante de mim – *oceans of time*, como diz um simpático poeta –, e o material fluía com tanta abundância diante de mim que eu mal podia me defender das experiências. Eu também era o único a trabalhar em um campo novo, e minha hesitação não trazia nenhum perigo para mim, nem prejuízos para outros.

Agora tudo mudou. O tempo à minha frente é limitado, ele não é mais inteiramente aproveitado no trabalho; as oportunidades para fazer novas experiências não surgem com tanta frequência. Quando penso ter percebido algo novo, fico em dúvida se devo aguardar a confirmação. Também já foi esgotado tudo o que estava em aberto na superfície; o restante tem de ser trazido das profundezas com esforço lento. E, por último, não estou mais sozinho. Um grupo de ávidos colaboradores está disposto a tirar proveito mesmo do inacabado, do que é duvidoso; posso lhes delegar a parte do trabalho que eu mesmo faria normalmente. Sendo assim, sinto-me justificado em comunicar, desta vez, algo que precisa de urgente confirmação antes que o seu valor ou a falta dele possam ser reconhecidos.

Quando investigamos as primeiras formações psíquicas da vida sexual na criança, tomamos geralmente como objeto a criança de sexo masculino, o menininho. Achávamos que no caso da menininha tinha de ser semelhante, mesmo que diferente de alguma maneira. O que não ficou claramente determinado foi o ponto do processo de desenvolvimento em que se encontraria essa distinção.

A situação do complexo de Édipo é a primeira fase que conhecemos com segurança no menino. Ela é fácil de compreender, porque nela a criança se apega ao mesmo objeto que ela tinha investido com sua libido ainda não genital durante o período precedente de amamentação e cuidados. Mesmo o fato de a criança sentir o pai como um rival incômodo – de quem quer se livrar e substituir – deriva diretamente das relações reais. Expus em outro trabalho que a posição do menino no Édipo pertence à fase fálica e é dissolvida pela angústia de castração, portanto, pelo interesse narcísico no genital.[2] Uma dificuldade de compreensão surge pela complicação de que o complexo de Édipo, mesmo para o menino, é duplamente orientado, ativo e passivo, de acordo com a constituição sexual. O menino também quer substituir a mãe como objeto de amor do pai, o que chamamos de posição feminina.

Na pré-história do complexo de Édipo no menino, estamos longe de ter tudo claro. Dela conhecemos uma identificação com o pai de natureza terna, da qual ainda está afastado o sentido da rivalidade pela mãe. Outro elemento dessa pré-história é a atividade masturbatória do genital, a qual, segundo penso, nunca está ausente; é o onanismo da tenra infância, cuja repressão [*Unterdrückung*] mais ou menos violenta por parte das pessoas que cuidam da criança ativa o complexo de castração. Supomos que esse onanismo tem a ver com o complexo de Édipo e significa a descarga de sua excitação sexual. Ainda é incerto se ela tem, desde o início, essa relação, ou se não surge espontaneamente como atividade de órgão e só mais tarde ganha conexão com o complexo de Édipo; a última possibilidade é, de longe, a mais provável. Outra questão duvidosa é o papel da enurese noturna e sua superação mediante a intervenção da educação. Vamos dar preferência ao resumo simples: a enurese prolongada seria o resultado do onanismo; sua repressão seria tomada pelo menino como uma inibição da atividade genital, portanto, no sentido de uma ameaça de castração, mas ainda resta saber se com isso estamos certos em cada caso. Por fim, a análise nos permite vislumbrar de maneira obnubilada como o fato de perscrutar o coito dos pais em idade muito tenra pode dar lugar à primeira excitação sexual e, através de seus efeitos posteriores, ser o ponto de partida para o desenvolvimento sexual inteiro. O onanismo, bem como as duas posições do complexo de Édipo, ligam-se, mais tarde, à impressão interpretada na sequência. Só não podemos supor que essas observações do coito sejam um acontecimento regular, e aqui nos deparamos com o problema das "fantasias originárias" [*Urphantasien*].[3] É muito, portanto, o que também permanece inexplicado na pré-história do complexo de Édipo no menino e ainda está sujeito à nossa compreensão e verificação, sobre se devemos supor sempre o mesmo processo ou se são estágios prévios muito diferentes que conduzem ao ponto de encontro da mesma situação final.

O complexo de Édipo da menininha oculta um problema a mais em relação ao do menino. Inicialmente, a mãe foi o primeiro objeto para ambos, e não temos de nos surpreender que o menino a mantenha no complexo de Édipo. Mas como ocorre, então, que a menina a abandone e, em seu lugar, tome o pai como objeto? Perseguindo essa pergunta, pude chegar a algumas constatações que justamente poderão lançar uma luz à pré-história da relação edípica na menina.

Todo e qualquer analista conheceu mulheres que se apegam, com particular intensidade e tenacidade, à sua ligação ao pai e ao desejo, no qual essa ligação culmina, de ter um filho com o pai. Temos bons motivos para supor que essa fantasia de desejo também tenha sido a força pulsional de seu onanismo infantil, e facilmente ganhamos a impressão de estarmos aqui diante de um fato elementar, não passível de solução, da vida sexual infantil. Entretanto, uma análise mais detalhada, justamente desses casos, revela algo diferente, a saber, que o complexo de Édipo, nesse caso, tem uma longa pré-história e constitui, de certo modo, uma formação secundária.

Segundo uma observação do antigo pediatra Lindner,[i,4] a criança descobre a zona genital proporcionadora de prazer – pênis ou clitóris – quando se deleita ao mamar (chuchar). Quero deixar como questão aberta saber se a criança realmente toma essa fonte de prazer, que acaba de descobrir, como substituto do mamilo materno que acaba de perder, para onde parecem apontar as fantasias posteriores (felação). Em suma: a zona genital é descoberta em algum momento, e parece injusto atribuir um conteúdo psíquico às primeiras atividades do menino com ela. O próximo passo nessa fase fálica que assim se iniciou, não é, entretanto, a conexão desse onanismo com

---

[i] Ver *Três ensaios sobre a teoria sexual*, *Ges. Werke*, v. V.

os investimentos de objeto do complexo de Édipo, e sim uma descoberta plena de consequências, que compete à menininha. Ela percebe o pênis notadamente visível e de grandes proporções de um irmão ou de um coleguinha, identifica-o imediatamente como o correspondente superior de seu próprio órgão pequeno e escondido e, a partir daí, cai vítima da inveja do pênis.

Eis uma interessante oposição na conduta de ambos os sexos: no caso análogo, quando o menininho vê, pela primeira vez, a região genital da menina, ele se mostra irresoluto e, a princípio, pouco interessado; ele não vê nada ou recusa [*verleugnet*] a sua percepção, ameniza-a, procura informações para colocá-la de acordo com sua expectativa. Só mais tarde, quando uma ameaça de castração ganhar influência sobre ele, é que essa observação irá se tornar significativa para ele; a lembrança ou a renovação dessa percepção desperta nele uma tempestade de afeto e o submete à crença na realidade da ameaça de que havia rido até então. Desse encontro resultam duas reações que podem se fixar, e depois – cada uma separadamente ou ambas reunidas com outros fatores – podem determinar de forma duradoura sua relação com a mulher: horror à criatura mutilada ou desprezo triunfal por ela. Mas esses desenvolvimentos pertencem a um futuro, embora não muito distante.

Na menininha é diferente. Num instante ela está preparada para o seu julgamento e sua decisão. Ela o viu, sabe que não o tem e quer tê-lo.[i]

---

[i] Esta é a oportunidade de corrigir uma afirmação que fiz há muitos anos. Eu acreditava que o interesse sexual das crianças não era despertado, como o dos que estão quase maduros, pela diferença entre os sexos, mas que se inflamava no problema de saber de onde vêm as crianças. Pois bem, ao menos para a menina, isso certamente não vale. Para o menino, poderá ser ora assim, ora de outro modo, ou, para ambos os sexos, são as circunstâncias casuais da vida que decidem.

Neste ponto, bifurca-se o assim chamado complexo de masculinidade da mulher, o qual, eventualmente, trará grandes dificuldades ao desenvolvimento predeterminado da feminilidade, caso a mulher não consiga logo superá-lo. A esperança de algum dia ter um pênis e assim igualar-se ao homem pode conservar-se até épocas incrivelmente tardias e tornar-se motivo de atos estranhos, incompreensíveis de outro modo. Ou a mulher ingressa no processo que eu gostaria de chamar de recusa [*Verleugnung*], que não parece ser nem raro nem muito perigoso na vida anímica da criança, mas que, no adulto, poderia iniciar uma psicose. A menina se recusa a aceitar o fato de sua castração, reforça a convicção de que, sim, possui um pênis, e é obrigada a conduzir-se na sequência como se fosse um homem.

As consequências psíquicas da inveja do pênis – na medida em que esta não se esgota na formação reativa do complexo de masculinidade – são múltiplas e de grande alcance. Com o reconhecimento de sua ferida narcísica, estabelece-se na mulher – de certo modo como cicatriz – um sentimento de inferioridade. Depois de superar a primeira tentativa de explicar sua falta de pênis como punição pessoal e de ter entendido a generalidade dessa característica sexual, ela começa a compartilhar o menosprezo do homem pelo sexo reduzido num ponto decisivo e, ao menos nesse julgamento, insiste em sua própria igualdade com o homem[i].

---

[i] Em minha primeira manifestação crítica, em "História do movimento psicanalítico", já havia reconhecido que esse é o núcleo de verdade da teoria de Adler, que não hesita em explicar o mundo inteiro a partir desse único ponto (inferioridade de órgão – protesto masculino – recuo da linha feminina) e se orgulha de ter privado a sexualidade de sua importância, em favor do anseio por poder! O único órgão inferior que merece esse nome sem ambiguidade seria, portanto, o clitóris.

Mesmo que a inveja do pênis tenha renunciado ao seu próprio objeto, ele não deixa de existir, continua vivo no traço característico do *ciúme*, com leve deslocamento. É claro que o ciúme não é próprio apenas de um sexo e se fundamenta em base mais ampla, mas eu acho mesmo que ele tem um papel muito maior, porque cobra da fonte deslocada da inveja do pênis um enorme reforço. Antes mesmo de conhecer esse desvio do ciúme, eu tinha construído uma primeira fase para a fantasia onanista "Bate-se numa criança", tão frequente nas meninas, na qual ele significava que uma outra criança, da qual ela sente ciúme como rival, deve apanhar.[i] Essa fantasia parece ser uma relíquia do período fálico das meninas; a peculiar rigidez que me chamou a atenção na fórmula monótona: bate-se numa criança talvez ainda admita uma interpretação especial. A criança que ali está apanhando/sendo acariciada pode, no fundo, não ser outra coisa além do próprio clitóris, de maneira que o enunciado contém, no mais profundo, a confissão da masturbação, que se liga ao conteúdo da fórmula na fase fálica, desde o início, até em épocas tardias.

Uma terceira consequência da inveja do pênis parece ser o afrouxamento da relação terna à mãe como objeto. Não se entende muito bem a concatenação, mas se fica

---

Por outro lado, ouve-se falar de analistas que se vangloriam, apesar do empenho de décadas, de não terem percebido nada da existência de um complexo de castração. Devemos nos curvar admirados diante da grandeza desse trabalho, mesmo que seja apenas um trabalho negativo, uma obra-prima do descuido e da má interpretação. As duas teorias produzem um interessante par de opostos: em uma, nenhum vestígio de um complexo de castração, e em outra, nada mais do que consequências dele.

[i] "Bate-se numa criança", *Ges. Werke*, v. XII. [Publicado, nesta coleção, no volume *Neurose, psicose, perversão*.]

convencido de que, no final, quase sempre a mãe é responsável pela inveja do pênis, por ter trazido ao mundo a criança tão insuficientemente dotada. Comumente, o curso histórico assim se desenrola: logo após a descoberta da desvantagem no genital, aflora o ciúme de outra criança, a quem supostamente a mãe ama mais, com o qual a criança ganhou uma motivação para se soltar da ligação com a mãe. Isso então fará efeito, se a criança preferida da mãe se tornar o primeiro objeto da fantasia de surra que desemboca na masturbação.

Outra surpreendente consequência da inveja do pênis – ou a descoberta da inferioridade do clitóris – é certamente a mais importante de todas. Antes, eu sempre tinha a impressão de que a mulher, em geral, suporta a masturbação pior do que o homem, que frequentemente resiste a ela e não é capaz de dela servir-se, ao passo que o homem, sob as mesmas circunstâncias, teria recorrido a esse meio sem hesitar. Por certo, a experiência iria trazer inúmeras exceções a essa suposição, se quiséssemos apresentá-la como regra. As reações dos indivíduos humanos de ambos os sexos estão, de fato, mescladas de traços masculinos e femininos. Entretanto, ficou parecendo que a natureza da mulher está mais afastada da masturbação, e, para a solução do suposto problema, poder-se-ia mencionar que pelo menos a masturbação do clitóris seria uma atividade masculina e que o deslocamento da feminilidade teria como condição a eliminação da sexualidade clitoriana. As análises da pré-história fálica me ensinaram que, na menina, logo depois dos indícios da inveja do pênis, entra em cena uma intensa contracorrente oposta ao onanismo, que não pode unicamente ser remetida à influência da pessoa que cuida da criança. Essa moção é claramente um precursor da onda recalcante [*Verdrängungsschubes*], que na época da puberdade quer eliminar grande parte da sexualidade masculina, para deixar espaço para o desenvolvimento da feminilidade. Pode ser que essa primeira oposição contra a atividade autoerótica não alcance a sua meta. Isso também ocorreu nos casos analisados por mim. O conflito então prosseguiu, e a menina, na época, e mais tarde, fez de tudo para se livrar da compulsão ao onanismo. Algumas expressões tardias da vida sexual da mulher permanecem incompreensíveis se não se conhece esse forte motivo.

Não posso explicar de outra maneira essa revolta da menininha contra o onanismo fálico, a não ser pela suposição de que o prazer dessa atividade agradável lhe será gravemente estragado por algum fator concorrente. Não é preciso procurar esse fator muito longe; a ofensa narcísica ligada à inveja do pênis poderia ser a advertência de que nesse ponto ela não pode, de fato, competir com o menino e que seria melhor abandonar a concorrência com ele. Dessa maneira, o conhecimento da diferença anatômica entre os sexos força a menininha a afastar-se da masculinidade e do onanismo masculino por novas vias, que levam ao desdobramento da feminilidade.

Até agora não se falou do complexo de Édipo, mas também ele não tinha desempenhado papel algum. Mas agora, a libido da menina desliza para um novo posicionamento – não há outra maneira de dizer – ao longo da equação simbólica pré-determinada pênis = criança. Ela abandona o desejo do pênis para colocar em seu lugar o desejo de uma criança e, *com essa intenção*, toma o pai como objeto de amor. A mãe se torna objeto de ciúme, e a menina se transforma em uma pequena mulher. Se posso acreditar em um levantamento analítico isolado, ela pode chegar, nessa nova situação, a sensações corporais que podem ser consideradas um despertar prematuro do aparelho genital feminino. Quando essa ligação ao pai vier a ser abandonada como malsucedida, ela pode ceder lugar a uma identificação ao pai, com a qual a menina retorna ao complexo de masculinidade e eventualmente a ele se fixa.

Agora eu já disse o essencial do que eu tinha de comunicar, e me detenho para uma contemplação panorâmica do resultado. Conhecemos a pré-história do complexo de Édipo na menina. O correspondente no menino é bastante desconhecido. Na menina, o complexo de Édipo é uma formação secundária. As repercussões do complexo de castração o precedem e o preparam. A respeito da relação entre o complexo de Édipo e o de castração, estabelece-se uma oposição fundamental entre os dois sexos. *Enquanto o complexo de Édipo do menino cai por terra*[i] *através do complexo de castração, o da menina é possibilitado e introduzido pelo complexo de castração.* Essa contradição contém seu próprio esclarecimento, se considerarmos que o complexo de castração sempre opera no sentido de seu conteúdo, inibindo e limitando a masculinidade e promovendo a feminilidade em cada caso. A diferença nessa parte do desenvolvimento sexual no homem e na mulher é uma consequência compreensível da diferenciação anatômica entre os genitais e da situação psíquica a ela ligada; ela corresponde à distinção entre castração consumada e mera ameaça de castração. Nosso resultado é, portanto, no fundo, uma obviedade que poderia ter sido prevista.

No entanto, o complexo de Édipo é algo tão importante que também não se pode deixar de acompanhar o modo como nele se entrou e dele se saiu. No menino

---

[i] Ver “O declínio do complexo de Édipo”.

– segundo expus na publicação que acabo de mencionar e à qual estou aqui me referindo –, o complexo não é simplesmente recalcado, ele é despedaçado formalmente sob o impacto da ameaça de castração. Seus investimentos libidinais são abandonados, dessexualizados e em parte sublimados; seus objetos são incorporados ao Eu, onde formam o núcleo do Supereu e emprestam a essa neoformação suas propriedades características. No caso normal, melhor dizendo: no caso ideal, também não existe mais nenhum complexo de Édipo no inconsciente; o Supereu tornou-se seu herdeiro. Tendo em vista que o pênis – no sentido de Ferenczi – deve seu investimento narcísico extraordinariamente alto à sua importância orgânica para a sobrevivência da espécie, podemos conceber a catástrofe do complexo de Édipo – a ocultação do incesto, a instituição da consciência e da moralidade – como uma vitória da geração sobre o indivíduo. Um ponto de vista interessante, se considerarmos que a neurose se baseia numa resistência do Eu contra a exigência da função sexual. Entretanto, abandonar o ponto de vista da psicologia individual não leva imediatamente ao esclarecimento das relações entrelaçadas.[5]

Na menina, falta o motivo para a destruição do complexo de Édipo. A castração já produziu antes seu efeito, que consistiu em forçar a criança na situação do complexo de Édipo. Por isso, este foge ao destino que lhe está preparado no caso do menino; ele pode ser abandonado lentamente, ser resolvido por recalcamento e deslocar seus efeitos amplamente na vida anímica normal da mulher. Hesitamos em afirmá-lo, mas não podemos nos defender da ideia de que o nível do que é eticamente normal é diferente para a mulher. O Supereu nunca se torna tão implacável, tão impessoal, tão independente de suas origens afetivas como o exigimos do homem. Traços de caráter que sempre foram criticados na mulher – que ela mostra menos senso de justiça que o homem, menor inclinação para se submeter às grandes necessidades da vida, que, com maior frequência, deixa-se guiar em suas decisões por sentimentos ternos e hostis – estariam amplamente fundamentados na modificação da formação do Supereu que fizemos acima. Em julgamentos como esses, não devemos nos deixar levar pelas objeções de feministas, que querem nos impor uma total igualdade e equiparação dos sexos, mas admitimos, de boa vontade, que a maioria dos homens também está muito aquém do ideal masculino, e que todos os indivíduos humanos, em razão de sua constituição bissexual[6] e da herança cruzada, reúnem em si características masculinas e femininas, de maneira que a pura masculinidade e a pura feminilidade são construções teóricas de conteúdo incerto.

Estou inclinado a atribuir valor às considerações que apresentei sobre as consequências psíquicas da distinção anatômica entre os sexos, mas sei que essa apreciação só poderá se sustentar se os descobrimentos feitos em um punhado de casos se comprovarem de maneira geral e demonstrarem ser típicos. Do contrário, seria apenas uma contribuição para o conhecimento dos múltiplos caminhos do desenvolvimento da vida sexual.

Nos valiosos e abrangentes trabalhos de Abraham sobre o complexo de masculinidade e de castração na mulher (*Manifestações do complexo de castração feminino*[7]), de Horney (*Sobre a gênese do complexo de castração nas mulheres*),[8] e de Helene Deutsch (*Psicanálise das funções sexuais femininas*),[9] encontra-se muita coisa que toca de perto a minha apresentação; nada, contudo, que coincida com ela completamente, de modo que eu gostaria de justificar esta publicação também nesse sentido.

Einige psychische Folgen des anatomischen Geschlechtsunterschieds (1925)

1925 Primeira publicação: *Internationale Zeitschrift für Psychoanalyse*, v. 11, n. 4, p. 401-410

1928 *Gesammelte Schriften*, t. XI, p. 8-19

1948 *Gesammelte Werke*, t. XIV, p. 19-30

Segundo Jones, Freud apresentou este artigo privadamente para Ferenczi em agosto de 1925. Porém, no IX Congresso internacional de Psicanálise, ocorrido em Bad Homburg no mês seguinte, Anna Freud foi incumbida de ler o artigo de seu pai, tornando-se a porta-voz oficial dele desde então. Não deixa de ser curioso que o artigo no qual as hipóteses fundamentais que culminariam em uma mudança de perspectiva em relação à sexualidade feminina defendida até então tenha sido lido por uma mulher, que ganha voz própria.

A "obscuridade" acerca da vida sexual das mulheres, assim como a "incompletude" de suas próprias investigações sobre o tema, foi um *Leitmotiv* da obra de Freud, desde pelo menos os *Três ensaios sobre a teoria sexual* (1905), culminando com a célebre passagem, 20 anos mais tarde, de "A questão da análise leiga", em que escreve: "Sabemos menos sobre a vida sexual da menininha do que sobre a do menininho. Não precisamos ter vergonha dessa diferença, uma vez que também a vida sexual da mulher adulta é um *dark continent* [continente obscuro] para a Psicologia" (in: *Fundamentos da clínica psicanalítica*, 2016, p. 240). Durante esse longo período, uma espécie de paralelismo entre a vida sexual de meninas e meninos foi de certa forma pressuposta. Na conferência intitulada "Desenvolvimento da libido e as organizações sexuais", de 1916, Freud reafirma: "Como os senhores percebem, só descrevi a relação do menino com o pai e a mãe. Para a menininha, ela se configura, com as necessárias modificações, de maneira bem parecida" (no presente volume, p. 227). Apenas dois anos antes, em "Organização genital infantil", de 1923, insiste: "Infelizmente, só podemos descrever essas relações para o menino; falta-nos o conhecimento para os processos correspondentes na menininha" (no presente volume, p. 239). Contudo, como nota aliás Strachey em sua apresentação desse trabalho, Freud já tinha motivos para confessar, em 1919, sua "insatisfação" com essas hipóteses. Muito do que aqui é discutido foi apresentado em forma quase de aforismo em "O declínio do complexo de Édipo" (1924). Contudo, não podemos perder de vista que o alcance do que Freud propõe aqui tem a ver com a clivagem entre posição subjetiva e posição anatômica.

Tudo isso deve ser visto no contexto geral da reviravolta dos anos 1920, quando Freud apresenta um novo dualismo pulsional e uma nova teoria do aparelho psíquico. Particularmente, a introdução de conceitos como a pulsão de morte e o Supereu não deixa de repercutir em todos os âmbitos da psicanálise. Além disso, não há como desconsiderar a dinâmica da produção de conhecimento e de circulação dos saberes nesse momento institucional da psicanálise: não é por acaso que Freud se refere a três autores – Karl Abraham, Helene Deutsch e Karen Horney – no final do artigo. Especialmente o artigo de Horney "Sobre a gênese do complexo de castração feminina", de 1922, apesar de reconhecer a ubiquidade da inveja do pênis, relativizava sua importância psíquica na constituição da feminilidade, ao propor seu caráter de formação secundária. O presente artigo não deixa de ser uma resposta a isso.

A recepção deste artigo é imensa e não poderia ser resumida aqui, constituindo talvez um dos temas mais polêmicos na recepção contemporânea de Freud. É impossível não ressaltar, contudo, que a particular rejeição dos psicanalistas ingleses das teses aqui defendidas inflamou a primeira década de intensos debates quanto à sexualidade feminina.

Se Freud retoma o tema da sexualidade feminina ainda em duas importantes ocasiões no início da década de 1930, isso se deve, pelo menos em parte, à grande e polêmica repercussão deste seu pequeno escrito.

***

Karen Horney foi provavelmente a primeira a sugerir, já em 1926 – no mesmo periódico em que Freud havia acabado de publicar seu artigo –, que o fato de a psicanálise ser um produto da especulação masculina implicaria impasses incontornáveis: a teoria freudiana da feminilidade seria um prolongamento de teorias sexuais infantis masculinas. Assim, haveria uma posição política – ou pré-teórica – subjacente, que contamina inevitavelmente a perspectiva masculina. Essa crítica, com suas variantes, constituiu um dos *tropos* fundamentais da crítica feminista a Freud. Contudo, paradoxalmente, Horney acabou endossando a ideia de um princípio biológico de atração heterossexual, inexistente em Freud.

Ao comentar em bloco o presente artigo e o artigo "Sobre a sexualidade feminina", Jacques Lacan localiza a dissimetria fundamental do conflito edípico em meninos e meninas no plano simbólico, sugerindo que não há simbolização do sexo na mulher enquanto tal (lição de 21 de março de 1956). No ano seguinte, comentando ainda essa dissimetria, admite que o Édipo é essencialmente "androcêntrico" ou "patrocêntrico" (lição de 6 de março de 1957). Ainda para Lacan, o complexo de Édipo seria um ciframento, uma forma mítica de se referir à simbolização da polimorfia das pulsões. Em outras palavras, o complexo de Édipo seria uma função que, sob a égide de um significante privilegiado, emprestaria um enquadre simbólico, ainda que precário, para as pulsões. Não se pode esquecer também que o fim de análise lacaniano indica uma saída pelo lado fe minino da sexuação, tanto em homens quanto em mulheres, no sentido de uma "desfalicização". Por seu turno, para Jean Laplanche, castração e Édipo devem ser vistos como esquemas narrativos que ajudam a criança a mitigar o efeito traumático da inoculação da sexualidade inconsciente do adulto.

O acalorado debate acerca da diferença sexual e da feminilidade ocorrido nos anos 1920 foi reaberto nas décadas de 1960-1970, no que se convencionou chamar de "segunda onda feminista", quando a discussão acerca das compatibilidades e incompatibilidades entre psicanálise e feminismo passou para o primeiro plano. Por um lado, diversas feministas criticaram aspectos centrais da psicanálise – muitas delas condenando-a inapelavelmente –, mas, por outro lado, muitas outras se valeram de conceitos psicanalíticos como instrumentos de crítica feminista à sociedade. Suas ressalvas girariam em torno da centralidade da inveja do pênis na constituição da subjetividade da mulher: o argumento da inveja estaria carregado de uma suposição de superioridade masculina. Juliet Mitchell deu uma importante contribuição à leitura de Freud do ponto de vista da teoria feminista, eximindo-o de uma teoria prescritiva de uma normalidade sexual e afirmando que a rejeição da psicanálise seria fatal para o feminismo. Hélène Cixous, que fundaria em 1974 o Centre de Recherches en Etudes Féminines, primeira instituição europeia dessa natureza, criticou a ideia da mulher como "continente negro" a ser conquistado, identificando nessa metáfora resíduos de modelos patriarcais, entre os quais ela localizaria a psicanálise. Como muitas autoras da época, defenderia a escrita das mulheres como mecanismo de construção de uma representação de si. Mulheres como Julia Kristeva, além de toda uma vertente sobretudo francesa de psicanalistas mulheres, apostou em uma leitura do "feminino" em outro registro. Numa espécie de terceira margem do debate, psicanalistas lacanianas pareciam estar especialmente interessadas no gozo suplementar (não fálico), na investigação da escrita feminina como contraponto ao Simbólico falocêntrico, na clínica do real, além de apostarem em soluções singulares e contingentes, como saídas a impasses inerentes aos feminismos. Ao menos no cenário europeu e sul-americano, o ponto de vista dessa vertente, apesar de enormes variantes e matizes, parece ter prevalecido nos anos seguintes, pelo menos até a assim chamada terceira onda feminista. O debate parece ter sido reaberto, principalmente em virtude de influentes trabalhos de Judith Butler. Recentemente, uma coletânea abrangente de ensaios de nomes de peso do pensamento lacaniano, tais como Jacques-Alain Miller, Geneviève Morel, Colette Soler, Darian Leader, Slavoj Žižek e Alain Badiou, entre outros, foi editada por Renata Salecl sob o título *Sexuation*. Por sua vez, Tina Chanter apresentou uma solução não essencialista para o problema da feminilidade.

ABRAHAM, K. Äußerungsformen der weiblichen Kastrationskomplexes. *Internationale Zeitschrift für Psychoanalyse*, 7 • BEAUVOIR, S. *O segundo sexo*. 2. ed. Rio de Janeiro: Nova Fronteira, 2009 • BUTLER, J. *Gender trouble*. New York: Routledge, 1990 • CHANTER, T. Antigone's dilemma. In: CRITCHLEY, S.; BERNASCONI, R. *Re-reading Levinas*. Indiana: Indiana University Press, 2002 • CIXOUS, H. *Le Rire de la Méduse et autres ironies*. Paris: Gallimard, 2010 • GALLOP, J. Phallus/ Penis: Same difference. In: *Thinking Trough the body*. New York: Columbia, 1988 • HORNEY, K. Flucht aus der Weiblichkeit. *Internationale Zeitschrift für Psychoanalyse*, n. 12, 1926, p. 360-374; (ed. "Ing. The Flight From Womanhood") • MITCHELL, J. (1974). *Psychoanalysis and feminism*. New York: Pantheon Books, 1974 • IRIGARAY, L. *Speculum. De l'autre femme*. Paris: Éditions de Minuit, 1974 • KOFMAN, S. *L'énigme de la femme: la femme dans les textes de Freud*, 1980 • LACAN, J. *O seminário, livro 3, as psicoses*. Rio de Janeiro: Zahar, 1988 • LACAN, J. *O seminário, livro 4, a relação de objeto*. Rio de Janeiro: Zahar, 1995 • SALECL, R. *Sexuation*. Duke University Press, 2000 • STOLLER, R. The sense of femaneless. *Psychoanalytic Quarterly*, 37, 1968.

NOTAS

[1] Aqui Freud usa uma palavra que, quando com o valor de conceito psicanalítico, teria o sentido de reprimido, ainda que diferente de recalcado (*verdrängt*). Neste caso específico, o autor parece apenas se referir ao fato de não ter entregue os escritos para sua publicação. (N.R.)

[2] Ver o artigo "O declínio do complexo de Édipo" (1924). (N.T.)

[3] O termo *Urphantasien* é empregado pela primeira vez em 1915, em "Comunicação de um caso de paranoia que contradiz a teoria psicanalítica", onde escreve: "A observação da relação amorosa dos pais é uma peça que raramente falta no repertório das fantasias inconscientes que se pode descobrir através da análise de todos os neuróticos, provavelmente de todas as crianças. Chamo essas formações de fantasia, a da observação da relação sexual dos pais, a da sedução, a da castração e outras, de fantasias primordiais [*Urphantasien*], e em outro lugar irei examinar, em profundidade, sua origem e sua relação com a experiência individual" (in: *Neurose, psicose, perversão*, p. 91). Portanto, fantasias primordiais seriam aquelas fantasias irredutíveis à contingência da história subjetiva, mas transmitidas filogeneticamente, relativas geralmente à cena primordial, à sedução e à castração. Paralelamente, Freud se interessava também pelas *Urzenen*, ou cenas primordiais, acontecimentos traumáticos reais, como descrito, por

exemplo, no caso Homem dos lobos. O prefixo *Ur* em alemão designa algo anterior, primevo ou que dá origem. Por exemplo, o tempo pré-histórico seria o *Urzeit*, o humano pré-histórico, o *Urmensch*. Nesse sentido cabe lembrarmos também a noção freudiana de *pai primevo* (*Urvater*) exposta em *Totem e tabu*. (N.E.; N.R.)

4 Freud menciona o pediatra húngaro Dr. Lindner também em "A vida sexual humana" (neste volume, p. 187-206), que havia descrito, no final do século XIX, crianças que chupavam seus dedos ou outros objetos como atividade distinta das necessidades fisiológicas de alimentação, despatologizando o hábito. (N.E.)

5 No original, *verschlungenen*. Freud utiliza essa expressão também em *Estudos sobre histeria*, Capítulo IV – "Sobre a psicopatologia da histeria" (*Ges. Werke*, v. I (1892-1899), p. 290-307), para falar do terceiro tipo de ordenação da cadeia de pensamentos, que se estende por caminhos os mais entrecruzados, entrelaçados, "semelhante ao ziguezaguear [*das Zickzack*] – na solução do problema do lance do cavalo – que ultrapassa o desenho do campo". (N.T.)

6 Cf., neste volume, as "Cartas sobre a bissexualidade". (N.E.)

7 *Internationale Zeitschrift für Psychoanalyse*, v. 8. (N.R.)

8 *Internationale Zeitschrift für Psychoanalyse*, v. 9. (N.R.)

9 *Neue Arbeiten zur ärztlichen Psychoanalyse* (Novos Trabalhos em Psicanálise Médica), v. 5. (N.R.)

SOBRE TIPOS LIBIDINAIS (1931)

A observação nos mostra que cada uma das pessoas humanas concretiza a imagem geral do ser humano a partir de uma multiplicidade quase impossível de vislumbrar. Se cedermos à necessidade legítima de distinguir tipos especiais dentro dessa multiplicidade, teremos, antes de tudo, a escolha de características e de pontos de vista a partir dos quais devemos empreender essa diferenciação. Certamente qualidades corporais não serão menos utilizáveis para esse propósito do que as psíquicas; as mais valiosas serão as distinções que prometam uma conjunção regular de características corporais e anímicas.

Duvidamos que agora já nos seja possível encontrar tipos que atendam a esse requisito, o que certamente irá dar certo em algum momento, numa base ainda desconhecida. Se nos limitamos ao empenho de apresentar tipos meramente psicológicos, as relações da libido é que terão o direito a primeiro servir de base a essa classificação. Devemos exigir que essa classificação não seja apenas deduzida do nosso saber ou de nossas suposições sobre a libido, mas que ela também possa ser facilmente encontrada na experiência, e que ela contribua com sua parte para esclarecer, em nossa concepção, o conjunto das nossas observações. Podemos simplesmente admitir que esses tipos libidinais, mesmo no campo psíquico, não precisam ser os únicos possíveis e que, partindo de outras propriedades, talvez se possa apresentar toda uma série de outros tipos psicológicos. É preciso que se trate, em todos os tipos como esses, de não poder coincidir com quadros patológicos. Ao contrário, eles precisam abranger todas as variações que, de acordo com a nossa avaliação orientada em sentido prático, caibam dentro da extensão do normal. Contudo, em suas formações extremas, eles podem aproximar-se de quadros patológicos, e dessa maneira podem ajudar a preencher o suposto abismo entre o normal e o patológico.

Pois bem, de acordo com a predominância da acomodação da libido nas províncias[1] do aparelho psíquico, podemos distinguir três tipos libidinais, cuja escolha de nomes não é muito fácil; apoiando-me em nossa psicologia profunda, gostaria de chamá-los de tipo *erótico*, tipo *narcísico* e tipo *obsessivo*.

O tipo *erótico* é fácil de caracterizar. Os eróticos são pessoas cujo principal interesse – o relativamente maior montante de sua libido – é voltado para a vida amorosa. Amar, mas especialmente ser amado, é para elas o mais importante. São dominadas pelo medo [*Angst*] da perda do amor e, por isso, particularmente dependentes daqueles que lhes podem negar o amor. Esse tipo também é muito comum em sua forma pura. Variações dele surgem dependendo de sua mistura com outro tipo e da quantidade de agressão disponível. Social e culturalmente, esse tipo representa as exigências pulsionais elementares do Isso, ao qual as outras instâncias psíquicas passaram a obedecer.

O segundo tipo, que nomeei, estranho à primeira vista, de *obsessivo*, caracteriza-se pela predominância do

Supereu, que se separa do Eu sob grande tensão. Ele é dominado pelo medo da consciência moral [*Gewissensangst*], em vez do medo da perda do amor; mostra uma íntima dependência interna, por assim dizer, em vez de uma externa; desenvolve um alto grau de independência e socialmente se torna portador verdadeiro e predominantemente conservador da cultura.

O terceiro, com razão chamado de tipo *narcísico*, é caracterizado fundamentalmente de modo negativo. Nenhuma tensão há nele entre Eu e Supereu – a partir desse tipo dificilmente se teria chegado à noção de Supereu –, nele tampouco estão presentes grandes necessidades eróticas; o interesse principal é dirigido à autoconservação, é independente e pouco intimidável. Há grande quantidade de agressividade disponível no Eu, a qual se revela também em sua prontidão para a atividade; na vida amorosa, o amar tem preferência sobre o ser amado. Pessoas desse tipo impõem-se aos outros como "personalidades", são particularmente aptas para servir de apoio aos outros, para assumir o papel de líderes, para dar novo estímulo ao desenvolvimento cultural ou para danificar o existente.

Esses tipos puros dificilmente escaparão da suspeita de terem sido deduzidos da teoria da libido. Mas nos sentimos no terreno mais seguro da experiência se nos voltarmos para os tipos mistos, que se apresentam muito mais frequentemente à observação do que os puros. Esses novos tipos, o *erótico-compulsivo*, o *erótico-narcísico* e o *narcísico-compulsivo* parecem permitir, de fato, uma boa acomodação das estruturas psíquicas individuais, tal como as conhecemos pela análise. Se seguirmos esses tipos mistos, chegaremos a quadros característicos há muito conhecidos. No tipo *erótico-compulsivo* parece estar o super-poder da vida pulsional limitado pela influência do Supereu;

a dependência simultânea de objetos humanos recentes e dos vestígios dos pais, educadores e exemplos alcança o mais alto grau nesse tipo. O *erótico-narcísico* talvez seja aquele a quem se precisa reconhecer a maior frequência. Ele reúne opostos que nele podem reduzir-se reciprocamente; nele podemos aprender, em comparação com os outros dois tipos eróticos, que agressão e atividade aliam-se com a predominância do narcisismo. O tipo *narcísico-compulsivo* produz, finalmente, a mais valiosa variação cultural, pois acrescenta à independência externa e à consideração pela exigência da consciência moral a capacidade para uma atividade vigorosa e fortalece o Eu contra o Supereu.

Alguém poderia pensar que estamos fazendo uma brincadeira, se perguntássemos por que aqui não foi mencionado outro tipo misto teoricamente possível, a saber, o tipo *erótico-obsessivo-narcísico*. Mas a resposta a essa brincadeira é séria: porque um tipo como esse não seria mais nenhum tipo, mas significaria a norma absoluta, a harmonia ideal. Dessa maneira, damos-nos conta de que o fenômeno dos tipos surge justamente do fato de que, das três principais maneiras de se utilizar a libido na economia anímica, uma ou duas foram favorecidas à custa das outras.

Também se pode colocar a pergunta sobre qual é a relação desses tipos libidinais com a patologia, se alguns deles possuem uma disposição particular para passar à neurose e, nesse caso, quais tipos levam a quais formas. A resposta será que a formação desses tipos libidinais não lança nova luz sobre a gênese da neurose. De acordo com o testemunho da experiência, todos esses tipos são viáveis sem neurose. Os tipos puros, com a indiscutível preponderância de uma única instância anímica, parecem ter a maior perspectiva de se manifestar como quadros de características puras, ao passo que poderíamos esperar dos tipos mistos que eles oferecessem um solo mais propício para as condições da neurose. Penso, no entanto, que não se pode decidir sobre essas relações sem um exame cuidadoso e especialmente dirigido.

Que os tipos eróticos produzam histeria em caso de adoecimento, assim como os tipos obsessivos a neurose obsessiva, parece fácil de intuir, mas também faz parte da incerteza que acabei de acentuar. Os tipos narcísicos que, apesar de sua independência em outros aspectos, estão expostos à frustração [*Versagung*][2] por parte do mundo externo contêm uma especial predisposição para a psicose, bem como também apresentam condições essenciais para a criminalidade.

Como sabemos, as condições etiológicas da neurose ainda não estão conhecidas com certeza. As causas precipitantes da neurose são impedimentos e conflitos internos, conflitos entre as três grandes instâncias psíquicas, conflitos no interior da economia libidinal em consequência da constituição bissexual[3] entre os componentes pulsionais eróticos e agressivos. E quanto ao que torna patológicos os processos que pertencem ao curso psíquico normal, a psicologia das neuroses está empenhada em averiguação.

Über libidinöse Typen (1931)

1931 Primeira publicação: *Internationale Zeitschrift für Psychoanalyse*, v. 17, n. 3, p. 313-316

1934 *Gesammelte Schriften*, t. XII, p. 115-119

1948 *Gesammelte Werke*, t. XIV, p. 509-513

Este curto artigo foi publicado em outubro de 1931, o que levou Jones a inferir que sua redação teria sido concluída no verão do mesmo ano. Contudo, hoje é possível precisar melhor a informação. No diário que manteve ao longo de sua última década de vida, Freud anota sucintamente que havia começado o artigo em 2 de setembro de 1931.

No ano em que faria 75 anos, o reconhecimento da importância de seu nome era crescente. Desde que recebera o Prêmio Goethe, um ano antes, parecia que todos o queriam celebrar. Recebeu diversas homenagens, incluindo uma placa comemorativa na casa em que nascera, em Freiberg, e um convite para proferir a prestigiosa Conferência Huxley no Charing Cross Hospital, ligado à Universidade Londres, o qual Freud precisou, a contragosto, declinar. Sua doença progredia e culminaria na realização de diversos procedimentos cirúrgicos. Em uma célebre carta a Jones, Freud, não sem ironia, contrapõe a pouca importância da fama e do reconhecimento, dizendo preferir, naquele momento, uma prótese confortável.

A importante noção de "tipo" atravessa o texto de ponta a ponta. É bastante provável que remeta a uma questão de natureza metodológica, em voga desde o final do século XIX. A versão mais conhecida do método dos tipos é, sem dúvida, a noção weberiana de "tipo ideal", uma das categorias metodológicas fundamentais das ciências sociais. Não obstante, a noção de tipo foi antes empregada em outros domínios, como a psicopatologia ou a neurologia, por autores que tiveram influência direta sobre Freud, muitas vezes reconhecida por ele próprio, como Jean-Martin Charcot ou John Hughlings Jackson. Em 1893, quando relata os efeitos de sua estadia em Paris, Freud refere-se ao caso Anna O. literalmente como um caso "típico" e remete sua descoberta ao que aprendera com Charcot, que considerava o estudo dos tipos um dos métodos mais importantes em nosografia. Nas famosas *Leçons du mardi*, Charcot chega a afirmar que "O método dos tipos deve ser, aliás, de uma aplicação geral em nosografia, [...] um princípio de filosofia patológica certamente não muito frequentemente desconhecido".

Freud chega a recorrer à noção de "tipo" em pelo menos outros três importantes títulos de artigos: "Sobre um tipo especial de escolha objetal no homem" (neste volume), "Alguns tipos de caráter a partir do trabalho psicanalítico" (cf. *Arte, literatura e os artistas*) e "Sobre tipos neuróticos de adoecimento" (cf. *Neurose, psicose, perversão*). Neste último, a dialética entre tipo e singularidade é trabalhada com especial nitidez, mostrando como um "tipo" descreve aspectos bastante genéricos, nunca prevalecendo sobre o caso singular.

O presente texto apresenta uma contribuição inequívoca aos estudos caracterológicos, dos quais "Caráter e erotismo anal" (1909) e "Alguns tipos de caráter a partir do trabalho psicanalítico" (1916) são exemplos. Paul-Laurent Assoun (2009, p. 1365) anota com precisão que "não se trata de classificar os pacientes em 'gavetas', mas de se servir da reflexão tipológica para se orientar na escuta da singularidade, ao situar o eixo da dinâmica pulsional nela engajado".

CHARCOT, J.-M. *Leçons du mardi* • JACKSON, J. H. Evolution and dissolution of the nervous system, 1931 • WEBER, M. *Ensaios de sociologia*. Rio de Janeiro: Zahar, 1979.

NOTAS

[1] No *Compêndio de psicanálise*, Freud também equivale instâncias psíquicas a "províncias", enfatizando uma metáfora especial e legal. (Cf., por exemplo, p. 17; p. 27; p. 55 da edição bilíngue da coleção Obras Incompletas de Sigmund Freud). (N.E.).

[2] Ainda que concordemos com o tradutor e psicanalista Luiz Alberto Hanns quanto ao fato de que *Versagung* em Freud geralmente denota "*impedimento*" e não "*frustração*", não pareceu ser o caso neste uso específico. (N.R.)

[3] Ver, neste volume, as cartas sobre a constituição bissexual dos seres humanos, p. 37-72.

SOBRE A SEXUALIDADE FEMININA (1931)

I

Na fase do complexo de Édipo normal encontramos a criança ligada ternamente ao genitor do sexo oposto, enquanto na relação com o do mesmo sexo prevalece a hostilidade. Não encontramos nenhuma dificuldade em deduzir esse resultado para o menino. A mãe foi seu primeiro objeto de amor; e continua sendo, na medida em que seus anseios apaixonados se fortalecem, e, a partir do entendimento mais profundo da relação entre o pai e a mãe, o pai vai se tornar um rival. É diferente para a menininha. Seu primeiro objeto certamente também foi a mãe; logo, como ela vai encontrar o caminho para o pai? Como, quando e por que ela se desliga da mãe? Há muito tempo compreendemos que o desenvolvimento da sexualidade feminina se complica pela tarefa de abandonar a zona genital originariamente mais importante, o clitóris, por uma nova, a vagina. Agora, uma segunda transformação da mesma espécie, a troca da mãe como objeto originário pelo pai, parece-nos não menos característica e importante para o desenvolvimento da mulher. Ainda não conseguimos saber de que maneira as duas tarefas estão ligadas entre si.

Sabemos que é frequente o caso de mulheres com intensa ligação com o pai; de maneira nenhuma elas precisam ser neuróticas. Fiz observações em mulheres como essas, as quais aqui relato, e que me levaram a uma determinada concepção sobre a sexualidade feminina. Dois fatos me chamaram a atenção principalmente. O primeiro foi: onde havia uma ligação particularmente intensa ao pai havia existido antes, segundo o testemunho da análise, uma fase de ligação exclusiva com a mãe, igualmente intensa e apaixonada. A segunda fase mal acrescentou um traço novo, com exceção da troca de objeto da vida amorosa. A relação primária com a mãe tinha sido muito rica e construída de maneira multifacetada.

O segundo fato ensinou que também havíamos subestimado a duração dessa ligação com a mãe. Em alguns casos, ela tinha chegado até o quarto ano, e em um, até o quinto, portanto, ocupara, em muito, a parte mais longa do primeiro florescimento sexual. De fato, tínhamos de levar em conta a possibilidade de um determinado número de pessoas do sexo feminino permanecer preso à ligação originária com a mãe e nunca conseguir uma verdadeira viragem em direção ao homem.

Assim sendo, a fase pré-edípica da mulher alcançava uma importância que até então não lhe havíamos atribuído.[1]

Tendo em vista que ela dá espaço para todas as fixações e recalcamentos, aos quais remetemos a origem das neuroses, parece necessário retomar a generalidade do enunciado segundo o qual o complexo de Édipo seria o núcleo da neurose. No entanto, quem sentir alguma relutância contra essa correção não precisa fazê-la. Por um lado, podemos dar ao complexo de Édipo um conteúdo mais amplo, o de que ele abrange todas as relações da criança com ambos os pais, e, por outro, também podemos levar em conta as novas experiências e dizer que a mulher só chega à situação normal positiva do Édipo depois de ter superado um período prévio dominado pelo complexo negativo. De fato, durante essa fase, o pai não é para a menina muito diferente do que um rival incômodo, embora sua hostilidade contra ele nunca alcance a intensidade característica para o menino. Há muito tempo abandonamos todas as expectativas de um paralelismo claro entre o desenvolvimento masculino e o feminino.[2]

Nosso entendimento sobre a fase anterior pré-edípica da menina tem o efeito de surpresa semelhante à descoberta, em outro campo, da civilização minoico-micênica por trás da grega.[3]

Tudo, no campo dessa primeira ligação com a mãe, pareceu-me tão difícil de entender analiticamente, tão esmaecido pelo tempo, tão obscuro e quase impossível de ser revivificado, como se tivesse sido submetido a um recalcamento inexorável. Mas talvez essa impressão tenha surgido do fato de que as mulheres em análise comigo podiam se aferrar à mesma ligação com o pai, à qual tinham se refugiado ao sair da fase anterior em questão. Parece, realmente, que as analistas mulheres, como Jeanne Lampl-de Groot e Helene Deutsch, puderam perceber esses fatos de maneira mais fácil e clara, porque as pessoas em tratamento com elas tiveram o auxílio da transferência sobre um substituto adequado da mãe. Não consegui também ter uma visão de um caso por inteiro, e por isso me limito a relatar os acontecimentos mais gerais e a apresentar apenas alguns exemplos de minhas novas compreensões. Entre elas, a de que essa fase de ligação com a mãe permite suspeitar de uma íntima relação com a etiologia da histeria, o que não deve surpreender, se percebemos que ambas, a fase e a neurose, pertencem ao caráter singular da feminilidade, e, além disso, que podemos encontrar nessa dependência da mãe o gérmen da futura paranoia na mulher.[i] Pois esse bem parece ser o medo [*Angst*] surpreendente, mas sistematicamente encontrado, de ser morta (devorada?) pela mãe. Podemos supor que esse medo corresponda a uma hostilidade que se desenvolve na criança contra a mãe, em consequência das múltiplas limitações da educação e dos cuidados com o corpo, e que o mecanismo da projeção seja favorecido pela prematuridade da organização psíquica.

II

Iniciei apresentando os dois fatos que me chamaram a atenção pela sua novidade: que a forte dependência da mulher em relação ao pai é apenas a herança de uma ligação igualmente intensa com a mãe e que essa fase anterior perdurou por um período de tempo inesperadamente longo. Agora voltarei atrás, para inserir esses resultados no quadro que passamos a conhecer acerca do desenvolvimento sexual feminino, o que não poderá evitar repetições. A contínua comparação com situações no caso do homem certamente será interessante para a nossa apresentação.

---

[i] No conhecido caso relatado por Ruth Mack Brunswick (A análise de um delírio de ciúme. *Internationale Zeitschrift für Psychoanalyse* (v. 14, 1928), a afecção provém diretamente da fixação pré-edípica (a uma irmã).

Em primeiro lugar, não há dúvida de que a afirmada bissexualidade na constituição humana aparece muito mais nitidamente na mulher do que no homem.[4] O homem possui só uma zona sexual orientadora, um órgão sexual, enquanto a mulher possui duas delas: a vagina, propriamente feminina, e o clitóris, análogo ao órgão masculino. Consideramos correto supor que, por longos anos, é como se a vagina não estivesse presente, e que talvez só produza sensações na época da puberdade. No entanto, nos últimos tempos, multiplicam-se as vozes dos investigadores que também remetem as excitações vaginais a esses primeiros anos. Portanto, o essencial em genitalidade que ocorre na infância da mulher tem de se desenvolver em torno do clitóris. Geralmente, a vida sexual da mulher se divide em duas fases, das quais a primeira tem um caráter masculino; apenas a segunda é especificamente feminina. No desenvolvimento feminino, há um tipo de processo de transição de uma fase para a outra, do qual nada existe de parecido no homem. Outra complicação origina-se do fato de que a função do clitóris viril se prolonga na vida sexual futura da mulher de uma forma muito variável, que por certo não foi ainda satisfatoriamente compreendida. É claro que não sabemos como se justificam biologicamente essas peculiaridades da mulher; e ainda menos podemos atribuir-lhes um propósito teleológico.

Paralelamente a essa primeira grande diferença corre uma outra, no campo da procura pelo objeto. No homem, a mãe se torna o primeiro objeto de amor, em consequência da influência do fornecimento de alimento e do cuidado corporal, e ela assim permanece até que seja substituída por um objeto a ela essencialmente análogo ou que dela derive. Também para a mulher, a mãe precisa ser o primeiro objeto. Pois as condições originárias da escolha de objeto são iguais para todas as crianças. Mas no final do desenvolvimento, o homem-pai deverá ter se tornado o novo objeto de amor, ou seja, é preciso que à mudança no sexo feita pela mulher corresponda uma troca no sexo do objeto. Como novas tarefas para a investigação, surgem aqui as perguntas sobre por quais caminhos essa transformação ocorre, quão detalhada ou incompletamente ela é executada, e quais diferentes possibilidades se apresentam nesse desenvolvimento.

Também já sabemos que outra diferença entre os sexos remete à relação com o complexo de Édipo. Nossa impressão aqui é a de que nossas afirmações sobre o complexo de Édipo, rigorosamente falando, são adequadas apenas para a criança de sexo masculino, e de que temos razão ao rejeitar o nome de "complexo de Electra",[5] que procura acentuar a analogia na conduta de ambos os sexos. A fatídica proporção simultânea de amor por um dos pais e rivalidade contra o outro só se instaura para a criança masculina. Nesse caso, é então a descoberta da possibilidade da castração, tal como provada pela visão do genital feminino, que impõe a reformulação do complexo de Édipo, causa o surgimento do Supereu e assim introduz todos os processos que visam à inserção do indivíduo na comunidade civilizada. Após a internalização da instância paterna como Supereu, a próxima tarefa a resolver é descolar este último das pessoas que ele originalmente representou animicamente. Nessa via notável de desenvolvimento, foi utilizado justamente o interesse genital narcísico, da conservação do pênis, para a limitação da sexualidade infantil.[6]

No homem, resta também, da influência do complexo de castração, uma medida de menosprezo pela mulher, percebida como castrada. Desse menosprezo desenvolve-se, em caso extremo, uma inibição na escolha de objeto e, se apoiada por fatores orgânicos, uma homossexualidade exclusiva. Muito diferentes são os efeitos do complexo de castração na mulher. A mulher reconhece o fato de sua castração e, com isso, também a superioridade do homem e sua própria inferioridade, mas também se revolta contra essa situação desagradável. Dessa posição bipartida derivam três orientações de desenvolvimento. A primeira leva a um afastamento geral da sexualidade. A pequena mulher [*kleine Weib*], assustada pela comparação com o menino, fica insatisfeita com o clitóris, desiste de sua atividade masculina e, com isso, da sexualidade de maneira geral, bem como de uma boa parte de sua masculinidade em outros campos. A segunda orientação se aferra à masculinidade ameaçada por uma autoafirmação desafiadora; a esperança de voltar a ter um pênis se conserva até épocas incrivelmente tardias, eleva-se à condição de objetivo de vida, e a fantasia de, apesar de tudo, ser um homem frequentemente permanece como formadora por longos períodos de tempo. Mesmo esse "complexo de masculinidade" da mulher pode terminar em uma escolha de objeto homossexual manifesta. Só um terceiro desenvolvimento, bastante indireto, desemboca na normal configuração feminina final, a que toma o pai como objeto e assim encontra a forma feminina do complexo de Édipo. Portanto, o complexo de Édipo na mulher é o resultado final de um longo desenvolvimento; ele não é destruído pela influência da castração, mas criado por ele; ele escapa das intensas influências hostis que atuam no homem como destruidoras e, inclusive, muito frequentemente, não é absolutamente superado pela mulher. É por isso que os resultados culturais de sua destruição também são pequenos e de menor alcance. Provavelmente não estaremos em falta se afirmarmos que essa diferença na relação de oposição entre os complexos de Édipo e de castração imprime o caráter da mulher como ser social.[i]

Portanto, a fase da ligação exclusiva com a mãe, que pode ser chamada de pré-edípica, reivindica na mulher uma importância muito maior do que a que pode ter no homem. Muitos fenômenos da vida sexual feminina, antes não acessíveis ao entendimento, encontram seu pleno esclarecimento se remetidos a essa fase. Por exemplo: há muito tempo percebemos que muitas mulheres que escolheram seu marido segundo o modelo do pai, ou que o colocaram no lugar do pai, repetem, no casamento com ele, sua má relação com a mãe. Ele devia herdar a relação dela com o pai e, na verdade, herda a relação com a mãe. Isso é facilmente compreendido como um evidente caso de regressão. A relação com a mãe foi a originária, sobre ela se construiu a ligação ao pai, e agora, no casamento, o que era originário vem à tona a partir do recalcamento. De fato, a transposição de ligações afetivas da mãe como objeto para o pai como objeto constitui o conteúdo principal do desenvolvimento que levou à feminilidade [*Weibtun*].

---

[i] Podemos prever que os feministas entre os homens, mas também nossas analistas mulheres não estarão de acordo com estas pontuações. Dificilmente deixarão de objetar que essas teorias provêm do "complexo de masculinidade" do homem e que devem servir para justificar teoricamente sua inclinação inata à depreciação e à repressão [*Unterdrückung*] da mulher. Só que uma argumentação psicanalítica como essa lembra, nesse caso como em outros, a famosa "faca de dois gumes", de Dostoiévski. Os oponentes, por sua vez, acharão compreensível que o sexo das mulheres não irá aceitar o que parece contradizer sua igualdade tão calorosamente cobiçada com o homem. É evidente que a utilização da análise para fins de disputa não leva a nenhuma decisão.

Se tantas mulheres nos passam a impressão de que sua fase adulta é preenchida pela luta com o marido, tal como passaram a juventude lutando com a mãe, então podemos, a partir das observações anteriores, tirar a conclusão de que sua posição hostil à mãe não é uma consequência da rivalidade do complexo de Édipo, mas se origina na fase anterior, e só encontra reforço e utilização na situação do Édipo. Isso também é comprovado por investigação analítica direta. Nosso interesse precisa se voltar aos mecanismos que se tornaram eficazes no afastamento em relação à mãe como objeto amado tão intensa e exclusivamente. Estamos preparados para encontrar não um único fator como esse, mas uma série inteira desses fatores operando juntos para o mesmo fim.

Entre eles, destacam-se alguns que estão absolutamente condicionados pelas relações da sexualidade infantil, portanto, valem de maneira igual para a vida amorosa dos meninos. Em primeira linha, pode ser mencionado o ciúme de outras pessoas: irmãos, rivais, ao lado dos quais o pai também tem lugar. O amor da criança é desmedido, exige exclusividade, e não se dá por satisfeito com parcialidades. Contudo, uma segunda característica é que esse amor, afinal, também não tem meta, é incapaz de uma satisfação plena e, fundamentalmente por isso, está condenado a terminar em decepção e a dar lugar a uma posição hostil. Em épocas posteriores da vida, a ausência de uma satisfação final pode favorecer outro desenlace. Esse fator pode, assim como nas relações amorosas de meta inibida, garantir a continuidade imperturbada do investimento de libido, mas na pressão dos processos de desenvolvimento acontece sistematicamente de a libido abandonar a posição insatisfatória para procurar uma nova.

Um outro motivo muito mais específico para o afastamento em relação à mãe surge do efeito do complexo de castração sobre a criatura sem pênis. Em algum momento, a menininha faz a descoberta de sua inferioridade orgânica, é claro que mais cedo e mais facilmente se tiver irmãos ou outros meninos por perto. Já falamos sobre as três orientações que então se separam uma da outra: a) a da interrupção da vida sexual como um todo; b) a de uma desafiadora acentuação da masculinidade; c) os primeiros passos para a feminilidade definitiva. Nesse caso, não é fácil fornecer dados temporais mais exatos nem estabelecer maneiras típicas de evolução. O próprio momento da descoberta da castração é variável; muitos outros fatores parecem ser inconstantes e depender do acaso. A situação da própria atividade fálica é levada em conta, bem como se esta é descoberta ou não, e qual medida de impedimento vai ser vivenciada após essa descoberta.

A própria atividade fálica, a masturbação no clitóris, é encontrada pela menininha quase sempre de maneira espontânea e, de início, certamente sem fantasia. A influência do cuidado corporal no seu despertar é testemunhada pela tão frequente fantasia que coloca a mãe, a ama ou a babá como sedutora. Fica em aberto se o onanismo das meninas é mais raro e a princípio menos enérgico do que o dos meninos; seria bem possível. A sedução real também é bastante comum; ela parte de outras crianças ou de pessoas que cuidam de crianças que querem acalmá-la, fazê-la adormecer ou torná-la dependente delas. Onde quer que a sedução tenha operado, ela perturba regularmente o curso natural dos processos de desenvolvimento; com frequência, ela deixa atrás de si amplas e duradouras consequências.

A proibição da masturbação, como já dissemos, transforma-se na oportunidade para abandoná-la, mas também no motivo de revolta contra a pessoa proibidora, portanto, a mãe ou o substituto da mãe, que mais tarde regularmente se funde com ela. Parece que a afirmação desafiadora na masturbação abre o caminho para a masculinidade. Mesmo quando a criança não consegue reprimir [*unterdrücken*] a masturbação, o efeito da proibição aparentemente ineficaz mostra-se em seu anseio posterior de se livrar, com todos os sacrifícios, de uma satisfação que lhe foi estragada. Também a escolha de objeto da menina madura pode ser influenciada por esse propósito persistente. O rancor por ser impedida da livre atividade sexual desempenha um importante papel em seu desligamento da mãe. O mesmo motivo volta a produzir efeitos após a puberdade, quando a mãe assume seu dever de proteger a castidade da filha. Não nos esqueçamos de que a mãe se opõe igualmente à masturbação do filho, fornecendo-lhe, assim, um forte motivo para a rebelião.

Quando a menininha, à visão de um genital masculino, percebe seu próprio defeito, não aceita o indesejável ensinamento sem hesitação e relutância. Como já dissemos, obstina-se na expectativa de alguma vez também possuir um genital como esse, e o desejo de tê-lo perdura por longo tempo obstinadamente. Em todos os casos, a criança considera a castração primeiramente apenas um infortúnio individual; só mais tarde ela a estende também a certas crianças e, por fim, a alguns adultos. Com o entendimento sobre a generalidade desse caráter negativo, produz-se uma grande desvalorização da feminilidade, portanto, também da mãe.

É bem possível que essa descrição – de como a menininha se comporta diante da impressão da castração e da proibição do onanismo – traga ao leitor uma impressão confusa e contraditória. Não é inteiramente culpa do autor. Na verdade, quase não é possível fazer uma exposição válida de modo geral. Encontramos em indivíduos diferentes as mais diferentes reações; no mesmo indivíduo, as posições opostas coexistem lado a lado. Com a primeira intervenção da proibição, o conflito está lá, o qual, de agora em diante, acompanhará o desenvolvimento da função sexual. Também significa um particular agravante para o entendimento o fato de se ter tanto trabalho para distinguir os processos psíquicos dessa primeira fase daqueles de fases posteriores, pelos quais são encobertos e deformados na memória. Dessa forma, o fato da castração, por exemplo, será entendido mais tarde como castigo pela atividade onanística, cuja execução, no entanto, será atribuída ao pai, quando, na verdade, nenhuma delas pode ter sido originária. Também o menino normalmente teme a castração por parte do pai, embora, também nesse caso, a ameaça geralmente venha da mãe.

Seja como for, ao final dessa primeira fase de ligação com a mãe, emerge, como o motivo mais forte para se afastar dela, a recriminação por não tê-la concebido com um genital correto, isto é, por tê-la parido como mulher. Não sem surpresa recebe-se outra recriminação que remete um pouco menos ao passado mais distante: a mãe deu muito pouco leite à criança, não a alimentou o tempo suficiente. Isso pode ocorrer muitas vezes em nossas relações culturais, mas certamente não tão frequentemente como é afirmado na análise. Essa acusação parece ser muito mais uma expressão da insatisfação geral das crianças que, sob as condições culturais da monogamia, são desmamadas após seis ou nove meses, enquanto a mãe primitiva se dedica exclusivamente ao filho durante dois a três anos, como se as nossas crianças tivessem ficado para sempre insaciadas, como se nunca tivessem sugado o seio da mãe por tempo suficiente. No entanto, não tenho certeza se, na análise de crianças que foram amamentadas por tanto tempo quanto as crianças dos primitivos, não me depararia com a mesma queixa. Tão grande é a voracidade da libido infantil! Se temos uma visão geral da série inteira de motivações que a análise descobre para o afastamento em relação à mãe, que ela falhou em dotar a menina com o genital correto, que não a alimentou suficientemente, que a obrigou a dividir o amor materno com outros, que nunca preencheu todas as expectativas amorosas e, finalmente, que ela primeiro estimulou a própria atividade sexual e depois a proibiu, então todas elas parecem insuficientes para justificar a hostilidade final. Algumas delas são consequências inevitáveis da natureza da sexualidade infantil, outras se apresentam como racionalizações posteriormente elaboradas da transformação incompreendida dos sentimentos. Talvez seja melhor dizer que a ligação com a mãe precisa acabar, justamente por ser a primeira e tão intensa, semelhante ao que se pode observar com frequência nos primeiros casamentos de mulheres jovens, realizados com a mais intensa paixão. Aqui como lá, a atitude amorosa fracassaria em virtude dos inevitáveis desenganos e do acúmulo de ocasiões para a agressão. Segundos casamentos, via de regra, acabam muito melhor.

Não podemos chegar ao ponto de afirmar que a ambivalência de investimentos sentimentais seja uma lei psicológica de validade geral, que seja absolutamente impossível sentir um grande amor por uma pessoa, sem que seja acompanhado de um ódio talvez igualmente grande, ou vice-versa. O adulto normal consegue, sem dúvida, separar ambas as posições uma da outra, não tendo de odiar seu objeto de amor nem de amar seu inimigo. Mas esse parece ser o resultado de desenvolvimentos posteriores. Nas primeiras fases da vida amorosa, é evidente que a ambivalência constitui a regra. Em muitos seres humanos, esse traço arcaico fica conservado pela vida toda; para os neuróticos obsessivos, é característico que, em suas relações de objeto, amor e ódio se alternem. Também para os primitivos podemos sustentar o predomínio da ambivalência. A intensa ligação da menininha à sua mãe também deve ter sido fortemente ambivalente, e, com o auxílio de outros fatores, justamente através dessa ambivalência, ela teve de se afastar dela, portanto, novamente em consequência de uma característica geral da sexualidade infantil.

Contra essa tentativa de explicação levanta-se imediatamente a pergunta: "Mas como será possível para os meninos manter intacta a sua ligação com a mãe, que certamente não é menos intensa?". A resposta está pronta com a mesma rapidez: "Porque lhes é possível resolver sua ambivalência em relação à mãe, acomodando no pai todos os seus sentimentos hostis". Só que, em primeiro lugar, não devemos dar essa resposta antes de termos estudado detalhadamente a fase pré-edípica do menino, e, em segundo, é provavelmente muito mais prudente admitir que ainda não compreendemos muito bem esses processos que acabamos de vislumbrar.

III

Uma outra pergunta seria: O que a menininha demanda da mãe? De que tipo são suas metas sexuais nessa época de ligação exclusiva com a mãe? A resposta, que obtemos do material analítico, confere exatamente com as nossas expectativas. As metas sexuais da menina em relação à mãe são de natureza tanto ativa como passiva, e são determinadas pelas fases da libido, pelas quais a criança transita. A relação da atividade para com a passividade merece aqui nossa especial atenção. É fácil observar que em todo e qualquer campo da vivência anímica, não apenas no da sexualidade, uma impressão recebida passivamente provoca na criança a tendência a uma reação ativa. Ela tenta fazer ela própria o que antes foi feito a ela ou com ela. Trata-se aqui de uma parte do trabalho que lhe foi imposto de dominar o mundo exterior, e pode até mesmo levar a que ela se empenhe na repetição dessas impressões que lhe teriam dado motivo para evitar, dado o seu conteúdo penoso. Até a brincadeira da criança é colocada a serviço dessa intenção de complementar uma vivência passiva com uma ação ativa e, desta forma, anulá-la, por assim dizer. Quando o médico abriu a boca da criança relutante para examinar sua garganta, depois de sua partida a criança irá brincar de médico e repetirá o procedimento violento em uma irmãzinha menor, tão indefesa diante dela quanto ela mesma esteve diante do médico. Uma revolta contra a passividade e uma preferência pelo papel ativo são inequívocas nesse caso. Essa oscilação da passividade para a atividade não acontece com a mesma regularidade e energia em todas as crianças; em algumas ela pode faltar. Dessa conduta da criança pode-se tirar uma conclusão sobre a intensidade relativa da masculinidade e da feminilidade que a criança mostrará cotidianamente em sua sexualidade.

As primeiras vivências sexuais ou de conotação sexual da criança com a mãe são naturalmente de natureza passiva. Ela é amamentada, alimentada, limpa e vestida por ela e instruída a fazer tudo que precisa. Uma parte da libido da criança fica presa a essas experiências e usufrui das satisfações a elas ligadas; outra parte esforça-se por sua conversão em atividade. No seio da mãe, o fato de ser amamentado é primeiro substituído pelo mamar ativo. Nas outras relações, a criança ou se contenta com a autonomia, isto é, em ser bem-sucedida ao fazer ela própria o que lhe fizeram, ou com a repetição ativa de suas vivências passivas na brincadeira, ou realmente transforma a mãe em objeto, em relação ao qual ela se apresenta como sujeito ativo. A última opção, que se realiza no campo da própria atividade, pareceu-me inacreditável durante longo tempo, até que a experiência eliminou qualquer dúvida.

Raramente ouvimos falar que a menininha quer lavar, vestir ou advertir a mãe a satisfazer suas necessidades excrementícias. Na verdade, ocasionalmente ela diz: "Agora vamos brincar que eu sou a mãe e você é a filha", mas quase sempre ela realiza esses desejos ativos de maneira indireta, brincando com a boneca, ocasião em que ela mesma representa a mãe, assim como a boneca, a filha. A preferência da menina pela brincadeira com boneca, em oposição ao menino, é compreendida como o sinal da feminilidade precocemente despertada. Não sem razão, no entanto, não podemos ignorar que o que aqui encontra expressão é a atividade da feminilidade, e que essa predileção da menina provavelmente testemunhe a exclusividade da ligação à mãe com total negligência do pai como objeto.

A tão surpreendente atividade sexual da menina em relação à mãe manifesta-se, de acordo com a sequência temporal, em anseios orais, sádicos e por fim, até mesmo fálicos dirigidos à mãe. É difícil relatar aqui os detalhes, pois se trata, frequentemente, de moções pulsionais obscuras que a criança não podia entender psiquicamente quando ocorreram e que, por isso, só passaram por uma interpretação posterior [*nachträgliche Interpretation*], emergindo na análise em formas de expressão que, por certo, não possuíam em sua origem. Às vezes as encontramos como transferências ao posterior pai como objeto, onde não pertencem e perturbam sensivelmente a compreensão. Os desejos agressivos orais e sádicos são encontrados na forma em que são forçados pelo recalcamento precoce, como o medo [*Angst*] de ser morta pela mãe, medo que, por sua vez, justifica o desejo de morte contra a mãe, quando ele se torna consciente. Não é possível informar com que frequência esse medo da mãe se apoia numa hostilidade inconsciente da própria mãe, que a criança intui. (Só encontrei o medo de ser devorado até agora nos homens, e referido ao pai, mas provavelmente ele constitui o produto da transformação da agressão oral dirigida à mãe. Queremos devorar a mãe, de quem nos alimentamos; no caso do pai, falta para esse desejo algo que o ocasione.)

As pessoas de sexo feminino com intensa ligação com a mãe, nas quais pude estudar a fase pré-edípica, relataram unanimemente que os clisteres e as lavagens retais que a mãe lhes aplicava provocavam grande resistência e que costumavam reagir a eles com angústia [*Angst*] e gritos de raiva. Essa pode bem ser uma conduta bastante frequente e até mesmo regular nas crianças. Só consegui compreender o fundamento dessa revolta particularmente violenta através de uma observação de Ruth Mack Brunswick, que, na mesma ocasião, estava envolvida com os mesmos problemas: ela queria comparar a irrupção de raiva após a aplicação de um enteroclisma ao orgasmo após estimulação genital. A angústia, nesse caso, deveria ser compreendida como uma transposição do prazer de agredir que fora despertado. Penso que seja assim mesmo, e que na fase sádico-anal a intensa excitação passiva da zona intestinal seja respondida por um desencadeamento do prazer da agressão que se dá a conhecer diretamente como raiva ou, em virtude de sua repressão, como angústia. Essa reação parece esgotar-se em anos posteriores.

Entre as moções passivas da fase fálica destaca-se que a menina regularmente acusa a mãe de sedutora, porque ela necessariamente sentiu as primeiras ou pelo menos as mais intensas sensações genitais durante os procedimentos de limpeza ou de cuidado corporal realizados pela mãe (ou pela pessoa que a representa). Que a criança goste dessas sensações e que peça à mãe para reforçá-las através do toque e da fricção repetidos me foi comunicado por mães como observação de suas filhinhas de 2 a 3 anos de idade. Eu considero que o fato de a mãe, de maneira inevitável, abrir a fase fálica para a criança seja o responsável por o pai aparecer tão sistematicamente como o sedutor sexual nas fantasias dos anos posteriores. Com o afastamento em relação à mãe, a introdução na vida sexual também foi transferida para o pai.

Na fase fálica, finalmente também surgem intensas moções de desejo ativas em direção à mãe. A atividade sexual dessa época culmina na masturbação no clitóris; nela, provavelmente a mãe é representada, mas se isso leva a criança à representação de uma meta sexual e qual é essa meta não é possível intuir a partir da minha experiência. Apenas quando todos os interesses da criança recebem um novo impulso [*Antrieb*] pela chegada de um irmãozinho será possível conhecer essa meta. A menininha queria ter feito essa nova criança para a mãe, tal como o quer o menino, e sua reação a esse acontecimento e sua conduta para com o bebê são os mesmos. Isso, de fato, soa absurdo, mas talvez seja apenas porque nos soe tão inusitado.

O afastamento em relação à mãe é um passo altamente importante no desenvolvimento da menina; ele é mais do que uma mera mudança de objeto. Já descrevemos sua origem e a acumulação de suas supostas motivações, e agora vamos acrescentar que, de mãos dadas com ele, podem ser observados um forte rebaixamento das moções sexuais ativas e uma ascensão das passivas. Certamente os anseios ativos foram mais fortemente atingidos pelo impedimento [*Versagung*], demonstram ser completamente inviáveis e por isso também são mais facilmente abandonados pela libido, mas também do lado dos anseios passivos não faltaram decepções. Com o afastamento em relação à mãe, também cessa a masturbação clitoriana e, bastante, frequentemente, com o recalcamento da masculinidade pregressa da menininha, uma boa parte do seu anseio sexual fica permanentemente danificado. A passagem ao pai como objeto é realizada com o auxílio dos anseios passivos, na medida em que estes escaparam à reviravolta. O caminho para o desenvolvimento da feminilidade está agora livre para a menina, desde que não seja limitado pelos restos da superada ligação pré-edípica à mãe.

Se agora vislumbrarmos esse fragmento do desenvolvimento sexual feminino aqui descrito, não podemos refrear um certo julgamento sobre a feminilidade como um todo. Encontramos em ação as mesmas forças libidinais da criança de sexo masculino e pudemos nos convencer de que elas, aqui como lá, durante certo tempo, seguem os mesmos caminhos e chegam aos mesmos resultados.

São, então, fatores biológicos que as desviam de suas metas iniciais, inclusive conduzindo os anseios ativos e, em todo o sentido, masculinos, para os trilhamentos [*Bahnen*] da feminilidade. Tendo em vista que não podemos negar que a excitação sexual possa ser remetida ao efeito de determinadas substâncias químicas, parece primeiro plausível a expectativa de que algum dia a bioquímica nos apresente uma substância cuja presença provoque a excitação masculina, e outra que provoque a feminina. Mas essa esperança não parece menos ingênua do que outra, por sorte hoje superada, de descobrir, isolando sob o microscópio, os causadores da histeria, da neurose obsessiva, da melancolia, etc.

Mesmo na química sexual, as coisas devem ser um pouco mais complicadas. Mas para a psicologia é indiferente se no corpo houver apenas uma única substância que produza excitação sexual ou duas delas, ou um número incontável delas. A psicanálise nos ensina a conceber uma única libido que, por sua vez, conhece metas, portanto, modos de satisfação, ativos ou passivos. Nessa oposição, sobretudo na existência de anseios libidinais de metas passivas, está contido o restante do problema.

IV

Se examinarmos a literatura analítica sobre o nosso tema, ficaremos convencidos de que tudo o que eu aqui indiquei já fora antes informado lá. Teria sido desnecessário publicar este trabalho se não fosse pelo fato de que, em um campo de pesquisa de acesso tão difícil, todo e qualquer relato sobre as próprias experiências ou sobre concepções pessoais pode ser precioso. Além disso, consegui entender algumas coisas mais precisamente e isolá-las com mais cuidado. Em alguns dos outros trabalhos a exposição ficou confusa, em virtude da discussão simultânea dos problemas do Supereu e do sentimento de culpa. Isso eu evitei, e na descrição dos diversos desfechos dessa fase de desenvolvimento também não tratei das complicações que surgem quando a criança, em consequência da decepção com o pai, retorna à ligação abandonada com a mãe, ou quando, no decorrer da vida, ela repetidamente muda de uma posição para a outra. Mas, precisamente por meu trabalho ser apenas uma contribuição entre outras, posso poupar-me de uma apreciação exaustiva da literatura e me limitar a destacar as concordâncias mais significativas com alguns desses trabalhos e as divergências mais importantes com outros.

Na ainda não superada descrição de Abraham sobre as "Manifestações do complexo de castração na mulher" (*Revista Internacional de Psicanálise*, VII, 1921), gostaríamos de ver inserido o fator inicial e exclusivo da ligação com a mãe. Concordo com os pontos essenciais do trabalho importante de Jeanne Lampl-de Groot.[i] Nesse trabalho, a completa identidade da fase pré-edípica no menino e na menina é reconhecida, a atividade sexual (fálica) da menina em relação à mãe é afirmada e comprovada por observações. O afastamento em relação à mãe é remetido à influência do conhecimento da castração, que obriga a criança a abandonar o objeto sexual e, com ele, frequentemente, o onanismo; para o desenvolvimento inteiro é cunhada a fórmula de que a menina atravessa uma fase do complexo de Édipo "negativo", antes de poder adentrar o positivo. Uma insuficiência que encontro nesse trabalho consiste no fato de a autora apresentar o afastamento em relação à mãe como mera troca de objeto e de não considerar que ele se consuma sob os mais evidentes signos de hostilidade. Essa hostilidade encontra plena consideração no último trabalho de Helene Deutsch ("O masoquismo feminino e sua relação com a frigidez"[7]), no qual também são reconhecidas a atividade fálica da menina e a intensidade de sua ligação com a mãe. Helene Deutsch também indica que a viragem em direção ao pai ocorre por meio dos anseios passivos (já mobilizados pela mãe). Em seu livro anteriormente

[i] Sobre a história do desenvolvimento do complexo de Édipo na mulher [Zur Entwicklungsgeschichte des Ödipuskomplexes der Frau. *Internationale Zeitschrift für Psychoanalyse* (Revista Internacional de Psicanálise), XIII, 1927]. De acordo com o desejo da autora, corrijo aqui seu nome, que na *Zeitschrift* apareceu como A. L. de Gr.

publicado *Psicanálise das funções sexuais femininas*,[8] a autora ainda não havia se libertado da aplicação do esquema do Édipo também à fase pré-edípica, e por isso interpretou a atividade fálica da menina como identificação ao pai.

Fenichel (em "Antecedentes pré-genitais do complexo de Édipo"[9]) acentua, com razão, a dificuldade em reconhecer o que, do material levantado na análise, corresponde ao conteúdo inalterado da fase pré-edípica e o que, nesse material, foi desfigurado regressivamente (ou de outro modo). Ele não admite a atividade fálica da menina, no sentido de Jeanne Lampl-de Groot, e também rechaça a "antecipação" proposta por Melanie Klein ("Estágios precoces do conflito de Édipo"), cujo início ela situa já no começo do segundo ano de vida. Essa precisão temporal, que altera necessariamente também a concepção de todas as outras relações do desenvolvimento, não coincide, de fato, com os resultados da análise de adultos e opõe-se especialmente às minhas descobertas sobre a longa duração da ligação pré-edípica das meninas com a mãe. A observação mostra, como um meio de suavizar essa contradição, que nós, nesse campo, ainda não podemos distinguir entre o que está estabelecido de maneira rígida por leis biológicas e o que está em movimento, sendo mutável sob a influência de uma vivência acidental. Tal como já se sabe há muito tempo sobre o efeito da sedução, outros fatores também podem causar uma aceleração e em amadurecimento do desenvolvimento sexual infantil, tais como: o momento do nascimento de irmãos, o momento da descoberta da diferença entre os sexos, a observação direta do ato sexual, a conduta atenciosa ou relapsa dos pais, etc.

Alguns autores revelam a tendência a reduzir a importância das primeiras e mais primordiais moções libidinais da criança em favor de processos de desenvolvimento posteriores, de modo que – expresso de maneira extrema

– lhes restaria o papel de só indicar determinadas direções, ao passo que as intensidades que seguem por esses caminhos são impugnadas por regressões e formações reativas posteriores. Assim, por exemplo, Karen Horney ("Fuga da feminilidade"[11]) sustenta que a inveja primária do pênis seja demasiadamente superestimada por nós, enquanto a intensidade do anseio por masculinidade desenvolvido posteriormente deve ser atribuída a uma inveja secundária do pênis, que vai ser utilizada para a defesa das moções femininas, especialmente na ligação feminina com o pai. Isso não corresponde às minhas impressões. Por mais seguro que seja o fato dos reforços posteriores através de regressão e de formação reativa, e por mais difícil que também seja estimar a relativa força dos componentes libidinais afluentes, penso mesmo que não devemos ignorar que aquelas primeiras moções libidinais possuem uma intensidade própria, superior a todas as posteriores, e que de fato pode ser tida como incomensurável. É certamente correto que entre a ligação ao pai e o complexo de masculinidade existe uma relação de oposição – trata-se da oposição geral entre atividade e passividade, masculinidade e feminilidade –, mas isso não nos dá o direito de supor que apenas uma seja primária e que a outra deva a sua intensidade apenas à defesa. E, se a defesa contra a feminilidade se fizer muito enérgica, de onde mais ela tiraria a sua força a não ser do anseio pela masculinidade, que encontrou sua primeira expressão na inveja do pênis da criança e que, por isso, merece esse nome?

Uma objeção semelhante pode ser feita contra a concepção de Jones ("O desenvolvimento precoce da sexualidade feminina"[12]), segundo a qual o estágio fálico nas meninas seria antes uma reação protetora secundária do que um verdadeiro estágio de desenvolvimento. Isso não corresponde nem às relações dinâmicas nem às temporais.

Über die weibliche Sexualität (1931)

1931 Primeira publicação: *Internationale Zeitschrift für Psychoanalyse*, v. 17, n. 3, 317-332

1934 *Gesammelte Schriften*, t. XII, p. 120-140

1948 *Gesammelte Werke*, t. XIV, p. 515-537

Freud escreveu este trabalho ao longo do primeiro semestre de 1931. Durante sua passagem por Viena no final de fevereiro, Max Eitingon teve contato com o rascunho. Apesar do palpite de Jones de que o trabalho tenha sido terminado ainda no verão, palpite seguido, aliás, por muitos outros (Strachey e Assoun, por exemplo), em seu diário íntimo, Freud anota ter concluído o artigo precisamente em 30 de setembro.

O episódio em que Freud teria perguntado a Marie Bonaparte: "*Was will das Weib?*" (O que quer a mulher?), logo depois de confessar a ela que havia pesquisado o tema sem sucesso por anos a fio, é relatado em diversos trabalhos e biografias. Com efeito, o "enigma da sexualidade feminina" ocupou a última fase do pensamento de Freud com especial proeminência. O presente artigo pode ser lido como um prolongamento do que foi esboçado em "Algumas consequências psíquicas da distinção anatômica entre os sexos" (1925), principalmente por conta das repercussões entre os psicanalistas ingleses, que não o haviam recebido bem (ver nota do editor ao referido texto).

Durante a década de 1920, a discussão acerca da sexualidade feminina era candente. Em 1921, Karl Abraham havia publicado um estudo intitulado "Manifestações do complexo de castração na mulher". Seu ponto de vista não era inteiramente convergente com o de Freud, embora este tenha reiterado que o artigo de Abraham era insuperável.

Entre meados dos anos 1920 e o começo dos anos 1930, uma onda de artigos e de calorosos debates separou as vertentes vienense e inglesa, a primeira mais complacente com a perspectiva freudiana, a segunda mais crítica. De um lado, Jeanne Lampl-de Groot, Marie Bonaparte, Helene Deutsch e Ruth Mack Brunswick; de outro lado, Karen Horney, Melanie Klein e Ernest Jones. Foi no congresso da International Psychoanalytical Association de 1927, em Innsbruck, que as posições se acirraram.

Tudo girava em torno da centralidade proposta por Freud ao complexo de castração, à primariedade da inveja do pênis e ao primado do falo, articulados ao caráter monista da libido freudiana. A vertente vienense buscava matizar e integrar suas posições a uma certa ortodoxia freudiana, ao passo que a vertente inglesa, de forma geral, tendia à rejeição, total ou parcial, dessas perspectivas.

É inegável a participação de Ruth Mack Brunswick nas discussões prévias que Freud teve acerca da principal inovação teórica deste escrito, a ligação pré-edípica entre a mãe e a filha. Com efeito, em um artigo publicado em 1928 acerca de um caso de um delírio de ciúme, a analista norte-americana havia sugerido a importância de fixações anteriores ao Édipo. Logo em seguida, os dois trabalharam juntos no desenvolvimento de hipóteses. Com a morte de Freud, Mack Brunswick publicou, em 1940, *A fase pré-edípica do desenvolvimento da libido* (*The pre-Oedipal phase of the libido*), que alguns chegam a considerar uma quase coautoria. Vale lembrar que Freud confiava plenamente no talento de sua colega, encaminhando-lhe, por exemplo, Sergei Pankejeff (conhecido como o Homem dos Lobos) para uma segunda análise.

***

Karen Horney, mesmo ao preço de renaturalizar a sexualidade, insurge-se contra a tese freudiana de que a vagina é desconhecida pela menina até a puberdade, sugerindo que ela desempenha um papel sexual próprio desde bastante cedo. Ainda em 1929, Joan Rivière publicaria "A feminilidade como máscara", que se tornaria um clássico da literatura psicanalítica sobre a feminilidade. Partindo de um caso clínico de uma mulher bem-sucedida profissionalmente como intelectual, a autora conclui pela indiferenciação entre a feminilidade genuína e a máscara. A posição de Melanie Klein que antecipa o conflito edipiano para fases mais precoces do desenvolvimento foi extremamente influente, principalmente na psicanálise anglo-saxã, o que culminaria na promoção da figura materna como paradigma da posição do analista. Isso repercute, por exemplo, em Winnicott, que concebe a constituição da feminilidade no interior do paradigma do amadurecimento humano e depende da subjetivação de relações interpessoais, com uma ênfase marcante na figura da mãe. Mas a posição que curiosamente acabou sendo identificada no pós-guerra como sendo a ortodoxia freudiana foi a defendida por Helene Deutsch, que concebeu a sexualidade feminina madura como essencialmente passiva e masoquista, tendo se transformado no alvo preferencial da crítica feminista.

Jacques Lacan retoma o tema da sexualidade feminina nos termos do gozo não-todo fálico, principalmente no Seminário *Mais, ainda*, de 1972-1973.

DEUTSCH, H. Der feminine Masochismus und seine Beziehung zur Frigidität, XVI, 1930 • DEUTSCH, H. Psychoanalyse der weiblichen Sexualfunktionen • FENICHEL, O. Zur prägenitalen Vorgeschichte des Ödipuskomplexes. *Internationale Zeitschrift für Psychoanalyse,* XVI, 1930 • KLEIN, M. Frühstadien des Ödipuskonfliktes. *Internationale*

Zeitschrift für Psychoanalyse, XIV, 1928 • HORNEY, K. Flucht aus der Weiblichkeit. Internationale Zeitschrift für Psychoanalyse, XII, 1926 • LAMPL-DE GROOT, J. Zur Entwicklungsgeschichte des Ödipuskomplexes der Frau • JONES, E. Die erste Entwicklung der weiblichen Sexualität. *Internationale Zeitschrift für Psychoanalyse*, XIV, 1928 • MACK BRUNSWICK, R. The preodipal phase of the libido. *The Psychoanalytic Quartel*, New York, v. IX • RIVIÈRE, J. A feminilidade como máscara. *Psyche*, São Paulo, v. 9, n. 16, p. 13-24, 2005 • MCDOUGALL, J. *As múltiplas faces de Eros*. Paris, 1996 • LACAN, J. *O seminário, livro 20: Mais, ainda*. Rio de Janeiro, Zahar, 1986.

NOTAS

[1] A disputa em torno da sexualidade feminina foi intensa nos anos 1920-1930. Nomes como Helene Deutsch, Karen Horney, Ernest Jones, Melanie Klein e Ruth Mack Brunswick, entre outros, destacavam-se. A expressão "fase pré-edípica" parece ter sido introduzida por Mack Brunswick, em seu estudo "Die Analyse eines Eifersuchtwahnes" ("A análise de um delírio de ciúmes"), publicado em 1928 na *Internationale Zeitschrift für Psychoanalyse*, n. 14. Na passagem da década de 1920-1930, ela estava empenhada em um trabalho conjunto com Freud. Ver, a esse respeito, a última parte do presente artigo, assim como a nota editorial acima. (N.E.)

[2] A esse respeito, ver nota editorial ao artigo "Algumas consequências psíquicas da distinção anatômica entre os sexos" (1925), neste volume, às p. 272-275 (N.E.)

[3] Por volta de 1880, foram descobertas as civilizações pré-helênicas, ou seja, a Grécia antes da Grécia, o que fez as pesquisas sobre as origens da civilização grega recuarem pelo menos um milênio antes de Homero. Os achados arqueológicos de Heinrich Schliemann em suas escavações em Troia e Micenas, seguidas das descobertas igualmente importantes de Arthur Evans nas ruínas de Creta, eram divulgadas por revistas e jornais da época. Segundo Vernant (*As origens do pensamento grego*. Rio de Janeiro: Bertrand Brasil, 1989, p. 5-33), o período minoico remonta a 1900 a.C., e o micênico, 1450 a.C. Freud constituiu uma robusta biblioteca sobre esses assuntos. (N.E.)

[4] A esse propósito, ver a correspondência Freud-Fließ sobre o assunto. Neste volume, p. 37-72 (N.E.)

[5] Ver a primeira nota de Freud, na Parte II do artigo "Sobre a psicogênese de um caso de homossexualidade feminina" (1920), na qual ele afirma: "Não vejo nenhum progresso ou vantagem em introduzir a expressão

'complexo de Elektra', e não gostaria de promover o seu uso" (cf. p. 167 do volume *Neurose, psicose e perversão*, nesta coleção). (N.T.)

[6] Ver em "O declínio do complexo de Édipo" a afirmação de Freud sobre esse acontecimento: "O processo salvou, por um lado, o genital, afastou dele o perigo de sua perda, e, por outro, paralisou-o, suspendeu sua função. Com ele se inicia o período de latência, que agora interrompe o desenvolvimento sexual da criança" (p. 251). (N.T.)

[7] Der feminine Masochismus und seine Beziehung zur Frigidität, XVI, 1930. (N.T.)

[8] *Psychoanalyse der weiblichen Sexualfunktionen.* (N.T.)

[9] Zur prägenitalen Vorgeschichte des Ödipuskomplexes. *Internationale Zeitschrift für Psychoanalyse*, XVI, 1930. (N.T.)

[10] Frühstadien des Ödipuskonfliktes, *Internationale Zeitschrift für Psychoanalyse*, XIV, 1928. (N.T.)

[11] Flucht aus der Weiblichkeit. *Internationale Zeitschrift für Psychoanalyse*, XII, 1926. (N.T.)

[12] Die erste Entwicklung der weiblichen Sexualität. *Internationale Zeitschrift für Psychoanalyse*, XIV, 1928. (N.T.)

A FEMINILIDADE (1933)

(NOVA SEQUÊNCIA DE CONFERÊNCIAS DE INTRODUÇÃO À PSICANÁLISE – CONFERÊNCIA XXXIII)

Senhoras e senhores! Durante todo o tempo em que me preparava para lhes falar, lutei com uma dificuldade íntima. Não me sinto seguro, por assim dizer, da minha autorização. É verdade que a psicanálise modificou-se e se enriqueceu em 15 anos de trabalho,[1] mas, por isso mesmo, uma introdução à psicanálise poderia acabar sem alteração ou complementação. Sempre me coloco que falta a estas conferências uma razão de ser. Aos analistas, estou dizendo pouca coisa e absolutamente nada de novo, mas a vocês digo muitíssimo, e o tipo de coisas para cuja compreensão vocês não estão preparados, coisas que não lhes dizem respeito. Procurei por desculpas e tentei justificar cada uma das conferências com um fundamento diferente. A primeira, sobre a teoria do sonho,[2] devia novamente deslocar os senhores, de um só golpe, ao centro da atmosfera analítica e mostrar-lhes quão duradouros se revelaram os nossos pontos de vista. Na segunda, que segue pelos caminhos do sonho até o assim chamado ocultismo,[3] fascinou-me a oportunidade de falar livremente sobre um campo de trabalho no qual hoje lutam expectativas preconceituosas contra resistências passionais, e podia esperar que seu julgamento, orientado pelo exemplo da psicanálise pela tolerância, não se recusaria a me acompanhar nessa excursão. A terceira conferência, sobre a decomposição da personalidade,[4] certamente fez aos senhores as mais rigorosas exigências por seu estranho conteúdo, mas era impossível para mim privá-los desse primeiro esboço da psicologia do Eu, e se o tivéssemos possuído há 15 anos eu teria tido de mencioná-lo já naquela época. Por fim, a última conferência,[5] que provavelmente os senhores só puderam acompanhar com grande esforço, trouxe correções necessárias, novas tentativas de resolução para as perguntas enigmáticas mais importantes, e minha introdução teria se tornado uma confusão se eu não tivesse falado disso. Os senhores estão vendo que quando alguém começa a se desculpar, acaba afirmando que tudo foi inevitável, que tudo foi fatalidade. Eu me conformo com isso, e peço aos senhores que façam o mesmo.

A conferência de hoje também não deveria constar em uma introdução, mas ela pode dar aos senhores uma amostra de um trabalho analítico detalhado, e posso dizer duas coisas para recomendá-lo. Ela não traz nada além de fatos observados quase sem acréscimo de especulação, e trata de um tema que merece interesse dos senhores, como quase nenhum outro. Sobre o enigma da feminilidade, ruminaram os seres humanos de todos os tempos:

> Cabeças com gorros de hieróglifos,
> Cabeças com turbantes e com barrete preto,
> Cabeças com perucas e milhares de outras
> Pobres cabeças humanas suando...[6]

Os senhores também não serão excluídos dessa ruminação, na medida em que são homens; das mulheres presentes isso não é esperado, pois elas mesmas são esse enigma. Masculino ou feminino é a primeira distinção que os senhores fazem quando se encontram com outro ser humano, e estão habituados a fazer essa distinção com indubitável certeza. A ciência anatômica compartilha dessa sua certeza em um ponto e não mais do que isso. Masculino é o produto sexual masculino, o espermatozoide e seus veículos; feminino é o óvulo e o organismo que o abriga. Em ambos os sexos, formaram-se órgãos que servem exclusivamente às funções sexuais; provavelmente desenvolveram-se a partir da mesma disposição em duas configurações distintas. Além disso, em ambos os sexos, os outros órgãos, as formas e os tecidos corporais mostram uma influência do gênero, mas esta é inconstante e sua medida é variável; trata-se dos assim chamados caracteres sexuais secundários. E depois, a ciência lhes diz algo que contraria as suas expectativas, e provavelmente conseguirá confundir os seus sentimentos. Ela lhes chama a atenção para o fato de que partes do aparelho sexual masculino também são encontradas no corpo da mulher, ainda que em estado atrofiado, e o mesmo ocorre no outro caso. Ela vê nessa ocorrência o indício de uma bipartição da sexualidade, uma *bissexualidade*, como se o indivíduo não fosse nem homem nem mulher, e sim ambos a cada vez, só que com mais de um do que do outro. Vocês serão, então, solicitados a se familiarizar com a ideia de que a proporção a partir da qual o masculino e o feminino se mesclam no indivíduo sofre oscilações extraordinárias. Mas, tendo em vista que, excetuando casos muitíssimos raros, numa pessoa está presente apenas um dos tipos de produtos sexuais – óvulos ou células de sêmen –, vocês poderão se confundir sobre a importância decisiva desses elementos e tirar a conclusão de que aquilo que constitui a masculinidade ou a feminilidade é uma característica desconhecida, que a anatomia não consegue apreender.

Será que a psicologia consegue? Também estamos acostumados a utilizar masculino e feminino como qualidades anímicas e igualmente temos transferido o ponto de vista da bissexualidade[7] para a vida anímica. Assim, dizemos que um ser humano, seja macho ou fêmea, comporta-se neste ponto de modo masculino e naquele outro de modo feminino. Mas os senhores logo verão que isso não passa de uma concessão em relação à anatomia e à convenção. Os senhores não podem atribuir *nenhum* novo conteúdo aos conceitos de masculino e feminino. A distinção não é psicológica; quando os senhores dizem masculino, geralmente estão pensando em "ativo", e quando dizem feminino, em "passivo". Então, é verdade que existe uma relação como essa. A célula sexual masculina move-se ativamente e procura a feminina, e esta, o óvulo, é imóvel, e espera passivamente. A conduta dos organismos sexuais elementares é até mesmo um modelo para a conduta sexual dos indivíduos no ato sexual. O macho persegue a fêmea com o propósito da união sexual, agarra-a e a penetra. Mas com isso, para a psicologia, os senhores justamente reduziram o caráter do masculino ao fator da agressão. E os senhores começarão a duvidar se, com isso, chegaram a algo essencial, quando pensam que, em algumas classes de animais, as fêmeas são as mais agressivas e fortes, e os machos só são ativos no único ato de união sexual. Assim acontece, por exemplo, com as aranhas. Mesmo as funções de cuidar da prole e da criação, que nos parecem ser femininas por excelência, não são ligadas por regra ao sexo feminino nos animais. Em espécies superiores observa-se que os sexos se dividem na tarefa de cuidar da prole, ou o próprio macho sozinho se dedica a ela. No próprio campo da vida sexual, os senhores logo perceberão o quão insuficiente é fazer coincidir a conduta masculina com atividade e a feminina com passividade. A mãe é ativa em relação ao filho em todos os sentidos; mesmo sobre o ato de mamar, os senhores tanto podem dizer que ela amamenta o filho quanto que deixa o filho mamar nela. Então, quanto mais os senhores se afastam do estreito campo sexual, mais claro ficará aquele "erro de sobreposição".[8] As mulheres podem desenvolver grande atividade em diversas direções; os homens não podem conviver com seus iguais se não desenvolverem um alto grau de docilidade passiva. Se agora vocês disserem que esses fatos continham justamente a prova de que tanto os homens quanto as mulheres são bissexuais no sentido psicológico, daí então eu concluo que vocês decidiram por si próprios fazer coincidir "ativo" com "masculino" e "passivo" com "feminino". Mas eu os desaconselho. Parece-me que isso não tem razão de ser e não traz nada de novo.

Poderíamos pensar em caracterizar psicologicamente a feminilidade através da preferência por metas passivas. Naturalmente, isso não é a mesma coisa que passividade; é preciso uma grande porção de atividade para que uma meta passiva se estabeleça. Talvez isso ocorra de tal maneira que no caso da mulher, por sua participação na função sexual, ela estenda para outras esferas de sua vida uma preferência, mais ou menos ampla, pela conduta passiva e por anseios de meta passiva, conforme o modelo de vida sexual se limite ou se amplie. Devemos, contudo, atentar para que a influência das normas sociais não seja subestimada, normas que, de forma semelhante, forçam a mulher para situações passivas. Tudo isso ainda está muito obscuro. Não queremos ignorar uma relação particularmente constante entre feminilidade e vida pulsional. A repressão [*Unterdrückung*] à sua agressividade, que é prescrita constitucionalmente e imposta à mulher socialmente, favorece a formação de intensas moções masoquistas, que conseguem vincular eroticamente as tendências destrutivas voltadas para dentro. O masoquismo é, portanto, como se diz, legitimamente feminino. Mas, se vocês encontrarem o masoquismo em homens, como é frequente, o que lhes resta senão dizer que esses homens apresentam traços femininos muito evidentes?

Agora vocês já estão preparados para o fato de que a psicologia também não irá resolver o enigma da feminilidade. Esse esclarecimento deve vir de algum outro lugar, e não poderá vir antes de termos aprendido sobre de que modo surgiu a diferenciação dos seres vivos em dois sexos. Nada sabemos sobre isso, e, no entanto, a bipartição sexual é uma característica deveras notável da vida orgânica e através da qual esta se separou radicalmente da natureza inanimada. Entretanto, encontramos muito que estudar nesses indivíduos humanos que, por possuírem genitais femininos, são caracterizados, manifesta ou predominantemente, como femininos. Corresponde à singularidade da psicanálise não querer descrever o que a mulher é – isso seria para ela uma tarefa quase impossível de resolver –, mas, sim, pesquisar como ela se torna mulher, como se desenvolve a partir da criança dotada de disposição bissexual. Nos últimos tempos, aprendemos alguma coisa sobre isso, graças à circunstância de que algumas de nossas ilustres colegas começaram a trabalhar essa questão em análise. A discussão sobre o assunto foi particularmente estimulada pela distinção entre os sexos, pois a cada vez que uma comparação parecia resultar desfavorável ao seu sexo, as nossas damas conseguiam expressar a suspeita de que nós, os analistas homens, não tínhamos conseguido superar determinados preconceitos profundamente arraigados contra a feminilidade, o que agora nos penalizaria pelo caráter parcial de nossa pesquisa. De nossa parte, no terreno da bissexualidade, era fácil evitar qualquer indelicadeza. Só precisávamos dizer: "Isso não vale para as senhoras. As senhoras são uma exceção; mais masculinas do que femininas nesse ponto".

Também abordamos a investigação do desenvolvimento sexual feminino com duas expectativas: a primeira é de que aqui também a constituição não se adaptará à função sem revolta. A outra é de que as viragens decisivas já terão sido trilhadas ou consumadas antes da puberdade. Ambas as expectativas logo se confirmam. Além disso, a comparação com as relações, no caso do menino, diz-nos que o desenvolvimento da menininha até a mulher normal é o mais difícil e o mais complicado, pois ele inclui mais duas tarefas, às quais o desenvolvimento do homem não apresenta nenhum correlato. Acompanhemos os paralelismos desde o seu início. Já é certo que o material no menino e na menina é distinto; para comprová-lo, não precisamos da psicanálise. A diferença na formação dos genitais é acompanhada por outras diversidades que são demasiadamente bem conhecidas para que seja preciso mencioná-las. Também na disposição pulsional destacam-se diferenças que permitem vislumbrar a natureza posterior da mulher. A menininha é geralmente menos agressiva, desafiadora e autossuficiente; parece ter mais necessidade de carinho, que lhe deve ser demonstrado, e por isso é mais dependente e dócil. O fato de que seja mais fácil e mais rápido educá-la no controle da excreção é muito provavelmente apenas a consequência dessa docilidade;

a urina e as fezes são os primeiros presentes da criança para as pessoas que dela cuidam e seu controle é a primeira concessão que pode ser obtida quanto à vida pulsional da criança. Também temos a impressão de que a menininha é mais inteligente e mais vivaz do que o menino da mesma idade, que vai mais ao encontro do mundo exterior e, ao mesmo tempo, faz investimentos mais intensos de objeto. Não sei se esse adiantamento no desenvolvimento foi confirmado por observações exatas; de qualquer forma, não há dúvida de que não se pode dizer que a menina é intelectualmente atrasada. Mas essas diferenças entre os sexos não podem ser muito levadas em conta, já que elas podem ser sobrepujadas por variações individuais. Para nossos propósitos imediatos, podemos deixá-las de lado.

Parece que os dois sexos atravessam da mesma maneira as primeiras fases do desenvolvimento da libido. Poder-se-ia esperar que na menina já teria se manifestado um atraso da regressão na fase sádico-anal, mas isso não procede. A análise da brincadeira da criança mostrou às nossas analistas mulheres que os impulsos agressivos das meninas pequenas não deixam nada a desejar em matéria de abundância e tenacidade. Com a entrada na fase fálica, as distinções entre os sexos retrocedem completamente em relação às suas congruências. Agora temos de reconhecer que a menininha é um homenzinho. Como sabemos, no menino, essa fase é marcada pelo fato de que ele consegue obter sensações prazerosas de seu pequeno pênis, cujo estado de excitação ele conjuga com as suas representações de relação sexual. O mesmo faz a menina com seu clitóris ainda menor. Parece que nela todos os atos onanistas ocorrem nesse equivalente do pênis e que a vagina propriamente feminina ainda não foi descoberta pelos dois sexos. Na verdade, algumas vozes isoladas também relatam sobre sensações vaginais precoces, mas não seria fácil distingui-las de sensações anais ou do vestíbulo; de maneira alguma elas podem ter um papel importante. Estaríamos autorizados a sustentar que na fase fálica da menina o clitóris é a zona erógena condutora. Mas ele não vai permanecer assim; com a viragem para a feminilidade, o clitóris deve ceder, totalmente ou em parte, a sua sensibilidade, e, com isso, sua importância, à vagina, e essa seria uma das duas tarefas que devem ser cumpridas no desenvolvimento da mulher, enquanto o homem, com mais sorte, na época do amadurecimento sexual, só precisa continuar o que ele ensaiou no período do primeiro florescimento sexual.

Ainda retornaremos ao papel do clitóris, mas agora vamos nos voltar para a segunda tarefa que pesa sobre o desenvolvimento da menina. O primeiro objeto de amor do menino é a mãe, que o segue sendo também durante a formação do complexo de Édipo e, no fundo, pela vida toda. Para a menina, a mãe – e as figuras da babá e da pessoa que cuida de crianças que se fundem com ela – também vai ser seu primeiro objeto; de fato, os primeiros investimentos de objeto ocorrem com o apoio na satisfação das grandes e simples necessidades da vida, e as circunstâncias da criação são as mesmas para ambos os sexos, mas, na situação do Édipo, o pai tornou-se o objeto de amor para a menina, e esperamos que ela possa encontrar, no curso normal do desenvolvimento, o caminho para a escolha definitiva de objeto a partir do pai. Portanto, a menina deve, com o passar do tempo, trocar sua zona erógena e objeto, já o menino mantém ambos. Surge então a pergunta sobre como isso ocorre e, mais especificamente, sobre como a menina passa da mãe para a ligação com o pai, ou, em outras palavras: de sua fase masculina para a fase feminina que foi determinada para ela.

Teríamos uma solução de simplicidade ideal, se pudéssemos supor que, a partir de uma determinada idade, estaria vigorando a influência elementar da atração recíproca que pressionaria a mulherzinha para o homem, enquanto a mesma lei permitiria ao menino perseverar na mãe. Poderíamos até mesmo acrescentar, neste ponto, que as crianças estão seguindo indicações que lhes foram dadas pela preferência sexual dos pais. Mas não é tão simples assim; nem sequer sabemos se podemos acreditar seriamente nessa força misteriosa, impossível de ser abalada analiticamente, com a qual os poetas tanto sonham. Custosas investigações nos proporcionaram uma informação de tipo completamente diferente, para a qual ao menos foi fácil conseguir o material. Vocês devem saber que é muito grande o número de mulheres que permanece, até épocas tardias, na terna dependência do pai como objeto, na verdade, do pai real. Nesse tipo de mulheres, com intensa e duradoura ligação ao pai, fizemos surpreendentes comprovações. Sabíamos, naturalmente, que teria havido um estágio preliminar de ligação com a mãe, mas não sabíamos que ele poderia ter um conteúdo tão rico, durar tanto tempo e deixar atrás de si tantas ocasiões para fixações e predisposições. Durante esse tempo, o pai é apenas um rival incômodo; em alguns casos, a ligação com a mãe vai além do quarto ano de vida. Quase tudo o que encontramos mais tarde na ligação com o pai já estava presente nela, e depois foi transferido para o pai. Em suma, ganhamos a impressão de que não podemos entender a mulher, se não considerarmos essa fase da *ligação pré-edípica com a mãe.*

Agora gostaríamos de saber quais são as relações libidinais da menina com a mãe. A resposta é que elas são de diversas formas. Como elas atravessam todas as três fases da sexualidade infantil, elas também assumem as características de cada fase e expressam-se através de desejos orais, sádico-anais e fálicos. Esses desejos representam tanto moções ativas quanto passivas; quando se os relaciona à posterior diferenciação dos sexos, o que, no entanto, deve-se evitar, na medida do possível, podemos chamá-los de masculinos e femininos. Além disso, são completamente ambivalentes, podendo ser de natureza mais terna ou mais hostil-agressiva. Estes últimos só vêm à luz depois de terem sido transformados em representações de medo [*Angstvorstellungen*]. Nem sempre é fácil demonstrar a formulação desses primeiros desejos sexuais; o que se expressa mais claramente é o desejo de fazer um filho na mãe, assim como o que lhe corresponde, dar-lhe um filho, ambos pertencentes à época fálica, suficientemente estranhos, mas comprovados, acima de qualquer dúvida, pela observação analítica. O que atrai nessas investigações são as surpreendentes descobertas que elas trazem. Então, por exemplo, descobre-se que o medo [*Angst*] de ser assassinado ou de ser envenenado, que pode mais tarde constituir o núcleo de um adoecimento paranoico, já está referido à mãe no período pré-edípico. Ou um outro caso: vocês se lembram de um interessante episódio da história da investigação analítica, que me gerou muitas horas desagradáveis. No período em que o principal interesse voltava-se para a descoberta de traumas sexuais infantis, quase todas as mulheres, minhas pacientes, contavam-me terem sido seduzidas pelo pai. Ao final, precisei reconhecer que esses relatos eram falsos e aprendi a entender que os sintomas histéricos derivam de fantasias e não de acontecimentos reais. Só mais tarde pude reconhecer, nessa fantasia de sedução pelo pai, a expressão do típico complexo de Édipo na mulher. E agora encontramos novamente a fantasia de sedução na história pré-edípica da menina, mas a sedutora é regularmente a mãe. Aqui, no entanto, a fantasia toca no terreno da realidade, pois foi realmente a mãe que, nos procedimentos de cuidados corporais, estimulou, e talvez tenha despertado pela primeira vez as sensações de prazer nos genitais.

Tenho a expectativa de que vocês estejam prontos para suspeitar que essa descrição da riqueza e da intensidade das relações sexuais da menininha com a mãe esteja sendo exagerada. Pois, afinal, tem-se a oportunidade de ver meninas pequenas e não se observa nelas nada parecido. Mas essa objeção não procede; é possível ver muitas coisas em crianças, se soubermos observá-las. E, além disso, queiram considerar quão pouco dos seus desejos sexuais a criança consegue trazer à expressão pré-consciente ou mesmo comunicar. Estamos, então, apenas nos servindo de um justo direito, quando estudamos, posteriormente, os resíduos e as consequências desse mundo de sentimentos em pessoas, nas quais esses processos de desenvolvimento tenham atingido uma formação particularmente nítida ou mesmo excessiva. A patologia sempre nos prestou o serviço de fazer reconhecer, através de isolamento e de exagero, circunstâncias que teriam ficado encobertas. E, tendo em vista que nossas investigações não foram realizadas em pessoas gravemente anormais, penso que podemos considerar fidedignos os seus resultados.

Iremos agora dirigir nosso interesse para a pergunta sobre o que põe fim a essa poderosa ligação da criança com a mãe. Sabemos que esse é seu destino habitual; ela está determinada a ceder lugar à ligação com o pai.

Deparamo-nos, então, com um fato que nos indica o caminho a seguir. Com esse passo no desenvolvimento, não se trata de uma simples troca de objeto. O afastamento em relação à mãe ocorre sob o signo da hostilidade; a ligação com a mãe acaba em ódio. Um ódio dessa espécie pode tornar-se extremo e durar a vida toda; ele pode, mais tarde, ser cuidadosamente supercompensado; uma parte dele, via de regra, é superada, e outra parte persiste. Naturalmente, os acontecimentos de anos posteriores exercem forte influência sobre isso. Mas vamos nos limitar a estudá-lo na época da viragem em direção ao pai e indagar sobre suas motivações. Ouvimos, então, uma longa lista de acusações e reclamações contra a mãe, que devem justificar os sentimentos hostis da criança; elas são de importância muito variada e não deixaremos de examiná-las. Algumas são evidentes racionalizações, mas as verdadeiras fontes da hostilidade nós é que teremos de encontrar. Espero que vocês fiquem interessados se, desta vez, eu conseguir guiá-los por todos os detalhes de uma investigação psicanalítica.

A recriminação à mãe que remonta mais longinquamente é a de que ela deu muito pouco leite à criança, o que é interpretado como falta de amor por sua parte. Pois bem, em nossas famílias, essa recriminação tem uma determinada justificativa. Quase sempre as mães não têm alimento suficiente para a criança e se contentam em lhes dar de mamar por alguns meses, por meio ano, ou por três quartos de ano. Nos povos primitivos, as crianças são amamentadas no seio até dois ou três anos. A figura da ama de leite geralmente funde-se com à da mãe; onde isso não aconteceu, a recriminação se transforma em uma outra, a de que a mãe despediu muito cedo a ama de leite, que alimentava a criança com tanto prazer. Mas, qualquer que tenha sido a situação real, é impossível que a recriminação da criança se justifique com a frequência com que a encontramos. Parece muito mais que a avidez da criança pelo primeiro alimento é absolutamente insaciável, a ponto de a criança nunca conseguir superar a perda do seio materno. Eu não ficaria nada surpreso se a análise de um primitivo, a quem ainda foi permitido mamar no seio da mãe quando já sabia andar e falar, demonstrasse a mesma recriminação. À retirada do seio talvez também esteja ligado o medo do envenenamento. O veneno é o alimento que faz uma pessoa adoecer. Talvez a criança também remeta os seus primeiros adoecimentos a esse impedimento. É preciso ter uma boa dose de instrução intelectual para acreditar no acaso; o primitivo, aquele sem instrução e certamente também a criança sabem arranjar uma razão para tudo o que acontece. Talvez originariamente isso tenha sido um motivo de natureza animista. Ainda hoje, em algumas camadas da nossa população, ninguém pode morrer sem que tenha sido morto por alguém, de preferência pelo médico. E, de fato, a reação neurótica habitual à morte de uma pessoa próxima é alguém culpar a si mesmo por ter causado essa morte.

A próxima reclamação contra a mãe se inflama quando surge a próxima criança no ambiente familiar. Se possível, essa reclamação vai manter a conexão com o impedimento oral. A mãe não pôde ou não quis mais dar leite à criança, porque ela precisou desse alimento para o recém-chegado. No caso de haver pouca diferença de idade entre as duas crianças, e em que a lactação for prejudicada pela segunda gravidez, essa recriminação adquire uma fundamentação real, e também é curioso que essa criança, com uma diferença de apenas 11 meses, não seja tão jovem para perceber essa situação. Porém, não é apenas a amamentação que a criança inveja do indesejado intruso ou rival, mas justamente todos os outros indícios do cuidado materno. Ela se sente destronada, roubada, prejudicada em seus direitos, lança um ódio ciumento sobre o irmãozinho e desenvolve contra a mãe infiel um ressentimento, que frequentemente se expressa em uma desagradável alteração em sua conduta. Ela se torna, talvez, "má", irritadiça, desobediente, e retrocede em suas conquistas sobre o domínio das excreções. Tudo isso já é conhecido há muito tempo e é aceito como evidente, mas é raro conseguirmos nos representar precisamente a força dessas moções de ciúme, a tenacidade com que persistem, bem como a magnitude de sua influência sobre o desenvolvimento posterior. Particularmente porque esse ciúme é continuamente alimentado nos anos seguintes da infância, e todo o abalo se repete com cada novo irmãozinho. Isso também não muda muito caso a criança seja a preferida da mãe; as exigências de amor da criança são ilimitadas, exigem exclusividade, não admitem ser compartilhadas.

Os múltiplos desejos sexuais, que variam de acordo com a fase libidinal e que, em sua maioria, não podem ser satisfeitos, constituem uma fonte abundante de hostilidade da criança contra a mãe. O mais intenso desses impedimentos ocorre na fase fálica, quando a mãe proíbe a atividade prazerosa no genital – frequentemente com duras ameaças e todos os indícios de indignação –, à qual, afinal, ela mesma havia iniciado a criança. Seria possível pensar que esses seriam motivos suficientes para justificar o afastamento da menina em relação à mãe. Julgar-se-ia, então, que essa desavença decorra inevitavelmente da natureza da sexualidade infantil, das irrestritas exigências amorosas e da impossível realização dos desejos sexuais. Ou talvez se possa pensar que essa primeira relação amorosa da criança estaria fadada à dissolução justamente por ser a primeira, pois esses primeiros investimentos de objeto são geralmente ambivalentes em alto grau; ao lado de um amor intenso há sempre uma forte tendência agressiva, e quanto mais apaixonadamente uma criança amar o seu objeto, mais sensível se tornará às decepções e impedimentos dele advindos. Por fim, o amor deve sucumbir à hostilidade acumulada. Ou se pode recusar essa ambivalência originária dos investimentos amorosos e indicar que é a natureza singular da relação mãe-criança que leva, com igual inevitabilidade, à perturbação do amor infantil, pois mesmo a educação mais branda não se furta de exercer coerção e introduzir limitações, e cada uma dessas intervenções em sua liberdade deve provocar como reação na criança a inclinação para a rebeldia e para a agressividade. Acho que a discussão dessas possibilidades pode ser muito interessante, mas eis que de repente intervém uma objeção que força nosso interesse numa outra direção. Todos esses fatores: os abandonos, as decepções amorosas, o ciúme, a sedução e a proibição subsequente também produzem efeito na relação do menino com a mãe e, afinal, não são capazes de afastá-lo da mãe como objeto. Se não encontrarmos algo que seja específico para a menina, que não se apresente ou que não se apresente da mesma maneira no menino, não teremos esclarecido o desfecho da ligação da menina com a mãe.

Penso que encontramos esse fator específico, na verdade, no lugar esperado, mesmo que de forma surpreendente. Digo que foi no lugar esperado porque se encontra no complexo de castração. A distinção anatômica precisa imprimir-se em consequências psíquicas.[9] Mas foi uma surpresa descobrir nas análises que a menina responsabiliza a mãe por sua falta de pênis e não lhe perdoa essa desvantagem.

Como vocês ouviram, também atribuímos à mulher um complexo de castração. Por boas razões, mas ele não pode possuir o mesmo conteúdo que no menino. Neste, o complexo de castração surge quando, à visão de um genital feminino, o menino aprendeu que esse membro tão valorizado por ele não precisa necessariamente ser um complemento do corpo. Ele se recorda, então, das ameaças que provocou por sua atividade com o membro e começa a lhes dar crédito, e, a partir desse momento, cai sob a influência da *angústia de castração* [*Kastrationsangst*], que será o móbil mais poderoso de seu desenvolvimento posterior. O complexo de castração da menina também se inicia com a visão do outro genital. Ela imediatamente percebe a diferença e – é preciso admiti-lo – também sua importância. Ela se sente gravemente prejudicada e muitas vezes declara que gostaria de "também ter algo assim", e cai vítima da *inveja do pênis* [*Penisneid*], que deixa marcas indeléveis em seu desenvolvimento e na formação de seu caráter, e mesmo no caso mais favorável não será superada sem um extremo dispêndio psíquico. Que a menina reconheça o fato de sua falta de pênis não quer dizer, absolutamente, que ela se submeta facilmente a ele. Ao contrário, ela se aferra por muito tempo ao desejo de também chegar a ter algo assim, acredita nessa possibilidade por mais anos do que se imaginaria, e mesmo nas épocas em que o saber sobre a realidade rejeitou há muito tempo a realização desse desejo por ser inalcançável a análise pode demonstrar que ele se conservou no inconsciente e preservou um considerável investimento de energia. O desejo de finalmente conseguir o pênis almejado pode ainda contribuir para os motivos que levam a mulher madura à análise e o que ela compreensivelmente pode esperar da análise, por exemplo, a aptidão para exercer uma profissão intelectual, e pode, com frequência, ser identificado como uma transformação sublimada desse desejo recalcado.

Não se pode duvidar da importância da inveja do pênis. Tomem como um exemplo da injustiça masculina a afirmação de que a inveja e o ciúme desempenham um papel ainda maior na vida anímica das mulheres do que na dos homens. Não é que essas características estejam ausentes nos homens, ou que nas mulheres elas não tenham outras raízes além da inveja do pênis, mas estamos inclinados a atribuir a esta última influência o excedente que há nas mulheres. Em alguns analistas surgiu a inclinação de rebaixar em importância esse primeiro impulso de inveja do pênis na fase fálica. Eles pensam que o que se encontra dessa posição na mulher é, principalmente, uma formação secundária[10] que se produziu por ocasião de conflitos posteriores por regressão àquela primeira moção do início da infância. Bem, esse é um problema geral da psicologia profunda. Em muitas posições pulsionais patológicas – ou mesmo nas apenas pouco comuns –, como, por exemplo, em todas as perversões sexuais, pergunta-se quanto de sua intensidade deve ser atribuída às fixações do início da infância e quanto à influência de vivências e desenvolvimentos posteriores. Nesse caso, trata-se quase sempre de séries complementares, como as que supusemos na exposição sobre a etiologia das neuroses. Ambos os fatores participam da causação em proporções variáveis; uma diminuição de um lado é compensada por um aumento do outro. O infantil é, em todos os casos, o que determina a direção, mas nem sempre é o que determina o resultado, embora o faça frequentemente. Precisamente no caso da inveja do pênis eu gostaria de, decisivamente, argumentar a favor da preponderância do fator infantil.

O descobrimento de sua própria castração é um ponto de viragem no desenvolvimento da menina. Dele partem três orientações de desenvolvimento: uma leva à inibição sexual ou à neurose; a seguinte, à alteração do caráter, no sentido de um complexo de masculinidade; e a última, finalmente, à feminilidade normal. Sobre todas as três aprendemos bastante, ainda que não tudo. O conteúdo essencial da primeira é que a menininha, que viveu até então de modo masculino, que conseguiu obter prazer excitando o seu clitóris e relacionou essa atividade com seus desejos sexuais geralmente ativos, que diziam respeito à mãe, vê estragar-se a fruição [*Genuss*] de sua sexualidade fálica pela influência da inveja do pênis. Ofendida em seu amor próprio pela comparação com o menino, muito mais bem-dotado, ela renuncia à satisfação masturbatória no clitóris, rejeita o amor pela mãe e ao mesmo tempo recalca, não raramente, uma boa parte de seus anseios sexuais. Certamente o afastamento em relação à mãe não ocorre de uma só vez, pois a menina considera a sua castração primeiramente como uma infelicidade individual e somente aos poucos ela a estende a outros seres femininos e, por último, também à mãe. Seu amor relacionava-se à mãe fálica; com a descoberta de que a mãe é castrada, torna-se possível abandoná-la como objeto, de maneira que passam a prevalecer os motivos de hostilidade, que há muito vinham se acumulando. Isso significa, portanto, que através da descoberta da falta de pênis a mulher é tão desvalorizada pela menina quanto pelo menino, e mais tarde talvez também pelo homem.

Vocês todos sabem da importância extraordinária que os nossos neuróticos atribuem ao seu onanismo. Eles o responsabilizam por todas as suas queixas e fazemos um grande esforço para conseguir que acreditem que estão errados. Mas, na verdade, devemos admitir que têm razão, pois o onanismo é o executor da sexualidade infantil, de cujo falho desenvolvimento eles justamente sofrem. Pois bem, os neuróticos incriminam mais o onanismo da época da puberdade; já o dos primeiros anos da infância, aquele de que realmente se trata, dele a maioria se esqueceu. Eu queria ter, uma vez, a oportunidade de lhes apresentar detalhadamente quão importantes se tornam os detalhes efetivos do onanismo precoce para a neurose posterior ou para o caráter do indivíduo: se ele foi ou não descoberto, como os pais o combateram ou o toleraram, ou se a própria criança conseguiu reprimi-lo [*unterdrücken*]. Tudo isso deixou traços indeléveis em seu desenvolvimento. No entanto, estou muito mais satisfeito por não precisar fazê-lo; seria uma tarefa difícil e enfadonha e no final vocês me colocariam em situação embaraçosa, pois certamente iriam exigir de mim conselhos práticos sobre que conduta um pai ou um educador deve adotar em relação ao onanismo das crianças pequenas. Do desenvolvimento das meninas, que é o que estou lhes apresentando, vocês vão ouvir agora um exemplo em que a própria criança se empenha em se livrar do onanismo. Mas nem sempre ela o consegue. Nos casos em que a inveja do pênis suscitou um forte impulso contra o onanismo clitoridiano e este não quer ceder, trava-se uma luta violenta pela liberação, na qual a própria menina assume o papel de sua mãe que foi destituída, por assim dizer, e expressa toda a sua insatisfação com o clitóris inferior, opondo-se à satisfação com ele. Muitos anos mais tarde, quando a atividade onanista já tiver sido há muito reprimida, persiste um interesse que devemos interpretar como defesa contra uma tentação ainda temida. Ele se manifesta no aparecimento de uma simpatia por pessoas às quais são atribuídas dificuldades semelhantes, entra como motivo para a decisão de se casar e até mesmo pode determinar a escolha do marido ou do companheiro amoroso. Realmente, a forma de resolução da masturbação dos primeiros anos da infância não é algo simples ou indiferente.

Com o abandono da masturbação clitoriana, renuncia-se a uma parte da atividade. Agora prevalece a passividade, e a viragem em direção ao pai se realiza predominantemente com o auxílio de moções pulsionais passivas. Vocês percebem que um impacto como esse no desenvolvimento, que remove a atividade fálica do caminho, aplaina o terreno da feminilidade. Se nesse caso não se perde muito com o recalcamento, essa feminilidade pode vir a ser normal. O desejo com o qual a menina se volta para o pai é, sem dúvida, originariamente, o desejo do pênis que a mãe lhe negou, e que ela agora espera do pai. No entanto, a situação feminina só se estabelece se o desejo do pênis for substituído pelo desejo do filho, portanto, se o filho entrar no lugar do pênis, de acordo com uma velha equivalência simbólica. Não nos esqueçamos de que antes, na fase fálica imperturbada, a menina já havia desejado um filho; esse era o sentido de sua brincadeira com bonecas. Mas essa brincadeira não era propriamente a expressão de sua feminilidade, ela servia à identificação com a mãe, com o propósito da substituição da passividade pela atividade. Ela fazia o papel da mãe, e a boneca era ela mesma; agora ela podia fazer com o filho tudo o que a mãe costumava fazer com ela. Só com o afloramento do desejo do pênis é que o filho-boneca se torna um filho do pai, e a partir daí torna-se a meta do desejo feminino mais intenso. É grande a felicidade quando esse desejo por um filho encontra mais tarde sua efetiva realização, contudo mais particularmente se a criança é um menininho que traz consigo o pênis almejado. Na expressão "um filho do pai", a ênfase recai muito frequentemente sobre o filho, e o pai não é acentuado. Assim, o antigo desejo masculino de possuir um pênis ainda opera através da feminilidade consumada. Mas talvez devamos antes reconhecer esse desejo de pênis como um desejo feminino por excelência.

Com a transferência do desejo filho-pênis para o pai, a menina ingressou na situação do complexo de Édipo. A hostilidade contra a mãe, que não precisava ser criada como se fosse algo novo, sofre agora uma grande intensificação, pois ela se torna a rival que recebe do pai tudo o que a menina dele almeja. O complexo de Édipo da menina impediu, por longo tempo, a nossa compreensão dessa ligação pré-edípica com a mãe, que é tão importante e que deixa fixações tão duradouras. Para a menina, a situação do Édipo é a saída de um desenvolvimento longo e difícil, uma espécie de solução provisória, uma posição de repouso que não é logo abandonada, principalmente porque o começo do período de latência não está longe. E eis, então, que na relação do complexo de Édipo com a castração salta à vista uma diferença entre os sexos, provavelmente de grandes consequências. O complexo de Édipo do menino, no qual ele anseia pela mãe e gostaria de eliminar o pai como rival, desenvolve-se, naturalmente, a partir da fase de sua sexualidade fálica. Mas a ameaça de castração obriga-o a abandonar essa posição. Com a impressão do perigo de perder o pênis, o complexo de Édipo é abandonado, recalcado; no caso mais normal, é fundamentalmente destruído, e, como seu herdeiro, instaura-se um severo Supereu. O que acontece com a menina é quase o contrário. O complexo de castração prepara o complexo de Édipo em vez de destruí-lo; através da influência da inveja do pênis a menina é pressionada a desfazer a ligação com a mãe e entra na situação do Édipo como se esta fosse um porto seguro. Com a ausência da angústia de castração, falta o motivo principal que havia pressionado o menino a superar o complexo de Édipo. A menina permanece nele por tempo indeterminado, só o desconstrói mais tarde e de maneira incompleta. A formação do Supereu tem de sofrer sob essas circunstâncias, ele não consegue atingir a intensidade e a independência que lhe conferem a sua importância cultural e – as feministas não gostarão de ouvi-lo, quando lhes apontamos os efeitos desse fator para o caráter feminino mediano.

E agora, voltando um pouco atrás: mencionamos, como a segunda das possíveis reações após o descobrimento da castração feminina, o desenvolvimento de um intenso complexo de masculinidade. Com isso pensamos que a menina se recusa, por assim dizer, a reconhecer o fato desagradável, em franca rebeldia exagera ainda mais a sua masculinidade de até então, aferra-se à sua atividade clitoriana e busca refúgio em uma identificação com a mãe fálica ou com o pai. O que pode determinar esse desfecho? Não podemos imaginar outra coisa além de um fator constitucional, uma proporção maior de atividade, como é normalmente característica do macho. Aliás, o fundamental do processo é que nesse ponto do desenvolvimento é evitado o impulso para a passividade, que abre a viragem para a feminilidade. Parece-nos que a operação mais extrema desse complexo de masculinidade é a influência da escolha de objeto no sentido de uma homossexualidade manifesta. Na verdade, a experiência analítica nos ensina que a homossexualidade feminina raramente ou nunca continua em linha reta a masculinidade infantil. Isso parece dever-se também ao fato de que essas meninas, por um tempo, tomam o pai como objeto e ingressam na situação do Édipo. Mas logo, por causa de inevitáveis decepções com o pai, são forçadas à regressão ao seu complexo de masculinidade anterior. Não devemos superestimar a importância dessas decepções; sequer as meninas destinadas à feminilidade são delas poupadas, ainda que sem o mesmo efeito. O superpoder do fator constitucional parece inquestionável, mas as duas fases no desenvolvimento na homossexualidade feminina espelham-se bem nas práticas das homossexuais que, com a mesma frequência e a mesma clareza desempenham entre si os papéis de mãe e filho como os de marido e mulher [*Weib*].[11]

Pode-se dizer que o que lhes relatei aqui é a pré-história da mulher [*des Weibes*]. É uma aquisição dos últimos anos, e pode ter-lhes sido interessante como exemplo do trabalho analítico minucioso. Como o tema é a própria mulher [*die Frau*], autorizo-me, desta vez, a citar nominalmente algumas mulheres [*Frauen*], às quais esta investigação deve importantes contribuições. A Dra. Ruth Mack Brunswick foi a primeira a descrever um caso de neurose que remontava a uma fixação no estágio pré-edípico e que absolutamente não atingiu a situação do Édipo. Ele tinha a forma de uma paranoia de ciúme e mostrou ser acessível à terapia. A Dra. Jeanne Lampl-de Groot constatou, através de observações comprovadas, a inacreditável atividade fálica da menina em relação à mãe, e a Dra. Helene Deutsch mostrou que os atos de amor de mulheres homossexuais reproduzem as relações mãe-criança.[12]

Não é minha intenção acompanhar a conduta posterior da feminilidade através da puberdade até o período da maturidade. Nossos conhecimentos também não seriam suficientes para isso. No que se segue, reunirei alguns traços. Partindo da pré-história, quero aqui apenas destacar que o desdobramento da feminilidade permanece exposto à perturbação através de fenômenos residuais da pré-história masculina. Regressões às fixações daquelas fases pré-edípicas ocorrem com muita frequência; em alguns ciclos de vida isso chega a uma alternância repetida de épocas em que predominam ou a masculinidade ou a feminilidade. Talvez uma parte do que nós, homens, chamamos de "enigma das mulheres" ["*Rätsel des Weibes*"] derive dessa expressão da bissexualidade na vida da mulher. No entanto, uma outra questão parece ter amadurecido durante essas investigações. Demos o nome de libido à força pulsional da vida sexual. A vida sexual é dominada pela polaridade masculino-feminino; portanto, supomos que devemos considerar a relação da libido com essa oposição. Não seria surpreendente se verificássemos que cada sexualidade estivesse subordinada à sua própria libido, de maneira que uma espécie de libido seguiria as metas da vida sexual masculina, e outra, as da feminina. Mas nada disso acontece. Só existe uma libido, que está a serviço tanto da função sexual masculina quanto da feminina. A ela própria não podemos atribuir nenhum sexo; mesmo se quisermos chamá-la de masculina, seguindo a equiparação convencional de atividade e masculinidade, não podemos esquecer que ela também representa anseios com metas passivas. Seja como for, a expressão "libido feminina" não se justifica. Temos então a impressão de que se exerceu maior coerção [*Zwang*] sobre a libido quando ela foi pressionada para servir à função feminina, e que – para falar teleologicamente – a natureza tem as exigências desta última em menor conta do que no caso da masculinidade. E isso pode – novamente pensando teleologicamente – ter sua razão de ser no fato de que o estabelecimento da meta biológica é confiado à agressão do homem e que se tornou, em certa medida, independente da aquiescência da mulher.

A frigidez sexual da mulher, cuja frequência esse rebaixamento parece confirmar, é ainda um fenômeno insuficientemente compreendido. Às vezes psicogênica, e depois acessível à influência; em outros casos, ela sugere a suposição de um condicionamento constitucional, e até mesmo a contribuição de um fator anatômico.

Prometi apresentar-lhes mais algumas particularidades psíquicas da feminilidade madura, tal como as encontramos na observação analítica. Não pretendemos considerar mais do que um valor de verdade mediano para essas afirmações; além disso, nem sempre é fácil distinguir o que deve ser atribuído à função sexual e o que deve ser atribuído à educação social. Atribuímos, portanto, à feminilidade, um grau maior de narcisismo, o qual também influencia sua escolha de objeto, de maneira que ser amada, para a mulher, é uma necessidade mais forte do que amar. O efeito da inveja do pênis também participa da vaidade física da mulher, tendo em vista que esse efeito vai ter de valorizar ainda mais os encantos dessa vaidade como compensação pela inferioridade sexual originária.[13] Atribuímos o propósito originário de ocultar o defeito do genital à vergonha, considerada uma característica feminina por excelência, mas que é muito mais convencional do que se poderia pensar. Não nos esqueçamos de que, posteriormente, ela assumiu outras funções. Pensa-se que as mulheres fizeram poucas contribuições para os descobrimentos e invenções da história cultural, mas talvez elas tenham, afinal, inventado uma técnica, a do trançar e a do tecer. Se for verdade, ter-se-ia tentado adivinhar o motivo inconsciente dessa realização. A própria natureza teria dado o exemplo para essa imitação, quando, com o amadurecimento sexual, fez nascer pelos que encobrem o genital. O passo que faltava dar era fazer os fios, que estavam espetados na pele e só se emaranhavam, unirem-se uns aos outros. Se vocês recusarem esta minha ocorrência de pensamento como fantasiosa e considerarem uma ideia fixa a influência da falta de pênis na configuração da feminilidade, é claro que ficarei indefeso.

As condições da escolha feminina de objeto tornam-se, muitas vezes, irreconhecíveis, por conta de circunstâncias sociais. Onde tal escolha pode mostrar-se livremente, ela segue, no mais das vezes, o ideal narcísico do homem que a menina desejou se tornar. Se a menina permaneceu na ligação com o pai, portanto, no complexo de Édipo, então ela irá escolher um tipo como o pai. Já que na viragem da mãe para o pai conservou-se a hostilidade da ligação afetuosa ambivalente com a mãe, uma escolha como essa deveria garantir um casamento feliz. Mas, com frequência, intervém um desfecho que ameaça, de maneira geral, essa resolução do conflito de ambivalência. A hostilidade deixada para trás segue a ligação positiva e se alastra sobre o novo objeto. O marido, inicialmente herdado do pai, com o tempo, assume também a herança da mãe. Assim, pode facilmente acontecer que a segunda metade da vida da mulher seja preenchida pela luta contra seu marido, da mesma maneira como a primeira, mais curta, o foi pela revolta contra a mãe. Esgotada essa reação, um segundo casamento pode facilmente se configurar de modo muito mais satisfatório.[14] Outra transformação no ser da mulher [*Wesen des Weibes*], para a qual os amantes não estão preparados, pode ocorrer depois de nascer o primeiro filho do casamento. Sob o impacto da própria maternidade, pode ser revivida uma identificação com a própria mãe, contra a qual a mulher havia se rebelado até o casamento, e atrair para si toda a libido disponível, de maneira que a compulsão à repetição reproduz um casamento infeliz dos pais. Vê-se que o velho fator da falta de pênis ainda não esgotou sua força, na diferença de reação da mãe ao nascimento de um filho ou de uma filha. Só a relação com um filho traz à mãe uma satisfação ilimitada; de todas as relações humanas, ela é absolutamente a mais perfeita e a mais isenta de ambivalência. Para o filho, a mãe pode transferir a ambição que teve de reprimir em si mesma, e esperar dele a satisfação de tudo aquilo que lhe restou do seu complexo de masculinidade. O casamento mesmo não está assegurado enquanto a mulher não conseguir fazer do seu marido também o seu filho e agir [*agieren*] como mãe em relação a ele.

A identificação da mulher com a mãe permite distinguir duas camadas: a pré-edípica, que se apoia na ligação carinhosa com a mãe e a toma como exemplo, e a mais tardia, que deriva do complexo de Édipo e quer eliminar a mãe e substituí-la pelo pai. De ambas sobra bastante para o futuro, e até se tem o direito de dizer que nenhuma delas será superada em medida suficiente no curso do desenvolvimento. Mas a fase da ligação pré-edípica é a decisiva para o futuro da mulher; nela se prepara a aquisição daquelas qualidades que lhe bastarão para mais tarde cumprir seu papel nas funções sexuais e para bancar suas inestimáveis tarefas sociais. Nessa identificação ela ganha também a atração do homem, cuja ligação edípica com a mãe atiça para o enamoramento. Contudo, com muita frequência, apenas o filho recebe aquilo a que o homem almejava. Temos a impressão de que o amor do homem e o da mulher estão separados por uma diferença psicológica de fase.

O fato de devermos atribuir à mulher pouco senso de justiça certamente tem relação com a preponderância da inveja em sua vida anímica, pois a exigência de justiça é uma elaboração da inveja e indica a condição sob a qual se pode deixá-la de lado. Também dizemos das mulheres que seus interesses sociais são mais fracos e que sua capacidade para a sublimação pulsional é menor do que nos homens. A primeira deriva certamente do caráter associal que, indiscutivelmente, é próprio de todos os vínculos sexuais. Os amantes se bastam a si mesmos e até a família resiste à inclusão em comunidades mais amplas. A aptidão para a sublimação é submetida às maiores variações individuais. Por outro lado, não posso deixar de mencionar uma impressão que sempre se tem na atividade analítica. Um homem em seus 30 anos parece um indivíduo jovem, e até mesmo imaturo, de quem esperamos que aproveite firmemente as possibilidades de desenvolvimento que a análise lhe oferece. Mas uma mulher da mesma idade muitas vezes nos assusta por sua rigidez psíquica e imutabilidade. Sua libido assumiu posições definitivas e parece incapaz de abandoná-las por outras. Não há caminhos disponíveis para continuar o desenvolvimento; é como se o processo todo já estivesse concluído e permanecesse, a partir de agora, ininfluenciável; é como se o difícil desenvolvimento para a feminilidade houvesse esgotado as possibilidades da pessoa. Como terapeutas, lamentamos esse estado de coisas, mesmo quando conseguimos pôr fim ao sofrimento, acabando com o conflito neurótico.

Isto é tudo o que eu tinha para lhes dizer sobre a feminilidade. Certamente está incompleto e fragmentário, e nem sempre soa amigável. Mas não se esqueçam de que só conseguimos descrever a mulher [*Weib*] na medida em que seu ser é determinado por sua função sexual. Essa influência é, sem dúvida, muito vasta, mas não perdemos de vista o fato de que, além disso, cada mulher [*Frau*][15] deve ser um ser humano. Se quiserem saber mais sobre a feminilidade, então perguntem às suas próprias experiências de vida, ou voltem-se aos poetas, ou esperem até que a ciência possa lhes dar informações mais profundas e mais bem articuladas.

Die Weiblichkeit (1933)
Neue Folge der Vorlesungen zur Einführung in die Psychoanalyse – XXXIII

1933 Primeira publicação: *Internationaler Psychoanalytischer Verlag*
1934 *Gesammelte Schriften*, t. XII
1944 *Gesammelte Werke*, t. XV, p. 119-145

Freud desejou que a *Nova sequência de conferências de introdução à psicanálise* fosse vista como uma continuação daquelas *Conferências de introdução à psicanálise* apresentadas na Universidade de Viena entre 1915 e 1917. O título da série indica precisamente isso, assim como o prefácio e a numeração contínua, começando pelo número XXIX. O contexto já era bastante diferente. Não apenas a teoria psicanalítica havia passado pela reviravolta dos anos 1920, com a introdução de uma nova tópica e de um novo modelo pulsional, mas o contexto era outro. A psicanálise era uma disciplina mais bem reconhecida e em processo de crescente institucionalização; Freud já havia sido consagrado como autor, embora sua saúde se deteriorasse a cada ano. Diferentemente das conferências da época da Primeira Guerra, as novas conferencias não foram efetivamente proferidas. Contudo, Freud quis manter o estilo oral, dirigindo-se a uma audiência imaginária, como que para constituir um espaço íntimo e direto com o leitor. Além disso, escreve a Max Eitingon, então diretor da Internationaler Psychoanalytischer Verlag (editora criada em 1919), que gozava naquele momento de bastante tempo livre, acrescentando que o presente projeto não era tanto uma necessidade pessoal, mas uma maneira de ajudar a editora, em crise financeira. Em 18 de fevereiro de 1932, Freud escreve a Lampl-de Groot anunciando o projeto da *Nova sequência de conferências* e solicitando sua ajuda, na forma de documentos e de sugestões. Não custa lembrar que o artigo *Sobre a sexualidade feminina*, publicado havia pouco, reconhecia a importância do trabalho de "analistas mulheres" como Jeanne Lampl-de Groot e Helene Deutsch, que gozariam de uma posição privilegiada na transferência.

Embora no verão de 1932 uma parte do material já estivesse escrita, a conferência sobre a feminilidade ainda era apenas um projeto, conforme carta a Eitingon de 21 de julho de 1932. Poucas semanas depois, a partir de mais uma carta ao mesmo interlocutor, podemos inferir que a conferência sobre a feminilidade já estava redigida. O conjunto de conferências foi concluído em 31 de agosto de 1932, publicado em dezembro, mas com a data de 1933.

Se é verdade que desde 1925 Freud havia abdicado de falar em público, devido às consequências do seu câncer, não é menos verdade, como assevera Assoun (2009, p. 907), que, nessa *Nova sequência de conferências,* "a voz de Freud se faz escutar muito bem, uma prova que a voz do texto é independente de seu proferimento".

O leitor notará que o teor desta conferência tem forte conexão com o texto anterior – "Sobre a sexualidade feminina" –, embora tenha um tom mais didático. Uma notável reformulação teórica aqui é a afirmação de que a libido não é nem masculina nem feminina: "Só existe uma libido, que está a serviço tanto da função sexual masculina quanto da feminina. A ela própria não podemos atribuir nenhum sexo" (neste volume, p. 337). Freud retoma o tema da feminilidade no capítulo 7 do *Compêndio de psicanálise* (nesta coleção, p. 112-143).

Em uma nota redigida em 1935 para uma reedição de "A questão da análise leiga", Freud escreve: "Nossas investigações desde então nos ensinaram que também para a menina a mãe é o primeiro objeto de amor. É somente através de um longo desvio que posteriormente sucede ao pai tomar o lugar da mãe" (cf. *Fundamentos da clínica psicanalítica*, p. 241).

Podemos escutar ecos de afirmações de Freud como a de que "o amor do homem e o da mulher estão separados por uma diferença psicológica de fase", por exemplo, na tese lacaniana acerca da desproporcionalidade da relação entre os sexos. Com efeito, desde 1956, Lacan assevera que o erro dos analistas é supor "que existem a linha e a agulha, a moça e o rapaz, e entre um e outro uma harmonia preestabelecida, primitiva" (LACAN. *O seminário, livro 4: as relações de objeto.* Rio de Janeiro: Zahar, 1999). Mais tarde, Lacan formularia o aforismo "a relação sexual não existe".

NOTAS

1 Freud alude à série das *Conferências de introdução à psicanálise*, proferidas nos invernos de 1915-1916 e 1916-1917 e publicadas em 1917. (N.E.)

2 Referindo-se ao ciclo de conferências em que esta se encontra, a primeira foi intitulada "Revision der Traumlehre" ("Revisão da doutrina dos sonhos"). Nesta coleção, programada para o volume *Sonhos, sintomas e atos falhos* (N.R.)

3 "Traum und Okultismus" ("Sonho e ocultismo"). (N.R.)

4 "Die Zerlegung der psychischen Persönlichkeit" ("A decomposição da personalidade psíquica"). Nesta coleção, programada para o volume *Conceitos fundamentais da psicanálise.* (N.R.)

5 "Angst und Triebleben" ("Angústia e vida pulsional"). Nesta coleção, programada para o volume *Histeria, neurose obsessiva e outras neuroses.* (N.R.)

[6] "Häupter in Hieroglyphenmützen/Häupter in Turban und schwarzen Barett/Perückenhäupter und tausend andere/Arme, schwitzende Menschenhäupter...". Citação extraida do poema "Die Nordsee" ("O mar do norte") de Heinrich Heine. (N.T.)

[7] A ideia de bissexualidade remonta à correspondência Freud-Fließ (ver, neste volume, p. 37-72). Cf. também *Três ensaios sobre a teoria sexual* (1905). (N.E.)

[8] Apesar de Freud esclarecer melhor essa expressão no presente texto, há, no início da Conferência XX, "A vida sexual humana", neste volume, uma menção a essa expressão: "Podemos vislumbrar que no desenvolvimento do conceito de 'sexual', algo aconteceu que teve por consequência um "erro de sobreposição" [*Überdeckungsfehler*], de acordo com a feliz expressão de Herbert Silberer". Ver, ainda, a nota do editor no referido texto, que esclarece a origem do termo. (N.T.; N.E.)

[9] Ver, neste volume, o artigo seminal de 1925: "Algumas consequências psíquicas da distinção anatômica entre os sexos". (N.E.)

[10] Cf., por exemplo, o artigo de Ernest Jones, "Die erste Entwicklung der weiblichen Sexualität" (*Internationale Zeitschrift für Psychoanalyse*, XIV, 1928), que é bastante explícito a esse respeito. No texto de 1931, "Sobre a sexualidade feminina", Freud aborda a bibliografia secundária que motivou essa disputa. Sobre o contexto, ver notas editoriais aos três últimos artigos deste volume. (N.E.)

[11] É digno de nota como Freud se utiliza de dois substantivos alternadamente para se referir à noção de "mulher"; ora como *Weib*, ora como *Frau*. Ainda que aparentes sinônimos, *Weib* é o que se encontra no adjetivo *weiblich* (feminino), em *Weibchen* (fêmea) ou na palavra que dá nome a este texto, *Weiblichkeit* (feminilidade). A famosa questão sobre "o que quer a *mulher*" formula-se "*Was will das Weib?*". *Frau*, por outro lado, como vemos nessa passagem, refere-se a mulher(es), principalmente, como pessoas específicas, portadoras de um nome e demais atributos culturais. *Frau* é a palavra utilizada para que alguém se refira a uma "senhora" ou à "esposa" de alguém, sendo *Fräulein* o diminutivo referente a "senhorita" (mulher solteira). Este último termo acabou por ser abolido da linguagem ao longo do século XX, por força dos movimentos de emancipação feminina nos países de expressão alemã. (N.R.)

[12] As referências completas destes artigos encontram-se no final de "Sobre a sexualidade feminina", neste volume, p. 309-310. (N.E.)

[13] Em "Introdução ao narcisismo" (1914), no entanto, Freud faz o seguinte comentário sobre essa questão: "Para a etiologia da neurose, a inferioridade orgânica e a atrofia desempenham um papel insignificante,

mais ou menos o mesmo que o do material perceptivo recente para a formação do sonho" (*Ges. Werke*, v. 10, p. 166). (N.T.)

[14] Em "O tabu da virgindade" ("Das Tabu der Virginität") (1918), neste volume, Freud já havia comentado o assunto: "Creio que deve chamar a atenção do observador o fato de que, em um número quase que extraordinariamente elevado de casos, a mulher permanece frígida e se sente infeliz num primeiro casamento, ao passo que, após a dissolução desse casamento, ela se torna uma mulher carinhosa e capaz de fazer feliz seu segundo marido. A reação arcaica esgotou-se, por assim dizer, no primeiro objeto". (N.T.)

[15] Ver acima a nota do revisor acerca da diferença entre *Weib* e *Frau*. (N.R.)

FREUD

April 9th 1935

PROF. Dr. FREUD

WIEN, IX., BERGGASSE 19.

Dear Mrs [redacted]

I gather from your letter that your
son is a homosexual. I am most
impressed by the fact that you do not
mention this term yourself in your
information about him. May I question
you why you avoid it? Homosexuality
is assuredly no advantage but it is no-
thing to be ashamed of, no vice, no degrad-
ation, it cannot be classified as an illness;
we consider it to be a variation of the
sexual function produced by a certain
arrest of sexual development. Many
highly respectable individuals of ancient
and modern times have been homosex-
uals, several of the greatest men among
them (Plato, Michelangelo, Leonardo da
Vinci etc). It is a great injustice to
persecute homosexuality as a crime
and a cruelty too. If you do not be-
lieve me, read the books of Havelock
Ellis.

By asking me if I can help, you mean
I suppose if I can abolish homosexuality and make normal heterosex-
uality take its place. The answer is, in
a general way we cannot promise
to achieve it. In a certain number
of cases we succeed in developing
the blighted germs of heterosexual
tendencies which are present in
every homosexual, in the majority
of cases it is no more possible. It

is a question of the quality and the age of the individual. The result of treatment cannot be predicted.

What analysis can do for your son runs in a different line. If he is unhappy, neurotic, torn by conflicts, inhibited in his social life, analysis may bring him harmony, peace of mind, full efficiency whether he remains a homosexual or gets changed.

If you make up your mind he should have analysis with me — I dont expect you will —, he has to come over to Vienna. I have no intention of leaving here. However dont neglect to give me your answer.

Sincerely yours with kind wishes

Freud

P. S. I did not find it difficult to read your handwriting. Hope you will not find my writing and my English a harder task.

Dear DR. KINSEY:

HEREWITH I enclose a letter from a Great and Good man which you may retain.

From a Grateful Mother

F2.22.49 K.C.+TUCUMCARI LED R.P.O.

CARTA A UMA MÃE PREOCUPADA COM A HOMOSSEXUALIDADE DE SEU FILHO (1935)[i]

Prof. Dr. Freud

Viena IX., Berggasse 19
9 de abril de 1935

Prezada Sra. [Rasurado]

Depreendi de sua carta que seu filho é homossexual. Fiquei mais impressionado pelo fato de que a senhora mesma não menciona esse termo em sua informação sobre ele. Posso perguntar por que o evita? A homossexualidade certamente não é uma vantagem, tampouco é algo de que se envergonhar, não é nenhum vício, nenhuma degradação, não pode ser classificada como doença; nós a consideramos uma variação da função sexual produzida por uma detenção no desenvolvimento sexual. Muitos indivíduos altamente respeitáveis, tanto da Antiguidade quanto de tempos modernos, foram homossexuais, vários dos maiores entre eles (Platão, Michelangelo, Leonardo da Vinci, etc.). É uma grande injustiça, e também uma crueldade, perseguir a homossexualidade como se ela fosse um crime. Se a senhora não acredita em mim, então leia os livros de Havelock Ellis.

---

[i] Tradução de Pedro Eliodoro Tavares.

Ao me questionar se eu posso ajudar, suponho que queira dizer se eu poderia abolir a homossexualidade fazendo a heterossexualidade normal assumir seu lugar. A resposta é que de um modo geral não podemos prometer alcançar tal resultado. Num determinado número de casos, logramos desenvolver os gérmens debilitados das tendências heterossexuais, os quais estão presentes em todos os homossexuais; mas na maior parte dos casos isso já não é mais possível. Trata-se de uma questão que envolve as qualidades e a idade do indivíduo. Não há como predizer o resultado do tratamento.

Aquilo que a análise pode fazer pelo seu filho segue uma linha diversa. Se ele é infeliz, neurótico, acossado por conflitos, tem sua vida social inibida, a análise pode aportar-lhe harmonia, paz de espírito, eficiência total, quer ele siga sendo um homossexual ou tenha mudado. Se a senhora decidir que ele deve ter sua análise comigo – o que não imagino que fará –, ele deverá vir aqui para Viena. Não tenho intenção de sair daqui. Mesmo assim, não deixe de me dar sua resposta. Sinceramente seu, com os melhores votos,

Freud

P.S.: Não achei difícil entender sua caligrafia. Espero também que a senhora não considere a minha escrita ou meu inglês uma tarefa mais difícil.

"A Letter on Homosexuality" ou "A Letter from Freud"

1951 *The American Journal of Psychiatry*, 107, n. 10, p. 786-787, April

1951 *International Journal of Psycho-Analysis*, v. 32, p. 331

1960 *Briefe 1873-1939*, Editada por Ernst Freud e Lucie Freud. Frankfurt am Main, 2. ed. ampl., 1968, p. 438

(Disponível em http://www.pep-web.org/document.php?id=ijp.032.0331a)

Em 9 de abril de 1935, Freud escreve, em inglês, uma carta em resposta a uma mãe que lhe pede ajuda, preocupada com o que ele supõe ser a homossexualidade do filho. Não há registros disponíveis da carta original enviada pela mãe norte-americana. Além disso, até hoje a identidade dessa mulher permanece desconhecida: antes de reenviar a carta de Freud anonimamente ao Dr. Alfred Kinsey, ela teria rasurado seu próprio nome. Ao final do manuscrito, acrescentou um bilhete datilografado: "Envio-lhe a carta de um homem notável e bondoso por acreditar que o senhor deve guardá-la. De uma mãe agradecida". Ao que parece, desde então, a carta de Freud ficou sem resposta, apesar de seu pedido expresso de receber uma réplica. Ao que tudo indica, esta carta foi publicada pela primeira vez na coletânea de cartas organizada por seu filho, Ernst Freud. Uma fotocópia da carta escrita por Freud está disponível na Biblioteca do Congresso dos Estados Unidos. Não pode haver dúvidas sobre sua autenticidade, que consta, por exemplo, no volume bibliográfico da *Studienausgabe*, além de estar repertoriada por Michael Schröter, um dos mais renomados especialistas na correspondência freudiana, sob a rubrica "Cartas isoladas".

Freud foi um prolífico missivista. Sua correspondência é estimada em cerca de 20 mil cartas, sendo aproximadamente metade delas conservada. Nesse sentido, sua correspondência é ainda mais volumosa do que sua obra destinada à publicação. O volume de cartas é até hoje crescente, devido a leilões de acervos pessoais. Só no acervo da Biblioteca do Congresso em Washington são listados mais de 640 destinatários.

Um dos principais documentos teóricos da complexa concepção freudiana sobre as homossexualidades encontra-se em "Uma lembrança de infância de Leonardo da Vinci" (nesta coleção, no volume *Arte, literatura e os artistas*, p. 69-165). Freud subscreve "com prazer" as exigências dos homens homossexuais contra "as limitações legais de sua atividade sexual", ao mesmo tempo que tenta fornecer uma hipótese acerca da "gênese psíquica da homossexualidade" (p. 115), ou pelo menos, como admite, de um determinado "tipo" de homossexualidade, "dentre muitos" (p. 117). Outro importante estudo é o caso da jovem homossexual, publicado em 1920. Freud não considerava que a homossexualidade da jovem fosse uma doença que precisasse de uma cura, embora não descuidasse de submeter o caso a um exame cuidadoso acerca de sua psicogênese. Aliás, diga-se de passagem, para Freud, pelo menos desde os *Três ensaios*, tanto a heterossexualidade quanto a homossexualidade precisam ser explicadas do ponto de vista de sua psicogênese, já que a natureza é insuficiente para explicar a origem da atração sexual (nesta coleção, "Sobre a psicogênese de um caso de homossexualidade feminina", no volume *Neurose, psicose, perversão*). O interesse da presente carta é evidente, e sua atualidade, inconteste. Vale ressaltar como a atitude prática de Freud pode ser vista como ainda mais aberta e tolerante do que aquela presumida a partir de uma leitura superficial de seus textos teóricos.

MEYER-PALMEDO, I.; FICHTNER, G. *Freud-Bibliographie mit Werkkonkordanz*. Frankfurt a.M.: Fischer, 1999. • SCHRÖTER, M. Les lettres de Freud: état des lieux, caractéristiques, histoire de l'édition. *Essaim*, n. 19, p. 27-53, 2007/2 • FICHTNER, G. Les lettres de Freud en tant que source historique. *Revue Internationale d'Histoire de la Psychanalyse*, 1989 • QUINET, A.; JORGE, M. A. C. (Org). *As homossexualidades na psicanálise*.

POSFÁCIO
FREUD E AS MULHERES

Maria Rita Kehl

Convido os leitores da presente coletânea para que desfrutem, antes de tudo, da escrita de Freud, valorizada aqui pela tradução de Maria Rita Salzano Moraes. Para quem, como é o caso da minha geração, leu Freud na tradução espanhola da Biblioteca Nueva ou nas primeiras traduções brasileiras da Imago (ambas baseadas não no texto alemão, mas na tradução inglesa de James Strachey), é uma satisfação encontrar o estilo leve e coloquial do criador da psicanálise. Dizem que o estilo revela muito sobre aquele que escreve: nesse sentido, a escrita freudiana confirma sua ética. Freud se empenha na clareza da transmissão. O que ele tinha a dizer já era tão inusitado, tão inovador – ou, para alguns, escandaloso –, que o criador da psicanálise se esforçou para ser compreendido. Mais que isso: empenhou-se, com frequência, para conduzir o leitor através de seu processo de investigação, com todas as dúvidas e retificações que este impõe ao pesquisador honesto.

Os textos sobre a feminilidade e o sofrimento das mulheres são centrais na obra freudiana. Com um pouco de liberdade, podemos considerar as primeiras histéricas que se consultaram com o Dr. Freud como suas parceiras na fundação da psicanálise. Desde que "supervisionou" o amigo Breuer no atendimento de Bertha Pappenheim – a famosa Anna O. que abre os *Estudos sobre a histeria*, de 1889 –, Freud entendeu o que pouco mais tarde confessaria em carta ao amigo Fließ: na origem da histeria, a investigação psicanalítica há de encontrar "*toujours la chose sexuèlle*".[i] Talvez o trecho em francês tivesse a intenção de tornar a frase menos chocante. Vale lembrar, embora não seja o tema do livro que agora apresento ao leitor, que o próprio Breuer descreveu a vida de Anna O. como "muito monótona [...] restrita à família", apesar do "vigoroso intelecto" da moça. Não: Breuer e Freud não eram feministas, embora fossem contemporâneos às lutas das primeiras sufragistas. Mas se mostraram sensíveis em relação à pobreza das escolhas de destino permitidas às moças. Vale lembrar que a criação da psicanálise com certeza foi decisiva para a grande revolução que, no século XX, libertou as mulheres de seus grilhões.

Vejamos a seleção de textos deste *Amor, sexualidade, feminilidade*. Estamos em 1907 – 110 anos atrás. Freud escreve ao Dr. Fürst sobre a importância de se responder sem mentiras, embora com delicadeza, às perguntas das crianças sobre a sexualidade dos adultos.[ii] Esclarece que uma criança de 5, 6 anos, com exceção da imaturidade dos órgãos sexuais, "é um ser pronto para o amor". Propõe, nos parágrafos finais, que a escola ofereça esclarecimento sexual às crianças. Já estava, como sempre esteve, bem à frente de sua época.

A pergunta que Freud dirige ao leitor – "Afinal, o que queremos alcançar quando privamos as crianças [...]

---

[i] Sempre a coisa [o tema...] sexual.

[ii] "Sobre o esclarecimento sexual das crianças" (Carta aberta ao Dr. M. Fürst), 1907.

desses esclarecimentos sobre a vida sexual humana?" – será respondida no texto seguinte, "Sobre teorias sexuais infantis" (1908). O que se alcança ao mentir para as crianças sobre a sexualidade é a produção da neurose. Os neuróticos, escreve ele (p. 96), "são seres humanos como os demais". Seus sintomas representam, muitas vezes, tentativas de respostas às perguntas e aos dilemas que foram obrigados a recalcar – por falta de acolhida e de respostas honestas por partes dos adultos. Mas antes de formarem sintomas, as crianças tentam responder aos mistérios do sexo e da reprodução através de estranhas teorias. A relação com os órgãos genitais parece evidente, mas – o que se faz com eles? Marido e mulher urinam um na frente do outro, ou "mostram o bumbum" um ao outro? O sangue menstrual, que às vezes aparece na roupa da mãe, indica que sofreu alguma violência por parte do pai? De um ponto, o Dr. Freud não duvida: as fantasias com que as crianças tentam responder ao silêncio dos adultos participam, de alguma forma, da formação dos sintomas neuróticos. Às vezes o recalcamento sexual ocorrido na infância impede que as explicações sexuais afinal obtidas, na adolescência, sejam recusadas pelo sujeito, "até que na psicanálise dos neuróticos o conhecimento da tenra infância vem à luz" (p. 113). Em contrapartida, na abertura de "Duas mentiras infantis" (1913), ele defende as mentiras infantis de possíveis acusações moralistas: "É compreensível que as crianças mintam se, com isso, estiverem imitando as mentiras dos adultos" (p. 179).

Se Freud tenta compreender as mentiras infantis, é implacável em relação à recusa moralista dos adultos. "Senhoras e senhores! Poderíamos pensar que não haveria dúvida sobre o que se deve estabelecer por 'sexual'. É que, antes de tudo, o sexual é o impróprio, é aquilo sobre o que não se deve falar" (p. 187: "A vida sexual humana", a vigésima de suas conferências sobre a psicanálise, de 1916). Para ilustrar sua afirmação sobre o temor de se referir ao sexual, conta o episódio de um médico que recusava a etiologia sexual da histeria. Conduzido ao leito de uma paciente histérica cujos sintomas de conversão evocavam as contorções de uma mulher em trabalho de parto, o doutor teria respondido: "Ora, um parto não tem nada de sexual" (p. 187). Depois dessa ironia inicial Freud se debruça, no texto, sobre a vasta variedade de "desvios" sexuais humanos: o fetichismo, o sadismo, a coprofilia, o masoquismo. Refere-se à masturbação com naturalidade e revela que as perversões adultas não passam de fixações nas formas infantis de prazer sexual, entre as quais os prazeres orais permanecem admitidos socialmente, e os anais, proibidos. E afirma, em relação à homossexualidade (então considerada criminosa em muitos países):

> Aqueles que se autodenominam homossexuais são justamente apenas os invertidos conscientes e manifestos, cujo número desaparece se comparado aos homossexuais latentes. Entretanto, somos forçados a considerar a escolha de objeto do mesmo sexo como sendo francamente uma sistemática ramificação da vida amorosa, e aprendemos cada vez mais a lhe reconhecer uma importância particularmente grande (p. 193).

A conferência seguinte (XXI) persegue a investigação a respeito das perversões e revela o óbvio: se a única meta "natural" do ato sexual é a procriação, podem ser consideradas *perversas* (que retardam ou desviam a cópula do fim reprodutivo) uma série de práticas bastante frequentes que antecipam ou mesmo retardam tal fim: a contemplação do corpo do objeto amado, o beijo, carícias mais ousadas como beliscar e morder, a fixação em alguma parte não genital do corpo do parceiro...

> Na medida em que as ações perversas são preparatórias ou intensificadoras da execução do ato sexual normal, elas, na verdade, não são mais perversões (p. 214).

O leitor contemporâneo não se choca com isso. Os libertinos do século XVIII, muito menos. Mas Freud teve o papel de iluminar a obscuridade puritana do XIX. Ele também esclarece nessa conferência que a origem dos sentimentos culposos ligados à vida sexual derivam de sua associação com fantasias edípicas inconscientes.

A organização deste volume obedece à cronologia da produção dos textos sobre o amor, a sexualidade e a feminilidade. Mas os três textos de "Contribuições para a psicologia do amor" atravessam a cronologia. Escritos em 1910, 1912 e 1918, foram publicados na sequência (antes de "Duas mentiras infantis", de 1913), para que não se perca a unidade do conjunto. O leitor leigo há de compreender: o primeiro texto trata da paixão de alguns homens pela fantasia de "salvar a amada" de uma condição rebaixada, ou degradante. O "tipo particular de escolha de objeto nos homens" a que se refere o título é a escolha persistente de certos homens por prostitutas — não apenas como objeto circunstancial de satisfação erótica, mas também como objeto de amor. O segundo texto da "psicologia do amor" freudiana não é moralista como o título pode sugerir ao leitor contemporâneo. "Sobre a mais geral degradação da vida amorosa" investiga os casos de impotência masculina diante da mulher amada. A degradação mencionada aqui não é moral: é edípica. Ao contrário do que o leitor contemporâneo pode imaginar a partir do uso do termo "degradação", Freud não se refere a sintomas decorrentes do início da vida sexual com prostitutas, tão frequente em seu tempo. Seu objeto são os casos em que a sexualidade do homem (cujo exercício foi longamente interditado) permanece

> no inconsciente ligada a objetos incestuosos ou [...] fixada em fantasias incestuosas inconscientes. O resultado é, então, uma impotência absoluta, que talvez seja ainda confirmada pelo efetivo enfraquecimento simultaneamente adquirido dos órgãos que executam o ato sexual (p. 141).

E ainda inclui sob o rótulo de "degradação" a frigidez das mulheres que chegam ao casamento ignorantes dos mistérios do sexo, inibidas pelo tabu da virgindade e, "além disso, sob retroefeito [*Rückwirkung*] da conduta dos homens" (p. 146).

É evidente, depois disso, que o terceiro dos textos sobre a psicologia do amor seja o mais conhecido "O tabu da virgindade", de 1918, em que Freud afirma que a manutenção da virgindade feminina até o casamento serve para estabelecer "um estado de sujeição que garante a continuação imperturbada de sua posse" (p. 155-156). Pouco adiante, cita Krafft-Ebing na passagem em que o autor analisa a condição da sujeição sexual no casamento como fruto de "um grau excepcional de enamoramento e fraqueza de caráter" em uma das partes, e egoísmo irrestrito, na outra. A sujeição, esclarece Freud, apresenta-se com frequência do lado das mulheres, garantida inclusive pela exigência de que estas cheguem virgens ao leito nupcial. Ao comparar a questão do tabu da virgindade entre os povos primitivos e os modernos, conclui: "Em tudo isso não há nada que tenha caído em desuso, nada que não continue vivo entre nós" (p. 163).

Vale observar o quanto a influência da psicanálise, que Freud não podia prever, contribuiu para derrubar o tabu da virgindade no mundo ocidental. Por outro lado, ele admite com a mesma sinceridade de sempre – chocante para a época – que a proibição do sexo antes do casamento propicia a muitos enamorados os prazeres incomparáveis das carícias proibidas: "A relação sexual esteve até agora intensamente associada à proibição, e por isso mesmo a relação legal e permitida não será sentida como a mesma coisa" (p. 168). Bingo.

Observem a seguir o que Freud afirma, com uma abertura que vai na contramão da moral vitoriana, a respeito das perversões sexuais:

> Por mais desacreditadas que elas possam ser, por mais que se as contraponham nitidamente com a prática sexual normal, a reflexão tranquila mostrará que um ou outro traço perverso só raramente estará ausente da vida sexual dos normais. Até mesmo o beijo tem direito ao nome de um ato perverso, pois ele consiste na união de duas zonas bucais erógenas em vez dos genitais (p. 213).[i]

Na sequência, explica que a principal diferença entre a atividade sexual perversa e a dita normal é a falta de mobilidade da primeira: a sexualidade perversa, ao contrário do que pode parecer, será mais "bem centrada" (Freud) do que a normal; nela, alguma pulsão *parcial* submete todas as outras (inclusive as genitais) a seu gozo.

---

[i] Conferência XXI (1916) – "Desenvolvimento da libido e as organizações sexuais".

Fora isso, escreve ele, "não há nenhuma outra diferença entre a sexualidade perversa e a normal, a não ser a de que são outras as pulsões parciais dominantes e, portanto, também as metas sexuais". E acrescenta, bem ao contrário do que imaginam os "normais" sobre a diversidade do cardápio sexual perverso (fantasia bastante incentivada pela literatura libertina do século XVIII), que do ponto de vista da psicanálise a sexualidade perversa não passa de uma "tirania bem organizada" (p. 215) que só varia de acordo com a pulsão parcial que tomou o poder para cada sujeito. As pulsões parciais, características da sexualidade infantil, dominam a sexualidade perversa. Para Freud, o perverso se define pelo domínio do infantil sobre a sexualidade adulta. Ou seja: não faz nada tão excitante quanto o neurótico imagina, nem é tão imoral quanto ele teme.

A psicanálise foi criada, e transmitida por escrito, na medida em que a experiência clínica de Freud avançava. Entre 1919 e 1923, Freud escreveu textos fundamentais sobre temas da chamada psicologia social. Entre eles vale mencionar o clássico "Psicologia de massas e análise do *eu*", de 1921, em que, ao examinar as condições do fascínio da massa pelo líder, Freud antecipa a barbárie nazista por vir. O ensaio não participa dessa coletânea, mas convido o leitor familiarizado com a obra freudiana a observar como, nele, uma série de conceitos ligados à paixão sexual são empregados para explicar a adesão fanática dos indivíduos ao líder de massas: o fascínio, o enamoramento, o desejo individual de se dissolver no "sentimento oceânico" de pertencimento à massa e, dessa forma, obturar por algum tempo a castração. A fúria e o entusiasmo das massas seriam invulneráveis a argumentos razoáveis porque a massa está tomada – hoje diríamos, em termos lacanianos – pelo gozo.

MULHER, SEXUALIDADE FEMININA, FEMINILIDADE

Voltemos ao tema deste livro. Em 1923, no ensaio "Organização genital infantil (uma interpolação na teoria da sexualidade)", Freud começa por prestar contas ao leitor sobre os movimentos de seu percurso teórico. Retoma descobertas enunciadas nos *Três ensaios sobre a teoria sexual*, de 1905, e vai até os avanços que publicou na última edição destes, em 1922. A modificação acrescentada aqui há de ser valiosa para o desenvolvimento da psicanálise lacaniana: trata-se de substituir o primado do genital pelo *primado do falo* (p. 239). Este último seria, para a psicanálise, qualquer objeto ou atributo que se preste, no plano simbólico, a mascarar a incompletude subjetiva (também chamada "castração") comum a todos nós, neuróticos normais.

Os dois ensaios finais da coletânea são bastante conhecidos dos psicanalistas. Ambos se debruçam sobre os supostos mistérios femininos. O primeiro, "Sobre a sexualidade feminina", é de 1931. Dois anos depois, em 1933, Freud volta ao tema e escreve o clássico "A feminilidade". Observemos, de antemão, a sutil diferença entre *sexualidade feminina* e *feminilidade*. Enquanto o primeiro diz respeito a questões ligadas ao erotismo e ao gozo feminino (e os obstáculos sintomáticos a ele), o segundo analisa a feminilidade como modo de a mulher habitar seu corpo, simbolizar sua castração e fazer da falta (de pênis) condição do desejo pelo homem. A liberdade de Freud acompanha sua ousadia investigativa. Ao analisar a "pré-história" da mulher, ele vai encontrar não uma feminilidade imatura, e sim uma fase de *orientação masculina*. Pois para a menina, assim como para o menino, o primeiro de objeto de amor *e de prazer sexual* (lembrem-se de que ele já havia descoberto, há mais de duas décadas, a sexualidade infantil) também é a mãe. Esse período de enamoramento da menina pela mãe é considerado por Freud como a "fase anterior pré-edípica" da mulher:

> Nosso entendimento sobre a *fase anterior pré-edípica* [grifo meu] da menina tem o efeito de surpresa semelhante à descoberta, em outro campo, da cultura minoico-micênica por trás da grega (p. 287).

A descoberta de Freud é desconcertante, embora se revele bastante razoável na experiência da clínica psicanalítica: a sexualidade feminina se constitui necessariamente sobre uma base de intensa ligação a um objeto do mesmo sexo. Chamamos, sim, o objeto materno de "sexual" – para bebês de ambos os sexos –, pois é no prazer corporal experimentado na amamentação e no contato com o corpo da mãe que se estabelecem as bases para o desenvolvimento da pulsão sexual, em meninos e meninas. O desenvolvimento dito "normal" do menino deve passar pela rivalidade edípica com o pai. Mas mesmo depois dessa travessia, a marca do primeiro amor do menino por sua mãe definiria a orientação do desejo sexual masculino (a questão homossexual não é abordada aqui). Já para a menina, a questão se complica; no caso de um desenvolvimento "normal" da orientação sexual, a menina *parte de uma ligação intensa, afetiva e erótica, com um objeto do mesmo sexo* (a mãe). Isso exige dela um movimento a mais, na travessia edípica, para cumprir sua destinação de se tornar mulher e mãe. A famosa frase de Freud, apropriada por Simone de Beauvoir e hoje erroneamente atribuída a ela – "não se nasce mulher, torna-se mulher" –, refere-se à árdua elaboração da identificação da menina a seu sexo biológico.

Outra conclusão freudiana é que a primeira e intensa ligação da menina com a mãe participa da etiologia da histeria, mas esse não é nosso objeto neste breve posfácio.

A "bissexualidade na constituição humana"[i] encontra ainda mais um fator de fixação na constituição da sexualidade feminina: a existência desse pequeno órgão excitável e erétil (que Freud considera como um equivalente ao pênis): o clitóris. A mulher teria, desde sempre, *duas zonas erógenas* igualmente importantes, enquanto a sexualidade masculina se organiza toda em torno do pênis.[ii] Tomo a liberdade de apresentar este ensaio de 1931 junto com o seguinte, que encerra o livro: "A feminilidade", última das "Novas conferências introdutórias à psicanálise", de 1933. Freud se apresenta como candidato a resolver o "enigma da feminilidade", sobre o qual, antes dele, "ruminaram os seres humanos de todos os tempos" (p. 314).

Chamo a atenção para alguns pontos interessantes dessa conferência. Em primeiro lugar, Freud abre mão da ideia preestabelecida a respeito da *passividade* da posição da mulher na relação sexual. A famosa afirmação de que "é preciso uma grande dose de atividade para que uma meta passiva se estabeleça" se encontra nesse ensaio. A outra assertiva, que ele faz questão de manter, é a de que não se deve esperar que a psicologia resolva o enigma da feminilidade. Claro que essa insistência em manter o enigma pode levar o leitor contemporâneo a se indagar, afinal, se a feminilidade é mesmo tão enigmática ou se existe algo a respeito da mulher que nem mesmo o criador da psicanálise quer

---

[i] Ver, no presente volume, a gênese dessa discussão em "Cartas sobre a bissexualidade".

[ii] A "exceção" homossexual não é contemplada aqui.

saber. Adianto que esta é minha impressão.[i] O homem Freud foi, como seus biógrafos revelam, muito convencional em sua relação com as mulheres – com a bonita exceção da parceria intelectual com sua filha Anna.

Mas não foi um machista instalado nas prerrogativas imaginárias de sua posição. Constatou, por exemplo, o quanto o casamento nos moldes de sua época poderia ser destruidor para os sonhos, a vivacidade e mesmo para a libido de uma mulher. É o que conclui da observação a respeito da diferença entre o estado em que se encontram um homem e uma mulher por volta dos 30 anos.

> Um homem em seus 30 anos, que parece um indivíduo jovem, e até mesmo imaturo [...] mas uma mulher da mesma idade muitas vezes nos assusta por sua rigidez psíquica e imutabilidade. Sua libido assumiu posições definitivas e parece incapaz de abandoná-las por outras. Não há caminhos disponíveis para continuar o desenvolvimento; é como se o processo todo já estivesse concluído e permanecesse, a partir de agora, ininfluenciável. (p. 341).

Freud acusou a fumaça, mas não foi capaz de localizar o fogo. Não é preciso ser psicanalista para observar, hoje, o quanto essa constatação de Freud (à diferença de incontáveis outras) era exata – mas datada. Parece-me que, na primeira metade do século XX (antes da segunda onda feminista e muito antes dos movimentos de liberação sexual, racial e de gênero dos anos 1960), o que se esgotava nas mulheres de 30 anos não eram as forças nem a libido. Esgotavam-se as *perspectivas de construção de novos destinos*

---

[i] Desenvolvi um pouco mais essa hipótese da recusa de Freud no livro *Deslocamentos do feminino: a mulher freudiana na passagem para a modernidade.* São Paulo: Boitempo, 2016. (1. ed., 1998)

para a libido, que até então havia se concentrado – na melhor das hipóteses – no amor conjugal e na maternidade. A "matrona de 30 anos" de Freud seria a outra face das "adúlteras de 30 anos" de Balzac, Flaubert, Tolstói, Machado de Assis, Eça de Queiroz e tantos outros grandes romancistas do século XIX ao início do XX. Todos esses romances tratam da decepção da mulher com a vida conjugal – e de como essa decepção as conduz ao adultério. O que Freud percebeu (mas não pôde compreender) a respeito da libido feminina, ainda viva e pulsante no primeiro terço da vida, foi a completa ausência de novos destinos depois da (muito provável) decepção do casamento, do enclausuramento doméstico e dos prazeres do aleitamento de incontáveis filhos. Escrevi em outra parte[i]: se a mulher só produz filhos, ela se produz como mãe. Ou como histérica. Ou ainda, se tiver sorte, como amante de outro homem que a salvasse do tédio conjugal.

"A histeria é a salvação das mulheres", escreveu Dostoiévski em certo ponto de *Os irmãos Karamázov*. Sob outros nomes, a insatisfação sexual e conjugal das mulheres foi o tema central do romance oitocentista. Aliás, no mesmo século XIX, Émile Zola teria torcido para que o código napoleônico não aprovasse o divórcio. O romancista afirmou, com ironia, que sem a personagem da mulher insatisfeita e infiel estaria decretado o fim da grande literatura. Observem em quantos grandes romances da época o tema da mulher casada, insatisfeita e, a seguir, infiel ocupa o centro do enredo. Destaco *Madame Bovary*, de Gustave Flaubert, escrito no ano do nascimento de Freud (1856). Flaubert, um dos melhores escritores do

---

[i] *Deslocamentos do feminino: a mulher freudiana na passagem para a modernidade*. São Paulo: Boitempo, 2016. (1. ed., 1998)

período do grande romance dito realista, inventa uma personagem notável: uma jovem provinciana inquieta, sonhadora, cuja imaginação, alimentada na adolescência pela leitura de romances "para moças", não se satisfazia com o horizonte limitado de um casamento provinciano. A imaginação romanesca de Emma Bovary fazia com que ela tingisse suas infidelidades conjugais com as tintas das grandes histórias de amor lidas na adolescência. Mas seus amantes estavam muito aquém de sua ousadia erótica, sua exigência de prazer sexual, de uma vida mais interessante. Flaubert não poderia saber que criou uma personagem à frente de seu tempo: 70 anos mais tarde da publicação de *Madame Bovary* (por exemplo na Paris nos anos 1920), o livro não precisaria terminar com o suicídio da ousada Emma.

Fiz este breve rodeio para argumentar que mesmo a obra freudiana, com toda a coragem investigativa de seu autor, sofreu aqui e ali das limitações morais e ideológicas da época em que foi escrita. Ele é genial quando revela, por exemplo, que a "pré-história" amorosa com a mãe exige muito mais da menina, na travessia edípica, do que do menino. Este só teria de superar o primeiro objeto de amor (a mãe) e enfrentar a rivalidade com o pai – empreitada que só haverá de contribuir para o desenvolvimento de sua masculinidade. Desconsideremos, para efeito deste texto, que após a desilusão causada pela descoberta da castração materna o menino atravessa um período de fascínio apaixonado pelo pai, que a seus olhos é "o dono do falo". Isso também está em Freud, mas não se inclui na discussão dos textos desta coletânea. Para o menino, a travessia edípica também se dá em três fases, e a superação das duas primeiras é condição do amadurecimento sexual "normal". Elas seriam: o apaixonamento pela mãe/

o apaixonamento (homossexual) pelo pai/a aceitação da castração simbólica.[i]

Hoje, Freud não teria base empírica para o argumento de que a travessia edípica da menina esgotaria suas forças antes de ela chegar à meia-idade. As meninas faceiras de 30 anos do século XI demonstram que, nesse ponto, o criador da psicanálise estava errado. Não creio que a travessia edípica esgote as forças da mulher. Penso que o envelhecimento precoce das mulheres vitorianas possa ser entendido com muito mais justeza em função da combinação de: excesso de filhos/tédio doméstico/deserotização do casamento – do que pelo "esforço a mais" empreendido, ente os 4 e os 5 anos de idade, para renunciar ao amor apaixonado pelo pai depois de já ter renunciado ao amor incestuoso pela mãe.

O segundo "ponto cego" do genial criador da psicanálise em relação às mulheres é sua convicção de que o amadurecimento da sexualidade feminina exigiria o abandono da excitação clitoriana em "troca" da excitação vaginal – este, afinal, o órgão correto para garantir a procriação. A descoberta do prazer vaginal, na época de Freud, talvez fosse decepcionante para muitas mulheres – principalmente se levarmos em conta o despreparo e a falta de jeito de muitos maridos vitorianos. Mas não há

---

[i] Sim, temos de considerar que o amor do menino pelo pai, na saída do Édipo, também exige deste um movimento a mais de renúncia/identificação/sublimação para que ele se constitua dentro dos padrões da masculinidade heterossexual. Freud demonstra em alguns momentos de sua obra que percebeu isso, ao articular as fantasias persecutórias de alguns paranoicos com o recalque do amor do menino pelo pai. Lembrem-se de sua formidável análise das memórias de Schreber (1911), por exemplo. Ou de um dos textos da metapsicologia: "Sobre alguns mecanismos neuróticos no ciúme, na paranoia e na homossexualidade" (1922, publicado nesta coleção no volume *Neurose, psicose, perversão*).

nenhuma razão, anatômica ou psicológica, para que as duas fontes de excitação sexual da mulher não possam atuar em conjunto, possibilitando (pela masturbação clitoriana) a excitação da vagina e contribuindo para o orgasmo feminino. Inclusive na relação sexual com seu parceiro – se ele for esperto o suficiente para saber disso.

....

Ainda uma observação final. O empenho e a honestidade intelectual de Freud são sempre comoventes. Para além da teoria, e da prática que ela ilumina, a leitura deste conjunto de textos sobre o amor, a sexualidade e a feminilidade é uma experiência literária e (por que não?) existencial. Por maior que seja o cuidado científico do autor quanto à seriedade de suas investigações, é impossível que o leitor não seja tocado pela paixão do criador da psicanálise por seu objeto. A escrita freudiana parece confirmar o poder da sublimação – esse destino possível para o excesso pulsional que não se consegue realizar no sexo (independentemente da maior ou menor permissividade de cada cultura). Ciência e poesia, afinal, são duas ramificações que provêm da mesma raiz. Os textos freudianos, além daquilo que revelam a partir da experiência clínica do autor, possuem ritmo, energia, pulsação.

O leitor talvez perceba que estas últimas três palavras lembram um pouco os lugares comuns da contracultura das décadas de 1960, 1970. Nem por isso elas estariam fora do lugar, se aplicadas ao estilo freudiano. Sabemos, aliás, o quanto a liberação sexual da segunda metade do século passado (da qual até hoje desfrutamos) deve à ousadia – *malgré lui* – do criador da psicanálise.

REFERÊNCIAS

O aparato editorial do presente volume apoiou-se nos principais aparatos críticos disponíveis em línguas estrangeiras, na vasta correspondência, nas biografias mais conhecidas, em alguns dicionários temáticos e em recursos eletrônicos disponíveis. Abaixo, referimos as obras principais.

APARATOS CRÍTICOS ESTRANGEIROS

LAPLANCHE, J. (Ed.). *Œuvres complètes de Freud*. Paris: PUF, 1988-2016.(Notices, notes et variantes de Alain Rauzy).

STRACHEY, J. Apparatus. In: *The Standard Edition of the Complete Psychological Works of Sigmund Freud*. Translated from the German under the General Editorship of James Strachey. Londres, 1956-1974.

DICIONÁRIOS E CONGÊNERES

ASSOUN, P. L. *Dictionnaire des œuvres psychanalytiques*. Paris: PUF, 2009.

GAY, P. *The Freud reader*. New York: Norton & Company, 1989.

GRUBRICH-SIMITIS, I. *Zurück zu Freuds Texten*. Frankfurt am Main: Fischer Verlag, 1993. [Edição brasileira: *De volta aos textos de Freud*. Trad. Inês Lohbauer. Rio de Janeiro: Imago, 1995.]

HANNS, Luiz Alberto. *Dicionário comentado do alemão de Freud*. Rio de Janeiro: Imago, 1996.

LAPLANCHE, J.; PONTALIS, J.-B. *Vocabulário de psicanálise*. Trad. Pedro Tamen. São Paulo: Martins Fontes, 1998.

MEYER-PALMEDO, I.; FICHTNER, G. *Freud-Bibliographie mit Werkkonkordanz*. Frankfurt am Main: Fischer, 1999.

ROUDINESCO, E.; PLON, M. *Dicionário de psicanálise*. Trad. Vera Ribeiro e Lucy Magalhães. Rio de Janeiro: Zahar, 1998.

TAVARES, P. H. *Versões de Freud: breve panorama crítico das traduções de sua obra*. Rio de Janeiro: 7Letras, 2011.

BIOGRAFIAS

GAY, P. *Freud: uma vida para nosso tempo*. Trad. Denise Bottman. São Paulo: Companhia das Letras, 1989.

JONES, E. *Vida e obra de Sigmund Freud*. Trad. Júlio Castañon Guimarães. Rio de Janeiro: Imago, 1998. 3 v.

ROUDINESCO, E. *Sigmund Freud: en son temps et dans le nôtre*. Paris: Seuil, 2014.

THE FREUD MUSEUM DE LONDRES. *Diário de Sigmund Freud, 1929-1939. Crônicas breves*. Porto Alegre: Artmed, 2000.

RECURSOS ELETRÔNICOS

The Library of Congress, Washington, D.C., Manuscript Division, *Sigmund Freud Collection*. https://www.loc.gov/collections/sigmund-freud-papers/

Freud Diarium, por Christfried Tögel. http://www.freud-biographik.de/

OBRAS INCOMPLETAS DE SIGMUND FREUD

A célebre "enciclopédia chinesa" referida por Borges dividia os animais em: "a) pertencentes ao imperador; b) embalsamados, c) domesticados, d) leitões, e) sereias, f) fabulosos, g) cães em liberdade, h) incluídos na presente classificação, i) que se agitam como loucos, j) inumeráveis, k) desenhados com um pincel muito fino de pelo de camelo, l) *et cetera*, m) que acabam de quebrar a bilha". A coleção Obras Incompletas de Sigmund Freud é um convite para que o leitor estranhe as taxionomias sacramentadas pelas tradições de escolas e de editores; classificações que incluem e excluem obras do "cânone" freudiano através do apaziguador adjetivo "completas"; que dividem a obra em classes consagradas, tais como "publicações pré-psicanalíticas", "artigos metapsicológicos", "escritos técnicos", "textos sociológicos", "casos clínicos", "outros trabalhos", etc. Como se um texto sobre a cultura ou sobre um artista não fosse também um documento clínico, ou se um escrito técnico não discutisse importantes questões metapsicológicas, ou se trabalhos como *Sobre a concepção das afasias*, por exemplo, simplesmente jamais tivessem sido escritos.

A tradução e a edição da obra de Freud envolvem múltiplos aspectos e dificuldades. Ao lado do rigor filológico e do cuidado estilístico, ao menos em igual proporção, deve figurar a precisão conceitual. Embora Freud seja um escritor talentoso, tendo sido agraciado com o Prêmio Goethe, entre outros motivos, pela qualidade literária de sua prosa científica, seus textos fundamentam uma prática: a clínica psicanalítica. É claro que os conceitos que emanam da Psicanálise também interessam, em maior ou menor grau, a áreas conexas, como a crítica social, a teoria literária, a prática filosófica, etc. Nesse sentido, uma tradução nunca é neutra ou anódina. Isso porque existem dimensões não apenas linguísticas (terminológicas, semânticas, estilísticas) envolvidas na tradução, mas também éticas, políticas, teóricas e, sobretudo, clínicas. Assim, escolhas terminológicas não são sem efeitos práticos. Uma clínica calcada na teoria da "pulsão" não se pauta pelos mesmos princípios de uma clínica dos "instintos", para tomar apenas o exemplo mais eloquente.

A tradução de Freud – autor tão multifacetado – deve ser encarada de forma complexa. Sua tradução não envolve somente o conhecimento das duas línguas e uma boa técnica de tradução. Do texto de Freud se traduz também o substrato teórico que sustenta uma prática clínica amparada nas capacidades transformadoras da palavra. A questão é que, na estilística de Freud e nas suas opções de vocabulário, via de regra, forma e conteúdo confluem. É fundamental, portanto, proceder à "escuta do texto" para que alguém possa desse autor se tornar "intérprete".

Certamente, há um clamor por parte de psicanalistas e estudiosos de Freud por uma edição brasileira que respeite a fluência e a criatividade do grande escritor, sem se descuidar da atenção necessária ao já tão amadurecido debate acerca de um "vocabulário brasileiro" relativo à metapsicologia freudiana. De fato, o leitor, acostumado a um estranho método de leitura, que requer a substituição mental de alguns termos fundamentais, como "instinto" por "pulsão", "repressão" por "recalque", "ego" por "eu", "id" por "isso", não raro perde o foco do que está em jogo no texto de Freud.

Se tradicionalmente as edições de Freud se dicotomizam entre as "edições de estudo", que afugentam o leitor não especializado, e as "edições de divulgação", que desagradam o leitor especializado, procurou-se aqui evitar tais extremos. Quanto à prosa ou ao estilo freudianos, procurou-se preservar ao máximo as construções das frases evitando "ambientações" desnecessárias, mas levando em conta fundamentalmente as consideráveis diferenças sintáticas entre as línguas.

A presente tradução, direta do alemão, envolve uma equipe multidisciplinar de tradutores e consultores, composta por eminentes profissionais oriundos de diversas áreas, como a Psicanálise, as Letras e a Filosofia. O trabalho de tradução e a revisão técnica de todos os volumes é coordenado pelo psicanalista e germanista Pedro Heliodoro Tavares, encarregado também de fixar as diretrizes terminológicas da coleção. O projeto é guiado pelos princípios editoriais propostos pelo psicanalista e filósofo Gilson Iannini.

A coleção Obras Incompletas de Sigmund Freud não pretende apenas oferecer uma nova tradução, direta do alemão e atenta ao *uso* dos conceitos pela comunidade psicanalítica brasileira. Ela pretende ainda oferecer uma nova maneira de organizar e de tratar os textos.

A coleção se divide em duas vertentes principais: uma série de volumes organizados tematicamente, ao lado de outra série dedicada a volumes monográficos. Cada volume recebe um tratamento absolutamente singular, que determina se a edição será bilíngue ou não e o volume de paratexto e notas, conforme as exigências impostas a cada caso. Uma ética pautada na clínica.

VOLUMES TEMÁTICOS

I - Psicanálise

- O interesse pela Psicanálise [1913]
- História do movimento psicanalítico [1914]
- Psicanálise e Psiquiatria [1917]
- Uma dificuldade da Psicanálise [1917]
- A Psicanálise deve ser ensinada na universidade? [1919]
- "Psicanálise" e "Teoria da libido" [1922-1923]
- Breve compêndio de Psicanálise [1924]
- As resistências à Psicanálise [1924]
- "Autoapresentação" [1924]
- Psico-Análise [1926]
- Sobre uma visão de mundo [1933]

II - Fundamentos da clínica psicanalítica

Publicado em 2017 | Tradução de Claudia Dornbusch

- Tratamento psíquico (tratamento anímico) [1890]
- O método psicanalítico freudiano [1903]
- Sobre psicoterapia [1904]
- Sobre Psicanálise selvagem [1910]
- Recomendações ao médico para o tratamento psicanalítico [1912]
- Sobre a dinâmica da transferência [1912]
- Sobre o início do tratamento (Novas recomendações sobre a técnica da Psicanálise I) [1913]
- Recordar, repetir e perlaborar (Novas recomendações sobre a técnica da Psicanálise II) [1914]
- Observações sobre o amor transferencial (Novas recomendações sobre a técnica da Psicanálise III) [1914]
- Sobre fausse reconnaissance (déjà raconté) no curso do trabalho psicanalítico [1914]
- Caminhos da terapia psicanalítica [1918]
- A questão da análise leiga [1926]
- Análise finita e infinita [1937]
- Construções em análise [1937]

III - Conceitos fundamentais da Psicanálise

- Cartas e rascunhos
- O mecanismo psíquico do esquecimento [1898]
- Lembranças encobridoras [1899]

- Formulações sobre dois princípios do acontecer psíquico [1911]
- Algumas considerações sobre o conceito de inconsciente na Psicanálise [1912]
- Para introduzir o narcisismo [1914]
- As pulsões e seus destinos [1915]
- O recalque [1915]
- O inconsciente [1915]
- A transferência [1917]
- Além do princípio de prazer [1920]
- O Eu e o Isso [1923]
- Nota sobre o bloco mágico [1925]
- A decomposição da personalidade psíquica [1933]

IV - Sonhos, sintomas e atos falhos

- Sobre o sonho [1901]
- Manejo da interpretação dos sonhos [1911]
- Sonhos e folclore [1911]
- Um sonho como meio de comprovação [1913]
- Material de contos de fadas em sonhos [1913]
- Complementação metapsicológica à doutrina dos sonhos [1915]
- Uma relação entre um símbolo e um sintoma [1916]
- Os atos falhos [1916]
- O sentido do sintoma [1917]
- Os caminhos da formação de sintoma [1917]
- Observações sobre teoria e prática da interpretação de sonhos [1922]
- Algumas notas posteriores à totalidade da interpretação dos sonhos [1925]
- Inibição, sintoma e angústia [1925]
- Revisão da doutrina dos sonhos [1933]
- As sutilezas de um ato falho [1935]
- Distúrbio de memória na Acrópole [1936]

V - Histórias clínicas

- Fragmento de uma análise de histeria (Caso Dora) [1905]
- Análise de fobia em um menino de cinco anos (Caso Pequeno Hans) [1909]
- Considerações sobre um caso de neurose obsessiva (Caso Homem dos Ratos) [1909]

- Considerações psicanalíticas sobre um caso de paranoia relatado de forma autobiográfica [Dementia Paranoides] (Caso Presidente Schreber) [1911]
- História de uma neurose infantil (Caso Homem dos Lobos) [1914]

VI - Histeria, obsessão e outras neuroses

- Cartas e rascunhos
- Sobre o mecanismo psíquico dos fenômenos histéricos [1893]
- Obsessões e fobias: seu mecanismo psíquico e sua etiologia [1894]
- As neuropsicoses de defesa [1894]
- Observações adicionais sobre as neuropsicoses de defesa [1896]
- A etiologia da histeria [1896]
- A hereditariedade e a etiologia das neuroses [1896]
- A sexualidade na etiologia das neuroses [1898]
- Minhas perspectivas sobre o papel da sexualidade na etiologia das neuroses [1905]
- Atos obsessivos e práticas religiosas [1907]
- Fantasias histéricas e sua ligação com a bissexualidade [1908]
- Considerações gerais sobre o ataque histérico [1908]
- Caráter e erotismo anal [1908]
- O romance familiar dos neuróticos [1908]
- A disposição para a neurose obsessiva: uma contribuição ao problema da escolha da neurose [1913]
- Paralelos mitológicos de uma representação obsessiva visual/plástica [1916]
- Sobre transposições da pulsão, especialmente no erotismo anal [1917]

VII - Neurose, psicose, perversão

Publicado em 2016 | Tradução de Maria Rita Salzano Moraes

- Cartas e rascunhos
- Sobre o sentido antitético das palavras primitivas [1910]
- Sobre tipos neuróticos de adoecimento [1912]
- Luto e melancolia [1915]
- Comunicação sobre um caso de paranoia que contraria a teoria psicanalítica [1915]
- "Bate-se numa criança" [1919]
- Sobre a psicogênese de um caso de homossexualidade feminina [1920]
- Sobre alguns mecanismos neuróticos no ciúme, na paranoia e na homossexualidade [1922]

- Uma neurose demoníaca no século XVII [1922]
- O declínio do complexo de Édipo [1924]
- A perda da realidade na neurose e na psicose [1924]
- Neurose e psicose [1924]
- O problema econômico do masoquismo [1924]
- A negação [1925]
- O fetichismo [1927]

VIII - Arte, literatura e os artistas

Publicado em 2015 | Tradução de Ernani Chaves

- Personagens psicopáticos no palco [1905]
- O poeta e o fantasiar [1907]
- Uma lembrança de infância de Leonardo da Vinci [1910]
- O motivo da escolha dos três cofrinhos [1913]
- Moisés de Michelangelo [1914]
- Transitoriedade [1915]
- Alguns tipos de caráter no trabalho analítico [1916]
- Uma lembrança de infância em "Poesia e verdade" [1917]
- O humor [1927]
- Dostoiévski e o parricídio [1927]
- Prêmio Goethe [1930]

IX - Amor, sexualidade e feminilidade

Publicado em 2018 | Tradução de Maria Rita Salzano Moraes

- Cartas sobre a bissexualidade (1898 -1904)
- Sobre o esclarecimento sexual das crianças [1907]
- Teorias sexuais infantis [1908]
- Contribuições para a psicologia do amor [1910]
  a) Sobre um tipo especial de escolha objetal no homem
  b) Sobre a mais geral degradação da vida amorosa
  c) O tabu da virgindade
- Duas mentiras contadas por crianças [1913]
- A vida sexual dos seres humanos [1916]
- Desenvolvimento da libido e organização sexual [1916]
- Organização genital infantil [1923]
- O Declínio do Complexo de Édipo (1924)
- Algumas consequências psíquicas da distinção anatômica entre os sexos [1925]
- Sobre tipos libidinais [1931]
- Sobre a sexualidade feminina [1931]

- A feminilidade [1933]
- Carta a uma mãe preocupada com a homossexualidade de seu filho (1935)

X - Cultura, sociedade, religião: O mal-estar na cultura e outros escritos
Publicado em 2020 | Tradução de Maria Rita Salzano Moraes

- A moral sexual "civilizada" e doença nervosa [1908]
- Considerações contemporâneas sobre guerra e morte [1915]
- Psicologia de massas e análise do Eu [1921]
- O futuro de uma ilusão [1927]
- Uma vivência religiosa [1927]
- O mal-estar na cultura [1930]
- Sobre a conquista do fogo [1931]
- Por que a guerra? [1932]
- Comentário sobre o antissemitismo [1938]

VOLUMES MONOGRÁFICOS

- **As pulsões e seus destinos [edição bilíngue]**
  Publicado em 2013 | Tradução de Pedro Heliodoro Tavares
- **Sobre a concepção das afasias**
  Publicado em 2013 | Tradução de Emiliano de Brito Rossi
- **Compêndio de Psicanálise e outros escritos inacabados**
  Publicado em 2014 | Tradução de Pedro Heliodoro Tavares
- **O infamiliar (edição bilíngue). Seguido de "O homem da areia" (de E.T.A. Hoffmann)**
  Publicado em 2019 | Tradução de Ernani Chaves e Pedro Heliodoro Tavares
- **Além do princípio de prazer (edição bilíngue)**
- **O delírio e os sonhos na "Gradiva" de Jensen. Seguido de "Gradiva" (de W. Jensen)**
- **Três ensaios sobre a teoria sexual**
- **Psicopatologia da vida cotidiana**
- **O chiste e sua relação com o inconsciente**
- **Estudos sobre histeria**
- **Cinco lições de Psicanálise**
- **Totem e tabu**
- **O homem Moisés e a religião monoteísta**
- **A interpretação dos sonhos**

Gilson Iannini

Psicanalista, filósofo, editor. Professor do Departamento de Psicologia da UFMG, ensinou no Departamento de Filosofia da UFOP por quase duas décadas. Doutor em Filosofia (USP) e mestre em Psicanálise (Université Paris VIII). Autor de *Estilo e verdade em Jacques Lacan* (Autêntica, 2012).

Pedro Heliodoro Tavares

Psicanalista, germanista, tradutor. Professor da Área de Alemão – Língua, Literatura e Tradução (USP). Doutor em Psicanálise e Psicopatologia (Université Paris VII). Autor de *Versões de Freud* (7Letras, 2011) e coorganizador de *Tradução e psicanálise* (7Letras, 2013).

Maria Rita Salzano Moraes

Professora do Departamento de Linguística Aplicada da Unicamp. Doutora em Linguística (Unicamp) e mestre em Linguística Aplicada (Unicamp). Tradutora.

Maria Rita Kehl

Psicanalista e escritora. Doutora em Psicanálise pela PUC-SP. Vencedora do Prêmio Jabuti, com *O tempo e o cão: a atualidade das depressões* (2010). Integrou a Comissão Nacional da Verdade (2012-2014). Autora de, entre outros, *A mínima diferença* (1996), *Deslocamentos do feminino: a mulher freudiana na passagem para a modernidade* (1998) e *Sobre ética e psicanálise* (2002).

Títulos originais: *Aus den Anfängen der Psychoanalyse; Zur sexuellen Aufklärung der Kinder;* Über infantile Sexualtheorien; Über einen besonderen Typus der Objektwahl beim Manne; Über die allgemeinste Erniedrigung des Liebeslebens; *Das Tabu der Virginität; Zwei Kinderlügen; Das menschliche Sexualleben; Libidoentwicklung und Sexualorganisationen; Die infantile Genitalorganisation (eine Einschaltung in die Sexualtheorie); Einige psychische Folgen des anatomischen Geschlechtsunterschieds;* Über libidinöse Typen; Über die weibliche Sexualität; *Die Weiblichkeit; A Letter on Homosexuality.*

EDITOR DA COLEÇÃO
Gilson Iannini

EDITORA RESPONSÁVEL
Rejane Dias

EDITORA ASSISTENTE
Cecília Martins

ORGANIZAÇÃO, NOTAS E APARATO EDITORIAL
Gilson Iannini
Pedro Heliodoro Tavares

REVISÃO TÉCNICA E DE TRADUÇÃO
Pedro Heliodoro Tavares

CONSULTORIA CIENTÍFICA E REVISÃO DO APARATO
Ana Cecília de Carvalho
Carla Rodrigues
Jeferson Machado Pinto
Jésus Santiago
Marcus Vinícius Silva
Paulo César Ribeiro

REVISÃO
Aline Sobreira

PROJETO GRÁFICO E CAPA
Diogo Droschi (sobre imagem Sigmund Freud's Study – *Authenticated News)*

DIAGRAMAÇÃO
Guilherme Fagundes

Dados Internacionais de Catalogação na Publicação (CIP)
(Câmara Brasileira do Livro, SP, Brasil)

Freud, Sigmund, 1856-1939
Amor, sexualidade, feminilidade / Sigmund Freud ; tradução Maria Rita Salzano Moraes. -- 1. ed.; 6. reimp. -- Belo Horizonte : Autêntica, 2023. -- (Obras Incompletas de Sigmund Freud ; 7)

ISBN 978-85-513-0361-0

1. Amor (Psicologia) 2. Feminilidade (Psicologia) 3. Psicanálise 4. Psicologia 5. Psicoterapia 6. Sexo (Psicologia) 7. Textos - Coletâneas I. Título. II. Série.

18-13428 CDD-150.1952

Índices para catálogo sistemático:
1. Psicanálise freudiana : Psicologia 150.1952

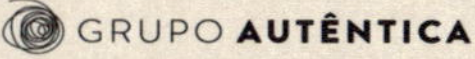

Belo Horizonte
Rua Carlos Turner, 420
Silveira . 31140-520
Belo Horizonte . MG
Tel.: (55 31) 3465 4500

São Paulo
Av. Paulista, 2.073, Conjunto Nacional
Horsa I . Sala 309 . Bela Vista
01311-940 . São Paulo . SP
Tel.: (55 11) 3034 4468

www.grupoautentica.com.br
SAC: atendimentoleitor@grupoautentica.com.br

Este livro foi composto com tipografia Bembo Std e impresso
em papel Off-White 70 g/m² na Formato Artes Gráficas.